KB033516

그녀와 야수

그녀와 야수 · III
마지노선 장편소설
iE BOOK

목 차

2부

11. 짝사랑이다(II)

11. 짝사랑이다(II)

“아스티나!”

휘날리던 갈색 머리칼이 그대로 나풀거리며 뺨 위로 내려앉았다. 아스티나는 제 볼을 간질이는 칸나의 머리칼을 가만히 내버려 두었다. 몇 번이고 반복해 불리는 이름에 물기가 담기고 어깨 역시 점점 축축해진다.

아스티나는 칸나의 등을 가볍게 쓸다가, 그대로 그녀를 밀어냈다. 부드럽지만 단호한 힘에 칸나는 얼떨결에 물러섰다. 주춤거린 것도 잠시, 칸나는 아스티나의 두 팔을 쥐고는 얼굴 곳곳을 살폈다.

“어디 다치진 않았지? 몸은 괜찮아? 잠은 잘 잤니? 식사는…….”

더없이 멀쩡한, 아니 아카데미에 있을 때와 비교해 광까지 나는 아스티나를 보고 칸나는 애매하게 말을 끝맺었다.

“식사는…… 잘했나 보구나.”

칸나의 심경은 대공령까지 찾아간 벤자민이 아스티나와 대면하고 느꼈던 감정과 정확히 일치했다. 밤을 지새우게 만든 온갖 걱정을 비웃듯, 아스티나는 그야말로 좋아 보였다. 괴물 대공에게 팔려 간 비탄의 신부와는 거리가 먼 모습이다.

대공의 저주가 풀렸다는 소문이 수도까지 퍼지긴 했지만, 레테 백작가는 얼마 전까지 그저 긴가민가해하고 있었다. 혹여 괜한 기대를 했다가 나중에 실망이 더욱 짙어질까 봐서였다.

레테 백작 부인은 사실 확인을 위해 신중하게 한 자 한 자 눌러쓴 편지를 대공령으로 보냈다. 서두는 길고 후미는 요란했지만, 요약하자면 '대공께서 정말 사람이 되었느냐'는 내용이었다.

백작 부인이 쓴 편지는 대공 부부가 아탈렌타를 떠나기 전날 아슬아슬하게 도착했다. 제대로 된 답장을 쓸 여유가 없어 아스티나는 짧은 답장만을 먼저 들려 보냈었다. 온갖 의문을 드러낸 구구절절한 편지에 아스티나가 돌려준 답은 성의 없으리만치 명료했다.

[대공께서 사람이 되셨어요, 수도에서 뵙겠습니다.]

당연히 백작 부부는 혼란에 젖었다. 더 자세히 경황을 캐물으려 했으나, 이동 중에는 소식을 주고받을 수 없었다. 대신 가족들은 대공 부부가 수도에 도착했다는 말을 들음과 동시에 사람을 보냈다.

마침 백작 부부도 연회에 참석하기 위해 상경한 참이었기에 조우는 어렵지 않게 이루어졌다. 눈시울을 붉힌 부모님을 상대하고 나자 콧물로 범벅이 된 칸나가 남았다.

풀 회포가 길어 보였는지 테리오드는 백작 부부를 인솔해 자리를 비켜 주었다. 금방이라도 다시 괴물 대공으로 변하는 건 아닌가 의심하던 눈도 잠시, 백작 부부는 홀린 듯 테리오드를 따라 나갔다.

확실히 대공은 사람을 끄는 매력이 있는 남자였다. 정확히 외적인 부분에서.

신명 나게 코를 푼 칸나가 원망하듯 말했다.

"왜 편지 안 했어?"

"바빴어."

농담이 아니고 정말 바빴다. 아탈렌타령에서 가신들을 휩쓸기 전 몇 번 근황을 주고받았으나, 연락은 곧 자연스럽게 끊겼다. 밀린 대공령의 업무가 티타임의 여유도 앗아 갈 정도의 강도를 자랑했기 때문이다.

급한 불을 끄고 난 후에도 아스티나는 이런저런 일들로 정신이 없었다. 물리적인 바쁨보다는, 친정까지 신경 쓸 여력이 없었다는 말이 더 정확할 테지만.

대공 부부는 가문 간의 정략으로 맺어진 사이였지만 일련의 일들로 전제 조건은 완전히 변해 있었다. 가장 큰 변수는 테리오드가 더 이상 기피 대상이 아니게 됐다는 점이었다. 아직은 하루의 반을 짐승으로 살아야 하는 불완전한 해결이었으나, 모르는 사람이 보기에 테리오드는 이전의 완벽한 대공과 다를 바 없었다.

아스티나가 가장 염려한 것은 우습게도 대공의 변화를 기꺼워할 부모님이었다. 그녀는 이 일에 레테 백작 부부의 사견이 끼어들지 않게, 앞으로의 계획이 확실해질 때까지 확언을 숨기고자 했다. 벨루아에서 소란을 벌이며 그도 다 쓸모없는 일이 되고 말았지만.

아스티나는 곤란한 화제를 잇는 대신 화살을 자매에게로 돌렸다.

"언니야말로 초콜릿은 결국 안 보냈던데. 부탁도 안 한 히센이 대신 오고."

“히센 경은 부모님이 보내신 거지. 난 학기 중이라 외출할 시간이 별로 없었어. 장마 때문에 인편을 보내기가 힘들기도 했고, 또—”

“또?”

“……그렇게 채근하지 마. 내 잘못 아니란 말이야. 가게 주인이 장기 휴가를 갔더라구.”

“아직도 자리를 비웠어?”

“얻어듣기로는 축제가 끝나기 전까진 가게 문을 안 열겠다나 보더라.”

“아쉽게 됐네, 수도에 온 이유의 반이 사라졌어.”

아스티나가 혀를 찼다. 칸나가 날카롭게 지적했다.

“나머지 이유의 반은 뭔데?”

“……물론, 보고 싶었던 가족을 만나는 거지.”

아스티나는 수확절 연회 참석이라는 1순위 목표를 어렵지 않게 지워 냈다. 칸나는 입꼬리를 끌어 올리며 아스티나의 옆으로 와 앉았다. 아스티나는 제 오른손을 그러쥐는 칸나의 왼손을 마주 잡았다. 칸나가 아스티나의 손등을 내려다보며 말했다.

“보고 싶었어.”

“그랬겠지.”

아카데미를 떠나고 처음으로 얼굴을 보는 것이었다. 당연하다는 듯한 아스티나의 대답에 칸나가 픽 웃었다.

“내 동생은 도무지 애틋해질 틈을 안 주는구나. 그간 어떻게 지냈어?”

“잘 지냈어.”

“대공께선 어떻게 사람이 되신 거야? 정말 소문처럼 운명의 사랑, 뭐 그런 거니?"
운명의 상대라. 아스티나는 테리오드의 얼굴을 떠올리고는 스치듯 웃었다. 한때 같은 낯을 운명이라 착각했던 적은 있었다.
"운명이니 뭐니 하는 소리를 덜어 내면 사실과 그리 다르진 않아. 대공이 사람으로 돌아온 건 입맞춤 덕분이 맞으니까."
"아직도 안 믿겨. 그러니까, 대공께서 평생 그 상태이길 바랐다는 뜻이 아니라……."
"생각지도 못한 일이지."
아스티나가 덤덤하게 덧붙였다. 칸나는 힘겹게 고개를 끄덕였다.
"그래, 정확해. 네가 무사하다는 소식을 듣고, 대공께서도 돌아오시고. 모든 게 잘 풀리니까 그냥 다 꿈 같더라."
칸나는 믿어지지 않는다는 듯 아스티나의 손등을 꼬집었다. 아스티나가 눈썹만 들어 올리자 "아파?" 하고 묻기까지 한다. 아스티나는 칸나에게 같은 강도의 통증을 돌려주었다. 칸나는 꺅, 하고 비명 지르며 화들짝 물러났다. 아스티나는 그것이 어딘지 작위적이라는 느낌을 받았다. 부러 아무렇지 않은 척 가장하는 것처럼.
"칸나."
아스티나는 웃음기 어린 얼굴로 그런 칸나를 불렀다. 의아한 낯을 한 칸나에게 곧장 이렇게 말했다.
"난 무사할 거라고 했잖아."
칸나는 반사적으로 입을 벌렸다. 무어라 대답하려 했으나, 그 시도는 뻐끔거림에 그쳤다. 칸나는 이내 아랫입술을 지르물었다. 울컥하여 목소리가 잠긴 탓이었다.
아스티나는 심약한 칸나가 감당하지 못할 수위의 말을 꺼냈음을 알았다. 그러나 아스티나는 그 말을 취소하는 대신 칸나의 손을 힘 있게 그러쥐었다.

칸나가 떨리는 음성으로 말했다.

"믿고 싶었지만, 믿진 않았어. 그게 제일 견딜 수 없는 점이야."

칸나는 아스티나에게 내준 손 대신 어깨로 제 뺨을 쓸었다. 아스티나는 이것이 칸나가 처음 흘린 눈물이 아님을 알았다. 칸나의 양심은 종종 그녀의 눈가를 짓무르게 했으리라. 아스티나는 선선히 인정했다.

"내가 나빴어, 칸나."

"맞아, 네가 나빠. 넌 자꾸 나를 못난 언니로 만드는 이기적인 애거든."

아스티나는 벨루아에서 모두를 걱정시켰던 일을 떠올렸다. 과정의 중요함을 무시하는 건 아니었지만, 그럼에도 자신이 언제나 결과에 더 많은 비중을 둬 왔던 건 사실이었다. 물론 이제 와 자신이 살아온, 혹은 살아가는 방식을 부정할 생각은 없었다. 때로 사람은 차악이란 걸 선택해야 할 때도 있다.

그러나 아스티나는 이제 알았다. 팔에 남은 흉터에 불같이 화를 내던 아서와 겁먹은 얼굴을 한 제시, 그리고 불안해하던 테리오드까지. 결국은 모든 것이 계획대로 잘 흘러갔을지라도, 그렇다고 그들의 걱정과 염려가 잘못된 것은 아니다.

아스티나는 칸나의 상처를 인정했다.

"알아, 난 그렇게 가면 안 됐어."

기분을 풀어 주려는 아스티나의 노력과는 반대로, 칸나의 눈가는 점점 더 젖어 들기만 했다. 칸나는 어찌 줄 모르는 얼굴로 제 손가락 사이의 좁은 틈새만 내려다보았다. 이런 때마저도 자신을 먼저 보듬는 동생이 외려 더 언니답게 굴고 있지 않은가.

칸나는 그만 코를 들이켰다. 그녀가 갈라진 목소리로 말했다.

"미안해."

"……."

"도망쳐서 미안해. 아스티나. 이 말을 네 얼굴 보고 꼭 하고 싶었어. 사실 나쁜 건 나고, 잘못한 것도 다 나야. 너무 무서워서 널 저버렸어."

칸나는 억눌러 왔던 말을 속사포처럼 쏟아 냈다. 그에 아스티나가 무어라 말하려 했지만, 칸나가 더 빨랐다. 칸나는 웃음 같지 않은 웃음을 지어 보였다.

"그거 아니, 아스티나? 난 죽지 않게 돼서 다행이라고 생각했어. 비겁하게 말이야. 그런데 그렇게 널 대신 보내고 나니 스스로가 딱 죽고 싶을 만큼 혐오스럽더라."

아탈렌타에 도착하고, 아스티나는 칸나에게 보낸 편지를 의미 없는 일상으로만 채웠었다. 칸나가 죄책감에 매몰될 것을 염려한 탓이었다. 처음 연락했을 때 이 일은 그녀의 잘못이 아니라 전한 것만으론 부족했을까. 칸나는 어렸을 적부터 마음이 여렸다.

아스티나는 칸나의 양심선언을 들으며 그녀의 뺨을 쓸어 주었다. 손바닥으로 흘러든 눈물은 과연 축축했다. 칸나를 걱정시키고 싶지 않은 것과 별개로 아스티나는 그녀의 이런 모습을 좋아했다. 아스티나의 닳고 닳은 노련함은 칸나의 순수함과 꽤 합이 좋았다. 칸나가 용기 내지 못하는 일에 아스티나는 기꺼이 대신 나서 줄 수 있었다. 아스티나의 새로운 자매는 무언가를 해 주는 게 아깝지 않은 사람이었다. 이것이 동복의 정이라면, 그다지 나쁜 유대감은 아니리라.

아스티나가 칸나의 눈가로 내려앉은 제 엄지를 응시하며 말했다.

"언니는 명예를 버리고 살 수 있는 사람은 없다고 했지."

"그건 바보 같은 말이었어. 스스로 지키지 않은 명예에 무슨 의미가 있단 말이야?"

칸나가 물기 어린 음성으로 반박했다. 그녀는 스스로가 위선자라고 생각했다. 자신의 신념은 타인의 희생으로 인해 지켜졌으니까.

반항 어린 칸나의 대꾸에 아스티나가 피식 웃었다.

"맞아. 그런 건 의미가 없지. 나는 평판보다는 생명 쪽이 더 소중하다고 생각하는 사람이야."

"그럼…… 왜 나 대신 대공에게 갔어?"

칸나가 젖은 목소리로 물었다. 아스티나는 칸나의 눈을 들여다보며 말을 맺었다.

"언니의 명예가 아니라, 명예를 아는 언니를 지키고 싶었으니까."

아스티나는 귀족으로 살아남는 것에는 그다지 관심이 없었다. 그러기를 원한 건 칸나 쪽이었다. 칸나는 계속해서 아탈렌타에 가겠다고 말하던 그날의 자신을 기억했다.

그래서 갔다. 언니를 대신해 아스티나가, 명예만 끌어안은 겁쟁이를 위해서.

칸나는 그만 숨을 들이켰다. 곧 폭우 같은 울음보가 터져 나왔다. 아스티나는 아이처럼 우는 자매를 말없이 제 쪽으로 당겨 안았다.

기숙사 방에서도 칸나는 동생의 어깨에 이슬 같은 눈물을 쉼 없이 떨궜었다. 두려움으로 손을 떨면서도 칸나는 다가오는 끝을 애써 당당히 맞이하려 했다. 작고 마른 뼈대는 그때나 지금이나 다를 것 없이 연약했지만, 사람의 힘이란 건 물리적인 부분에서만 나오는 게 아니다.

아스티나는 마냥 말랑하던 어린 볼이 제법 어른스럽게 여문 것에 약간의 생경함을 느꼈다. 분명 자신이 칸나를 보통의 자매처럼 사랑할 수는 없을 테지만, 그녀가 좀 더 제멋대로 굴 수 있도록 그 어린 치기쯤은 기꺼이 지켜 줄 수 있지 않은가.

"울지 마, 대공과 인사도 나누지 않을 생각이야?"

아스티나가 분위기를 환기하듯 핀잔했다. 대공이 자리를 비켜 주고도 꽤 오랜 시간이 지난 즈음이었다. 슬슬 부모님과의 대화도 끝났을 듯해 아스티나는 고개를 들어 시계를 살폈다. 테리오드에게 이 모습을 내보이면 곤란하겠다는 데 생각이 미친 탓이다. 때마침 닫힌 문 너머로 노크 소리가 들려왔다.

"부인, 접니다. 들어가도 되겠습니까?"

테리오드의 목소리였다. 칸나의 우는 모습을 그에게 내보일 수는 없었으므로 아스티나는 거절의 말을 꺼내려 했다. 그러나 아스티나가 입을 열자마자 칸나가 팔을 붙잡아 왔다. 칸나가 더듬더듬 말했다.

"드, 들어오시라고 해."

"……들어오세요, 대공."

아스티나의 허락에 곧 문이 열렸다. 테리오드는 완전히 엉망이 된 칸나의 얼굴을 발견하고는 당황한 기색을 보였다. 그가 들어오다 말고 조심스럽게 말했다.

"이런, 제가 말씀 나누시는 걸 방해했군요. 잠시 나가 있을까요?"

아스티나가 무어라 대답하기도 전에 칸나가 고개를 저었다. 칸나가 단호한 기색으로 말했다.

“하, 할, 할 말이 있어요. 대공 전하.”

“예, 말씀하십시오.”

테리오드가 칸나에게로 다가왔다. 테리오드는 칸나의 앞에 무릎을 굽혀 앉고는, 품 안에서 손수건을 꺼냈다. 잠시 망설이던 칸나가 제게 내밀어진 배려를 받아들였다. 눈물을 닦아 내지 않으면 제대로 된 대화가 불가능할 것 같았다.

언제나 타인 앞에서 교양을 지키려 애썼던 칸나는 눈을 질끈 감고 코까지 풀었다. 위엄 있는 표정으로 콧물을 흘리는 것보다는 잠깐 창피하고 마는 게 나을 테니까.

칸나가 숨을 헐떡이며 테리오드를 불렀다.

“대, 대공 전하.”

도통 끊이지 않는 울음 탓에 잘리고 늘어진 칸나의 발음은 몹시 알아듣기 힘들었다. 스스로도 답답했는지 칸나가 주먹 쥔 손으로 제 가슴을 내리쳤다. 당황한 테리오드가 그를 만류하며 대답했다.

“천천히 말씀하세요, 듣고 있습니다.”

“무, 물어보고 싶은 게 있어요. 가정에 충실하, 하실 예정이신가요? 그, 그러니까, 부인을 소중하게 대해 주실 거냐고, 흐, 묻는 거예요.”

테리오드는 바로 대답하지 않고 아스티나 쪽을 돌아보았다. 한숨을 내쉰 아스티나가 먼저 나서 칸나를 제지했다.

“대답해 주실 필요 없으세요. 칸나, 대공 전하를 더 곤란하게 하지 마.”

“난 대공께 물, 물었어. 말씀해 주세요, 끅. 대공 전하.”

자매의 만류에도 칸나는 아랑곳하지 않았다. 그녀는 몹시 긴장된 기색으로 대공의 답을 기다렸다. 테리오드의 입이 문득 열렸다.

"그건……."

테리오드는 아스티나에게서 시선을 떼어 내지 않았다. 아스티나는 자신을 들여다보는 눈동자가 기이하게도 아주 따듯한 빛을 띠고 있다고 생각했다. 푸른빛만큼 차디차게 느껴지는 색이 또 없음에도 불구하고.

아스티나는 재차 칸나의 말을 막으려 했지만, 테리오드의 대답이 더 빨랐다.

"예, 제겐 아주 소중한 사람입니다."

예상치 못한 답에 아스티나는 무심코 입을 벌렸다. 대공에게 과한 일을 시킨 것은 아닌가. 그가 부인의 언니를 위해 이리 말을 꾸며 낼 필요까지는 없었다. 짐을 지운 기분에 대공의 얼굴을 살폈지만, 그는 그저 담담한 표정이었다. 거짓말을 한 자가 으레 내보이는 어색함 같은 건 없었다.

대공 부부의 과장된 사랑 이야기를 전해 들었을 칸나는 테리오드의 말을 믿는 눈치였다. 칸나가 안심한 표정을 지으며 말을 이었다.

"아, 아스티나는 이, 이상한 애예요. 하지만 정도 많, 많아서 자기 사람한테는, 끅. 정말 잘해요."

"알고 있습니다. 제게도 분에 넘칠 만큼 다정한 사람입니다."

테리오드는 진지한 얼굴로 칸나를 올려다보았다. 그는 경청하고 있다는 사실을 증명하듯 칸나의 모든 말에 몹시 성의 있게 응대했다. 둘의 대화를 들으며 아스티나는 홀로 긴가민가한 표정을 지었다. 저리 표현될 만큼 테리오드에게 다정하게 군 기억이 도통 없었기 때문이다.

"책을 아, 아주 조, 좋아하고. 공부도 잘하고, 사, 실은 요리도 잘해요. 아니, 거의, 끅, 못하는 게 없어요. 그래서 혼자서, 흡, 다 잘할 것 같거든요?"

칸나가 목이 막혔는지 제 목젖을 짚고는 작게 기침했다. 더욱 울음기가 짙어진 눈으로 테리오드를 내려다보며, 칸나는 고개만 좌우로 내저었다.

"근데, 그래도 혼자 두지 마세요. 저희 자매는, 항상 함께였는데. 끅, 저는 아스티나가 가, 가고서 너무, 너무 외로웠거든요. 대, 대공 전하는 아스티나가 안 그러게, 잘, 잘살게 해 주세요."

"네, 알겠습니다. 꼭 그러겠습니다."

"그리고 윽, 끅, 흑……, 제 동생을 슬프게 하면, 가만, 가만 안 둘 거예요."

이 말을 할 때만은 칸나가 무섭게 눈을 부릅떴다. 진심이 담긴 협박에 테리오드는 옅은 미소를 지었다. 그가 경건히 왼 가슴에 오른손을 얹었다. 약속의 표시였다.

"아탈렌타의 성을 걸고 약조 드리지요. 부인께서 절대 눈물짓는 일이 없도록, 제가 잘하겠습니다."

"……감사해요."

테리오드의 확언에 칸나는 그제야 조금 마음이 놓인 듯했다. 지켜보던 아스티나의 얼굴에도 어느새 미소가 떠올라 있었다. 칸나는 뒤늦게 엉망이 된 낯이 부끄러워졌는지 고개를 푹 숙였다. 아스티나는 칸나의 등을 가볍게 쓸어 주고는 테리오드에게 물었다.

"부모님은요?"

"이야기를 마치고 방으로 모셨습니다. 며칠 여기서 묵으실 수 있도록 하려고요. 숙박업소에 머무는 것보다야 당연히 딸 부부와 함께 지내는 게 모양새가 좋지 않겠습니까."

"신경 써 주셔서 감사해요."

그리 대답한 아스티나가 곧 설핏 인상을 찌푸렸다. 아스티나는 창가로 향하는 것인 양 자리에서 일어나 칸나와 거리를 벌렸다. 테리오드는 굽혔던 무릎을 펴고 일어서 아스티나를 뒤따랐다. 칸나가 훔쳐 들을 수 없을 만큼 멀어졌을 때, 아스티나가 물었다.

"별말씀은 없으시던가요?"

"어떤 걸 말씀하시는 겁니까."

"……저희 부모님이 부담을 주시진 않았는지 묻는 거예요. 딸을 잘 부탁한다든가, 자네만 믿는다든가 하는 말이요."

"그야……."

"그야?"

"물론 맡겨만 달라 대답했지요."

테리오드가 그리 답하며 눈을 휘었다. 조심성 없다 질책하려던 아스티나는 이내 제풀에 지쳐 한숨을 내쉬었다. 자신이 잘못 판단했다. 대공은 처음부터 이혼 계획을 반기지 않았다. 아스티나 역시도 저주를 완전히 푸는 방법을 찾지 못한 상태에서 그를 떠날 수는 없었다. 아무래도 많은 일을 벌인 만큼 미래의 짐은 더 무거워질 모양이었다.

"그나저나 언니분이 아무래도 외출을 반기시지 않을 듯한데……."

"밖에 나갈 일이 있나요?"

아스티나의 의아한 물음에 테리오드는 제법 자신감에 찬 표정을 지었다.

"두 레이디들을 위해 제가 특별한 걸 준비했는데, 관심을 좀 가져 주시렵니까?"

테리오드는 그대로 커튼을 열었다. 밝은 햇빛이 들이닥치며 바깥의 정경이 눈에 담겼다. 저택 입구엔 커다랗고 화려한 마차가 대기하고 있었다. 잘 관리된 백마는 멀리서 보아도 털이 윤기 있게 반짝였다.

호기심 어린 눈으로 다가왔던 칸나가 어머, 하고는 바로 옆에 있는 아스티나의 팔을 쳤다. 어느새 휘둥그레 떠진 눈은 몹시 구미가 당긴 듯 보였다.

"오랜만에 만난 자매이니 더 즐겁게 시간을 보내시면 좋을 것 같아서요. 지루한 이들이 많은 수도엔 흥미를 자극하는 장소가 아주 많지요. 맛있는 것을 먹고 값비싼 것을 사거나, 혹은 연극을 보아도 좋고요."

"공주님이라도 행차하는 것 같네요."

아스티나가 얼떨떨한 얼굴로 말했다. 테리오드는 아스티나의 손목을 잡아 제 눈높이로 끌어 올렸다. 부드럽게 손등으로 내려앉는 입술에 아스티나의 눈꼬리가 움찔했다.

"……이제 아주 익숙하시군요."

그리 말하며 아스티나는 테리오드에게로 한 걸음 다가갔다. 그녀가 고개를 들어 테리오드의 귓가를 향해 속삭였다.

"가족에게 보일 연기치고는 과하십니다, 대공."

"그리 힘든 연기는 아니랍니다, 부인."

매끄럽게 답한 테리오드가 아스티나의 뺨에 인사처럼 입을 맞췄다. 아스티나는 탐탁지 않은 표정으로 물러섰다.

아까는 테리오드가 칸나에게 잘 맞춰 주어 다행이라고 생각했는데, 칸나를 안심시킨 것이 잘한 일인지 알 수 없었다. 바로 옆에서 쏟아지는 눈빛이 몹시 부담스러웠다. 아마 단둘이 남자마자 온갖 질문이 쏟아질 것이다.

칸나가 아스티나에게만 들릴 크기로 속삭였다.

"나가면 대공령에서 결혼 생활이 어땠는지 다 말해 줘야 해."

아스티나는 급격히 외출이 달갑지 않아졌다.

⁜

단순히 수도에 있는 아카데미에서 학업을 이수하는 것과 오직 즐기기 위한 외출에는 크나큰 차이가 있었다. 금전에서의 제지가 없다면 더더욱 그렇다. 향락을 목적으로 본다면 바실만 한 별천지가 또 없었다.

자매는 이전에는 출입하지 못했던 온갖 값비싼 명소에 들렀다. 용돈을 받아 생활하는 학생의 신분으로는 어떠한 비용을 지출할 때 반드시 고민이 필요했다. 테리오드의 존재는 두 여인에게 그 번거롭고도 불편한 과정을 완전히 앗아 갔다.

동생의 남편이라고는 하나 아직 낯선 이라 머뭇거리던 칸나는, 약 두어 시간 후 처음 맛보는 과소비의 즐거움에 눈을 떴다. 둘은 옷을 사고 보석을 구경했으며, 마지막으론 수도의 전경이 내려다보이는 아름다운 테라스에 앉았다. 테이블에 놓인 달콤한 디저트까지도 모두 완벽했다.

과일과 버터, 설탕이 듬뿍 들어간 타르트를 맛보며 칸나는 황홀한 표정을 지었다. 벌겋게 부어올랐던 눈은 말끔해진 지 오래였다. 칸나가 꿈결 같은 목소리로 말했다.

"매일이 오늘 같았으면 좋겠어."

"수확절 연회 때문에 당분간은 수도에서 머물 예정이니까 다음 주말에도 나와. 같이 시간을 보내는 것도 좋겠지."

"어머, 부부의 알콩달콩한 신혼을 방해하란 말이니?"

칸나가 짐짓 말도 안 된다는 기색으로 눈을 과장스럽게 떴다. 아스티나는 성의 없이 입꼬리를 늘였다. 떨떠름한 기색에 칸나가 포크를 들어 동생을 겨냥했다.

"넌 정말 정이 없어. 결혼을 했는데도 그 기질은 바뀌질 않는구나."

"연애결혼 같은 게 아니니까."

"우리들은 절대 꿈꿀 수 없는 그거 말이야? 아스티나, 귀족들은 모두가 결혼을 한 이후에야 배우자와 교제를 시작하는 법이야. 그렇다고 그들 모두가 사랑 없이 사는 건 아니지."

"글쎄, 언니라고 밤 무도회의 테라스에서 벌어지는 일들을 모르진 않을 텐데?"

"그건 불장난이지. 그래서 수확절 연회에서 다른 연애 상대라도 찾아보겠다는 말이니?"

"설마. 어차피 대공령으로 돌아갈 텐데."

아스티나가 피식 웃었다. 기간의 문제를 지적하는 아스티나를 보고 칸나는 당황한 기색을 보였다.

"너 정말 그럴 건 아니지……?"

동생의 도덕성을 걱정하는 칸나의 모습에 아스티나가 딱 잘라 답했다.

"당연하지. 불장난엔 흥미 없어."

사실은 연애 자체에 흥미가 없지. 아스티나는 뒷말을 잇는 대신 턱을 괸 채 창가를 향해 시선을 돌렸다. 저 멀리에서부터 여명이 어슴푸레하게 꺼져 들고 있었다. 온통 주홍빛으로 타오른 하늘은 정열적으로 보이기까지 했다.

칸나는 언제나 아스티나의 무심한 태도에 깊은 불만을 가져 왔지만, 이번만은 그녀도 안도의 한숨을 내쉬었다. 상점을 구경하는 동안 칸나는 대공령에서 벌어진 일에 대해 무던히도 캐물었었다. 아스티나는 잔뜩 기대한 칸나에게 대공과의 소문은 모두 평판을 위해 꾸며 낸 것이라 설명했다.

모두가 말하는 것처럼 그들이 세기의 연인이 아니라면, 기혼자들이 으레 벌이곤 하는 부정이 무슨 문제가 되겠는가? 공적인 배우자와 마음을 준 정인을 따로 두는 귀족들은 수도에 얼마든지 있다. 그리고 아스티나는 테리오드 대공을 오로지 전자로만 대하는 듯 보였다.

로맨스를 기대했던 칸나는 다소 실망했지만, 곧 마음을 고쳐먹었다. 항상 무던한 제 동생은 그렇다 쳐도 대공의 입장은 다르리라 생각했기 때문이다.

'분명 남에게 보여 주기 위한 태도는 아니었어.'

대공이 자신에게 잘 대해 주는 이유는 부인의 자매이기 때문이다. 대공의 눈에 담겼던 다정한 빛은 분명 가식이 아니었다. 그리 생각을 정리한 칸나가 따듯한 초콜릿을 홀짝이며 물었다.

"수도엔 얼마나 있을 건데? 정말 이번 연회만 참석하고 대공령으로 돌아갈 생각은 아니겠지?"

"그건 아직 정하지 않았어. 아마 수도에서 처리해야 할 일이 얼마나 있느냐에 따라 정해지겠지."

"공적인 업무가 없으면 곧바로 대공령으로 갈 거란 뜻이야? 아스티나, 학기 중도 아닌데 수도에 있다는 게 얼마나 멋진 일인지 모르는 거니?"

게다가 네 남편이 대단한 거부라면 말이야, 칸나가 그리 말을 맺으며 키득였다. 아스티나가 심드렁하게 말했다.

"집무실에 쌓일 보고서를 대신 처리해 줄 사람이 있다면 생각해 보지."

"머리 아픈 건 잊고 잠시 즐겨. 무려 황궁 무도회잖아."

"언니는 거기 참가하지도 않으면서."

"그래, 난 시험이 있으니까."

침울한 표정을 짓던 칸나가 이내 새침하게 덧붙였다.

"그러니 먼저 결혼해서 아카데미를 탈출한 네가 마땅히 경험담을 들려줘야겠지?"

언니의 장난스러운 물음에 아스티나도 웃었다. 아스티나는 테이블 위를 손끝으로 두드리며 한결 가벼워진 음성으로 말했다.

"그런 자리에 한 번도 안 가 본 건 아니잖아."

"황궁 무도회는 안 가 봤지. 그게 얼마나 대단한 차이인지 몰라서 그래? 그것도 네가 대공비의 신분으로 참석한다면 말이야."

칸나는 입장하자마자 모두의 이목을 끌 것이라며 꿈결같이 말했다. 아무에게도 환영받지 못하는 손님보다야 형편이 낫겠으나 이리저리 불려 다니는 쪽이라고 편한 건 아니다. 아스티나는 그 관심이 그리 낭만적이지만은 않으리라 생각했다.

공국은 분명 독립된 영역이기에 황궁의 일에 쉬이 휩쓸리지는 않으나, 그렇다고 그게 아예 정세에 관심을 끄고 살아도 된다는 소리는 아니었다. 욕망하는 자들에게 무도회는 곧 칼 없는 전장이었다. 아마 홀에 입장하자마자 제법 머리 아픈 싸움이 시작되리라.

아스티나가 짧게 혀를 차며 말했다.

"대공께선 워낙 유명세를 타는 인물이시지. 겁 없는 호사가들이 괴물이라며 과거의 흠을 잡을까 걱정되긴 하는데."

"너무 부정적으로만 생각하는 거 아니니?"

"현실을 말하는 거야."

"아스티나, 그렇지만 대공같이 친절한 분을 배우자로 맞이한 건 분명 행운이야."

칸나가 진지한 얼굴로 말했다.

부인을 존중하지 않는 남자들이란 이 세상에 얼마든지 있다. 외가의 힘이 미약한 부인의 경우 손찌검을 당하거나 폭언을 듣는 경우도 있었다. 레테 백작가는 분명 명문이었지만 부채에 딸을 팔았을 정도로 재무 상태가 좋지 않았다.

사람들은 가식을 비난하곤 하나 그조차도 상대에게 그만한 가치가 있을 때 사용하는 것이다. 거짓된 성의마저 비치지 않는 경우가 부지기수인데 하물며 부인을 진심으로 아끼는 권력자가 몇이나 되겠는가.

칸나는 분명 좋은 사람이었지만, 그게 그녀가 반드시 좋은 배우자를 맞이하리라는 증명은 아니었다. 혼인은 영애들의 필수적인 의무이나 그 결과에 있어서는 언제나 행운을 기대해야 한다.

아스티나는 칸나의 눈에서 미약한 부러움을 발견했다. 칸나에겐 대공이 제법 성공적인 결혼 상대로 비쳤으리라. 아스티나는 다른 결과를 한번 상상해 보았다. 대공의 옆에 자신이 아닌 칸나가 서 있는 모습을 말이었다.

저주의 문제만 아니라면, 분명 대공은 자신보다는 칸나와 결혼하는 편이 더 나았을 것이다. 테리오드는 정이 필요한 사람이고 칸나는 그것을 넘치도록 많이 가지고 있는 사람이니까.

아스티나가 잠시 뜸 들이고는 답했다.

"……대공은 좋은 분이시지."

칸나는 당연히도 아스티나의 상상까지는 읽어 내지 못했다. 칸나가 타르트지를 잘게 부수며 능청을 떨었다.

"그래, 어떤 남편이 이렇게 자매끼리 시간을 보내라고 배려해 주겠니? 대공께선 확실히 센스가 있으신 것 같아."

동생을 울리지 말라 눈알을 굴리며 협박하던 모습은 사라지고 열렬한 추종자만 남았다. 아스티나는 새삼 뇌물의 위력을 느꼈다. 그러나 칸나가 내보인 진심 어린 미소는 물질 때문만은 아니었다.

"그분이 널 많이 아끼시나 봐."

"그럴 리가."

"넌 이런 데에 둔하구나."

아스티나의 부정에 칸나는 어깨만 으쓱였다. 칸나는 자신이 제법 사람의 속내를 잘 읽어 내는 편이라 생각했다. 청춘 남녀가 가득한 아카데미를 다니다 보면 더더욱 발달하는 덕목이다. 겉으로는 드러내지 못할 연정을 남몰래 키워 가는 이들이 넘쳐나는 곳이니까.

대공이 동생과 단둘이 있을 때를 보지 못했으니 그 깊이는 알 수 없는 바이나, 칸나는 그가 품고 있는 것이 분명 호감이라 생각했다. 물론 아스티나는 말도 안 되는 소리라며 부정했다.

"대공은 내가 저주를 풀어 준 사람이라 잘해 주는 것뿐이야."

"이미 풀린 저주잖아. 금전적으로 감사 표시를 하면 했지 이렇게 섬세히 신경 써 주실 필요까진 없는 분이시라고."

아스티나는 테리오드가 본 성정부터 퍽 다정한 인물이며, 그 저주 역시 지속적인 보살핌이 필요한 것이라고는 굳이 말하지 않았다. 반만 풀린 저주는 대공에게 있어 큰 약점이었기 때문이다. 칸나가 비밀을 떠벌리리라 생각지는 않았으나 혹시 모를 실수를 감수할 필요는 없었다.

"방금 대공께서 상냥하시다 말한 건 언니 쪽 아닌가? 대공은 됨됨이가 좋으신 분이야, 그것뿐인 일이지."

"아스티나. 남자가 상냥하게 구는 데는 다 마음이나 이유가 있는 법이야."

"그가 언니에게 친절했던 것도 연정 때문이라 말할 셈이야?"

"나는 마음이 아니라 이유에 해당되는 경우지. 방금 네가 날 부른 호칭대로 난 네 언니거든, 대공의 부인인 바로 너 말이야."

날카로운 지적에 아스티나는 얼이 빠졌다. 아스티나는 미간을 좁혔으나, 칸나의 의견을 명쾌하게 반박할 말은 생각나지 않았다.

아스티나는 문득 제 손을 내려다보았다. 손을 감싼 흰 레이스 장갑이 노을빛으로 물들어 있었다. 섬세하게 편직된 모양새에선 장인의 노고가 느껴졌다. 이 역시 테리오드가 준 것이었다. 수도로 떠나기 전, 대공은 왜 갑자기 제게 선물 공세를 해 왔을까.

"원래 이건 제삼자가 제일 잘 보는 법이야."

"하지만……."

"하지만 뭐, 할 말 없지?"

아스티나는 생각에 잠겼다. 왜 자신은 테리오드의 연정을 존재할 리 없는 것으로 여겼나. 확실히 절대 벌어지지 않을 법한 일은 아니었다. 테리오드와 자신 사이를 정정하는 명칭이 바로 부부였으니까.

아스티나는 제게 입을 맞추던 남자의 열기를 떠올렸다. 다정한 말과 눈빛, 무언가를 해 주고 싶어 안달 내던 모습을 그렸다. 그러나 아스티나는 곧바로 수긍하지 못했다.

"너무……."

아스티나의 입술이 조용히 벌어졌다. 그녀가 알 수 없이 말했다.

"운명 같잖아."

"뭐?"

그 말을 이해하지 못한 칸나가 되물었으나, 아스티나는 굳이 덧붙여 설명하진 않았다.

말도 안 되는 일이다. 전생에서의 연인과 똑 닮은 사람을 만나고, 그에게 다시 사랑받게 된다는 건. 그야말로 이야기책에서나 나올 법한 일이 아닌가.

논리적으로 설명할 수 없는 수많은 우연들이 겹쳐지면 그것은 마치 운명처럼 보인다. 테리오드가 테오도르의 얼굴로 태어나고, 마침 마티나의 기억을 가진 여자와 결혼하며, 그녀를 마음에 담게 되는, 그 일련의 연결은 거의 기적에 가까웠다.

아스티나는 제가 못났다고는 생각지 않았지만 그렇다고 자신이 모두의 사랑을 받을 만큼 대단한 매력을 가진 것도 아니었다. 테오도르가 다시 태어나기라도 하지 않은 이상, 당최 테리오드가 목석 같은 제게 연정을 품을 이유가 무엇이란 말인가. 아스티나는 이 의심이 단순한 억측이기를 바랐다.

그러나 만일 사실이라면, 그와 자신을 이 상황에 밀어 넣은 신은 과연 무엇을 말하고자 하는가.

아스티나의 침묵이 길어지자 칸나는 더더욱 의문 어린 표정을 지었다. 그녀로서는 아스티나가 왜 운명이라는 말을 부정적으로 표현하는지 알 수 없었다.

"운명 같은 게 왜 불만이야? 모두가 그런 사랑을 꿈꾸잖아. 서로일 수밖에 없는 사랑이라니, 로맨틱하지 않니?"

"사람은 평범하게 사는 게 제일 행복한 거야."

여전히 제 손등에서 시선을 떼지 않은 채, 아스티나가 생기 없는 목소리로 대답했다. 그녀는 실과 실을 잇는 규칙적인 이음새를 들여다보았다. 같은 색과 도식적인 모양, 그리고 그것을 위해 반복됐을 과정들을.

"어머, 제일 평범하지 않게 살고 있는 애가 뭐라는 거니?"

아스티나가 두 번의 생으로 체감한 교훈에 칸나는 코웃음만 쳤다.

수확절은 빠르게 다가왔다. 축제의 즐거움은 태생의 고귀함을 가리지 않고 누구에게나 공평하게 찾아왔다. 날짜가 가까워질수록 점점 더 부산스러워지는 거리에 아이들은 들뜬 기색을 숨기지 못했다.

곳곳에 휘장이 드리워지고 공연하는 유랑 악단 노랫소리가 높게 치솟은 밤, 마차는 소란을 지나 황궁에 다다랐다. 눈이 멀 정도로 휘황찬란한 궁에서도 웃음과 잔이 부딪치는 소리는 끊이지 않았다. 덕분에 아스티나는 저를 향한 부름을 알아채는 데 약간의 시간을 지체했다.

"준비되셨습니까?"

머리 위에서 들려온 말에 아스티나는 시선을 들었다. 테리오드가 그녀를 내려다보고 있었다. 아스티나는 입을 열어 대답하는 대신 잠시 넓은 실내를 눈에 담았다.

황궁은 과연 화려했다. 하늘 다음의 권위자가 기거하는 공간이란 온갖 값진 것들을 응축하고 있는 법이다. 황가에 대한 충성은 전통에 기대어 기능하므로 궁은 쉽게 허물어지지 않는다. 황성을 채운 장엄한 건축물은 대부분이 한 세기 이전부터 존재했던 것이었다. 아스티나는 홀을 장식한 그 모든 예술품 하나하나를 기억했다.

블란체는 북부에 위치한 나라였기에 마티나가 도성으로 삼은 것은 타국의 궁이었다. 아스티나는 자신이 들어서고 있는 홀이 왈도의 목을 베었던 장소가 아니라 다행이라고 생각했다. 그 광경을 옆에 선 테오도르의 낯과 함께 마주한다면 실성을 의심하게 될 것 같았으므로.

"테리오드 반 아탈렌타와 아스티나 반 아탈렌타 대공 부부가 입장하십니다."

시종이 둘의 등장을 알렸다. 문이 열리고, 아스티나는 테리오드의 팔에 손을 얹은 채 천천히 걸음을 디뎠다. 세기의 연인으로 유명한 대공 부부를 향해 무수한 시선이 꽂혔다.

'이런 주목은 오랜만인가.'

아스티나는 내심 그리 생각하며 계단을 내려갔다. 괴물 대공과 혼인하기 전까지의 그녀는 그리 이목을 끄는 인물이 아니었다. 백작가의 차녀란 무시할 수는 없되 황제처럼 마냥 대단하진 않은 신분이었으니까.

연회를 위해 주문했던 드레스는 총 열 벌로, 첫 등장이니만큼 오늘은 가장 값진 것을 입었다. 맑고 투명한 흰색의 비단은 돈을 주어도 구하기 힘든 상등품이었다. 몇 번이고 천을 덧대어 치렁치렁하게 늘어진 치맛자락은 곧 주인의 부를 말한다. 우아한 드레스는 아스티나의 붉은 머리칼과 몹시도 잘 어울렸다.

쇄골 위로 우아하게 얹어진 물빛 다이아몬드 목걸이도 감탄을 자아냈다. 세트로 맞춘 물방울 모양의 귀걸이까지 주인의 얼굴을 환히 밝혔다. 그 값을 따지면 어느 누구의 착장과도 비교할 수 없을 바나, 이를 사치라 표현할 수는 없었다. 그 모든 장식품들은 그녀에게 제 것처럼 꼭 들어맞았으니까.

계단을 내려서는 내내 회장의 모든 시선이 대공 부부에게로 꽂혔다. 홀로 있을 때도 빛을 발하던 대공인데 그 옆에 대단한 미인이 더해졌다. 높은 구두를 신은 대공비가 혹 걸음을 잘못 디딜까 대공은 연신 아내를 살피고 있었다. 대공 부부의 사이가 과연 소문이 아니었다며 귀부인들이 부채 뒤로 수군거렸다.

"괜찮으십니까?"

테리오드가 아스티나에게만 들릴 크기로 속삭였다. 아스티나는 회장에서 시선을 돌려 테리오드를 돌아보았다. 그녀가 입가에 띠고 있던 미소를 지우지 않은 채 물었다.

"무엇이요?"

"사람들이 다 쳐다보고 있으니까요."

"그러려고 이리 꾸민 것인데 부담스러워해서야 되겠습니까."

아스티나는 덤덤한 목소리를 가장했다. 기실 속이 뻔히 보이는 승냥이들보다는 옆에 선 대공 쪽이 더 상대하기 곤란했다. 테리오드와 얼굴을 마주하면 종종 판단이 흐려지곤 했으니까.

아스티나는 아직 그의 속마음을 결론 내리지 못한 상태였다. 되도록 칸나의 말을 머릿속에서 지워 내려 애썼지만, 그건 대공을 좀 더 주의 깊게 살피게 되는 결과만 낳았을 뿐이다.

차라리 칸나의 의심을 무시하는 쪽이 편했을까. 그러나 아스티나는 그간 자신이 보였던 무지가 단순한 모른 척에 지나지 않음을 알았다. 테리오드의 지나친 배려는 분명 의심의 여지가 있었다.

'착각일 수도 있지.'

대공은 외로운 사람이다. 사랑과 애착을 착각하는 이들은 얼마든지 있다.

'단순한 속단일수도.'

그러나 무시할 수 없는 징조들이 있었다. 애써 결론짓기를 피하고 있었으나 근래의 테리오드는 이상했다. 아스티나는 이성에게 보이는 다정한 눈빛과 부드러운 손길, 배려 담긴 말들이 무엇을 뜻하는지 알았다.

이것이 속단이라면 창피를 겪게 될 것이고, 만약 사실이라면…….

'사실이라면?'

아스티나는 좀처럼 그 뒤에 이어질 결론을 알 수 없었다. 그녀는 오직 평소처럼 구는 데 집중했다. 다행히도 테리오드는 부인의 이상한 점을 알아채지 못한 눈치였다.

"긴장하신 듯 보였어서요."

"글쎄요, 궁정 무도회는 처음이라서 그런 걸까요."

"그런 것에 부담을 느끼시진 않을 것 같았는데요, 황궁까지 오는 마차 안에서도 한 점 흐트러짐이 없으셨던 걸로 기억하고."

그의 웃음이 귓가를 스침과 함께 마지막 계단으로 내려섰다. 본래 제집이었던 공간으로 향하는 데 긴장하는 것은 조금 우습다. 아스티나는 별일 아니란 듯 가볍게 고개를 내저으며 위층을 살폈다.

가장 고귀한 자는 본디 가장 늦게 등장하는 법이다. 아직 황제는 도착하지 않은 듯 단상 위는 비어 있었다. 마찬가지로 황녀와 황자들도 아직 회장 내에서 찾아볼 수 없었다.

황실은 수확절이 시작되기 전, 이번 행사에서 발표할 중대 사항이 있다고 밝혔다. 사람들은 내심 드디어 황제가 황위를 물려줄 후계자를 정한 게 아니겠느냐며 수군거렸다. 그리고 암암리에 그 대상은 프리모 황자로 굳혀진 상태였다. 그의 상대가 될 만한 세력은 정리된 지 오래였으니까.

성정이 사납다는 평이 있긴 하나 군주 될 자라면 어느 정도의 호전적인 성향은 있음 직하지 않은가. 오히려 그가 구축한 세력에 비해 확언이 다소 늦어지는 감이 있었다.

'당장 행차하진 않을 듯하군.'

아스티나는 눈을 가늘게 뜨고 회장을 쭉 둘러보았다. 온통 저들끼리 속닥거리기만 할 뿐, 쉽사리 앞으로 다가오는 이들은 없었다.

이미지를 탈바꿈했다고는 하나 더 전염성이 짙은 건 나쁜 소문 쪽이었다. 편지로는 잘만 안부를 묻던 사람들도 테리오드가 당장 괴물이 되기라도 할 것 같다는 양 다가오지 않고 있었다.

사교계는 그 말뜻 그대로 교류를 위한 자리이다. 공포 때문이든, 단순히 매력 없는 상대라서든 무도회에서의 침묵은 좋지 않았다.

"대공."

아스티나가 대공의 귀에 대고 속삭였다. 제 귓불에 닿는 숨결에 테리오드는 내심 당황했으나, 동요를 드러내지 않으려 노력했다. 그가 대답했다.

"예, 말씀하세요."

"제 허리를 안으세요."

"예?"

"다정한 남편 행세를 하시라는 말입니다."

이어진 부인의 말은 테리오드를 더욱 곤혹스럽게 했다. 다른 사람에게 내보이기 위해서라고는 하나 그녀가 먼저 이런 종류의 접촉을 권한 것은 처음이었다.

테리오드는 되도록 자연스럽게 보이도록 애쓰며 아스티나에게로 손을 뻗었다. 손가락이 그녀의 허리에 자연스럽게 감겨들었다. 테리오드는 그녀를 안은 팔에 힘을 주지 않기 위해 노력했다. 서로에게서 시선을 떼지 않는 모습에 가까이 있던 어린 영애 둘이 볼을 붉혔다.

"그간 안녕하셨습니까, 대공 전하."

때마침 누군가 말을 걸었다. 콧수염이 제법 매력적으로 관리된 중년의 사내였다. 그가 이어 아스티나에게도 격식 있는 인사를 남겼다.

"처음 인사드리겠습니다, 대공비 전하. 저는 리올 아비드라고 합니다. 만나 뵙게 되어 영광입니다."

"만나 뵈어 반갑습니다, 아비드 백작님."

아스티나는 그의 이름을 기억했다. 대공과 집무실을 공유하는 관계로 종종 그의 편지를 대신 분류하기도 했었기 때문이다. 온갖 가식적인 문장들 사이에 질려 갈 즈음, 유독 대공의 건강을 걱정하는 데 많은 지면을 할애한 편지를 보내와 기억에 남았던 남자였다.

모든 것을 잃었을 때야 비로소 주변인들의 본성을 알 수 있다고들 한다. 아스티나는 챙겨야 할 이와 그렇지 않은 이들을 확실히 기억하고 온 참이었다. 그리고 아비드 백작은 개중 전자에 해당했다.

아비드 백작이 테리오드를 향해 다분히 염려스러운 표정으로 물었다.

"건강은 괜찮으십니까?"

"걱정해 주신 덕분에요."

"사실 대공령으로 찾아가 보려고도 하였으나 도통 서신에 대한 답변이…… 아니, 죄송합니다, 괜한 화제를 꺼냈군요."

"심려치 마세요. 이미 지난 일이 아닙니까. 백작님이 염려해 주신 덕분에 지금은 그저 건강합니다."

"예, 못 본 사이 외려 안색이 좋아지셨습니다. 아름다운 부인께서도 함께이시고요."

아비드 백작이 샴페인 잔을 들어 보이며 말했다. 꽤나 기분이 좋은 듯 그는 술을 한 모금 입에 담았다. 혈색이 오른 볼을 보아 이것이 첫 잔은 아닌 듯 보였다. 아직 궁의 주인인 황제가 등장하지도 않은 걸 생각하면 상당히 빠른 진도였다. 테리오드가 너털웃음을 터트렸다.

“아비드 백작, 술이 과하십니다. 오늘은 저택에 걸어서 들어가셔야지요.”

“아니, 제가 하인들의 등을 신세 지는 게 그새 소문이 다 났다는 말씀이십니까?”

유쾌한 대응에 아스티나도 작게 웃었다. 아비드 백작이 빙그레 입꼬리를 끌어 올리며 아스티나에게로 주의를 돌렸다.

“대공비 전하께서 제 농담 취향이 꽤 마음에 드셨나 봅니다.”

아스티나가 우아하게 고개를 끄덕였다.

“과음은 좋지 않습니다만 적당한 음주는 사람을 들뜨게 하지요. 취해도 좋은 날이 있다면 오늘 같은 때가 아니겠습니까.”

“대공비께서는 저 꽉 막힌 부군과는 다르게 뭘 좀 아시는군요. 황궁에서 드물게 저희를 위해 국고를 개방하는 날인데, 기대에 부응하도록 실컷 마셔 줘야지요.”

그리 말하며 아비드 백작이 기세 좋게 단번에 술을 들이켰다. 근처를 지나가던 시종이 그에게서 빈 잔을 거두어 갔다. 술이 담긴 새 잔을 받아 들며 아비드 백작이 말했다.

“대공비 전하께서도 한잔하시지요.”

“대공께서는…….”

“아, 저는 술이 영 약해서요. 잘 즐기지 않습니다.”

아스티나의 양보에 테리오드가 짐짓 아쉬운 척 술잔을 밀어냈다. 아스티나는 두 번 권하는 대신 본인이 순순히 한 모금을 삼켰다. 쌉싸름한 맛이 꽤나 입맛을 당겼다. 오랜만의 음주라서인지 술이 달게 느껴졌다.

"……좋은데요."

아스티나의 감탄에 아비드 백작이 크게 파안했다.

"대공 전하와 다르게 대공비 전하는 풍류를 아시나 봅니다. 제가 한 잔 더 가져다 드릴까요?"

"감사한 말씀이지만 사양하겠습니다. 오늘은 천천히 즐길 예정이라서요."

예의 있게 거절한 아스티나가 테리오드의 팔을 쓸었다. 그것을 지켜보는 아비드 백작은 흐뭇한 기색을 숨기지 못했다.

'드물게 정말 보기 좋은 부부야.'

테리오드가 수도에서 머물던 시절 영애와 깊게 교류하는 것을 보지 못해 여자에 관심이 없는 줄 알았는데, 가정을 꾸리고 나서는 좀 다른 모양이었다. 자연스러운 접촉으로 미루어 보아 대공 부부는 과연 소문처럼 사이가 좋은 듯했다. 테리오드가 힘든 시절을 이겨 내고 좋은 가정을 꾸렸다는 사실에 그는 약간의 감동마저 느낄 지경이었다. 당연히도, 아비드 백작은 아내의 갑작스러운 접촉에 테리오드가 몹시 당황했다는 사실은 알아채지 못했다.

테리오드가 제 팔에 감긴 아스티나의 손 위로 은근히 손을 겹치려 할 때였다. 위층에서부터 소란이 번졌다.

"황제 폐하께서 도착하셨나 봅니다."

테리오드는 아쉽게 손을 거두며 아스티나에게 작게 속삭였다. 커다란 나팔 소리에 회장 내의 소란이 잦아들었다. 단상과 꽤 먼 자리에 서 있었기에 앞에 선 사람들이 시야를 가린 상태였다. 여럿이 등장했다는 것은 알 수 있었지만, 얼굴까지 잘 보이지는 않았다.

그러나 아스티나는 앞으로 걸어 나가는 대신 제자리를 지켰다.

모르는 이들이 산재한 자리다. 굳이 황궁 무도회에 처음 참석한 티를 낼 필요는 없었다. 늙은 황제의 얼굴이야 나중에라도 확인할 수 있는 것이니 그다지 호기심이 생기진 않았다.

황제는 으레 하는 인사말로 일장 연설을 시작했다. 짧게 끝날 줄 알았던 개회사가 길어짐에 몇몇 이들이 지루한 낯을 떠올렸다. 집권 기간 동안 민생을 안정시키기보다는 제 욕심을 채우는 데 집중했던 자답지 않게, 황제는 제법 푸근하게 들리는 음성으로 말했다.

"모두들 그간 잘 지내었는지 모르겠소. 건강이 좋지 않아 자주 얼굴을 비치진 않지만 짐은 언제나 신민들의 안녕을 기원하며 사오."

가느다랗지만 힘 있는 목소리가 홀을 울렸다. 건강이 좋지 않다 말한 것치고는 정정한 기색으로, 황제가 두 팔을 펼쳤다.

"춤곡을 시작하기 앞서, 오늘 이 자리를 빌려 전할 기쁜 소식이 있소."

오늘 발표하겠다던 중대 사실이 드디어 나오려는 모양이었다. 대부분은 이제 곧 황제의 뒤에 선 프리모 황자가 앞으로 나오리라 짐작했다. 그러나 황제가 전한 건 전혀 다른 소식이었다.

"얼마 전, 어릴 적 요양을 위해 궁을 떠났던 짐의 아들을 찾았소. 안타깝게도 지병으로 황위를 이을 수는 없는 아이이나, 소중한 황실의 핏줄을 찾았다는 건 분명 대단한 기쁨이오. 고귀한 피가 제자리를 찾기 위해 돌아왔으니 내 이를 반갑게 소개하지 않을 수 없는 바요."

황제가 다정한 음성으로 제 아들을 불렀다.

"벤자민, 나와서 인사해라."

익숙한 이름에 아스티나가 설핏 미간을 좁히는 사이, 새 황자가 우아한 걸음걸이로 나와 황제 옆에 섰다. 그는 몹시 깔끔하고 정중한 태도로 자신을 소개했다. 오래 궁을 떠나 있었다는 사실이 거짓말처럼 느껴질 정도였다. 예상치 못한 기품에 호기심이 일었는지 앞에 서 있던 이들이 단상 가까이로 붙었다. 덕분에 가려져 있던 시야가 드러났다.

'저건…….'

아스티나는 가까스로 자신의 살을 꼬집으려는 충동을 참아 냈다. 여전히 단상은 멀었고 그 위에 선 이들의 얼굴은 흐릿했으나, 그녀는 6년간 교류했던 친구를 알아보지 못할 천치가 아니었다. 하물며 그 목소리가 저리도 선명하게 홀을 울리고 있음에야.

아스티나의 입이 천천히 벌어졌다.

"……벤자민?"

벤자민이었다.

아스티나는 당황한 낯을 숨기지 못했다. 당최 이것이 무슨 상황이란 말인가. 벤자민의 성인 레안드로스는 한미한 남작 가문이었다. 레안드로스 남작의 먼 친척인 줄로만 알았는데 사실은 신분을 숨기고 있었던가.

'시골 출신치고 꽤 귀공자스럽다 싶기는 했다만…….'

잘생긴 얼굴과 몸에 자연스럽게 밴 매너는 아카데미에서도 눈에 띄었다. 학우들이 그런 벤자민을 두고 바다 건너 나라의 왕자가 아니냐며 키득였던 기억도 있었다. 그러나 당연히도, 그저 농일 뿐 진담으로 꺼낸 이야기는 아니었다.

믿을 수 없는 상황에 아스티나는 단상 위에 선 벤자민을 눈으로 좇았다. 그러나 아스티나가 무심코 앞으로 나서기도 전, 벤자민은 등을 돌려 뒤로 물러났다. 황제가 무도회를 즐기라는 덕담으로 이야기를 마침과 동시에 춤곡이 시작되었다.

"새 황자라니, 당황스러운 일이 다 있군."

아비드 백작이 얼떨떨한 음성으로 중얼거렸다. 비단 아비드 백작만의 반응도 아니었다. 새 얼굴의 등장으로 홀 안의 모두가 소란스러웠다. 후계 다툼이 정리되고 오래 지나지 않은 시점이다. 그들의 가장 큰 관심사는 하나였다.

"황궁 내 세력 판도에 달라질 점이 있을까요?"

아비드 백작이 진지한 음성으로 물어왔다. 테리오드가 가볍게 어깨를 으쓱이며 대답했다.

"폐하께서도 그 점을 감안하여 후계자가 되지 못할 아들임을 못 박으신 거겠지요."

아비드 백작도 그리 생각하고는 있었으나, 타인이 확언해 주자 더욱 안심이 되었다. 아비드 백작은 모험보다는 안정 쪽이 더 기꺼운 인물이었다. 그가 한시름 놓은 기색으로 작게 말했다.

"하기야 폐하의 말씀처럼 새 황자께 병이 있어 보이지는 않더군요. 어미와 같이 서지 않은 걸 보아 외가가 꽤나 한미한 듯한데, 프리모 황자 전하의 상대가 되진 않겠지요."

이름 말고는 새 황자에 대해 아무것도 알아낸 게 없는 상황이다. 테리오드는 확신할 수 없는 일이라고 생각했으나 굳이 말을 보태진 않았다.

잠시 찾아온 정적에 아비드 백작은 그제야 아무 말 않고 있는 아스티나를 발견했다. 대공비를 대화에서 소외시켰다고 생각한 듯, 그는 다소 당황스러운 음성으로 화제를 바꾸었다.

"그러고 보니 춤곡이 시작되었군요."

프리모 황자와 이시스 황녀가 먼저 나서 춤의 시작을 알린 상태였다. 몇몇 여인은 새 황자에게 관심을 보였으나 어딜 갔는지 홀에서는 찾아볼 수 없었다. 레이디들의 관심은 곧 눈앞의 상대에게로 돌아갔다. 춤 신청을 받은 영애들이 짝의 손을 잡고 속속들이 플로어에 들어차고 있었다.

"술에 춤이 더해지면 그보다 더 즐거울 수 없지요. 어떻습니까, 대공 전하? 왕년의 멋진 솜씨를 부인께 보여 주시는 건."

아비드 백작의 장난스런 권유에 테리오드가 아스티나를 응시했다. 대공은 부인에게로 정중히 손을 내밀었다.

"저와 함께 한 곡 추시겠습니까, 부인?"

아스티나는 벤자민을 찾던 눈을 돌려 테리오드를 돌아보았다. 미묘한 당황이 어린 얼굴로, 그녀가 가까스로 대답했다.

"그럴까요."

아스티나는 겨우 표정을 가다듬고 테리오드의 손을 잡았다. 대공 부부가 춤을 추러 나섬에 아비드 백작의 뒤로 다가오던 젊은 부부가 아쉽다는 얼굴로 물러섰다. 선점자가 떠나려는 듯해 슬슬 접근해 볼 참이었는데, 정작 말을 붙이려던 상대가 플로어로 나가 버렸다.

중앙으로 나선 아스티나와 테리오드는 정중히 서로를 향해 인사했다. 곧 가까이 다가선 테리오드가 아스티나의 허리에 손을 감았다. 아스티나도 자연스럽게 그의 어깨를 잡았다. 눈앞에서 벌어진 놀라운 일에 잠시 넋이 나가 있었는데, 살갗에 닿는 따듯한 온기가 정신을 일깨웠다.

아스티나는 생각을 다잡았다. 벤자민과는 후에라도 이야기를 나눌 수 있으리라. 우선은 처음 참석한 황궁 무도회를 잘 마무리하는 게 중요했다.

테리오드가 문득 생각났다는 듯 말했다.

"그러고 보니 춤을 맞춰 볼 생각은 못 했었군요."

"연습이 필요한 일은 아닙니다."

"예, 부인께선 뭐든지 다 잘하실 것 같아 제가 많은 걸 잊습니다."

아스티나의 호언이 괜한 것 같지 않아, 테리오드가 부드럽게 웃었다. 과연 박자에 맞춰 밟아 오는 스텝이 능숙하다. 아카데미에 재학하는 동안은 사교계에 얼굴을 잘 내비치지도 못했을 텐데 언제 이렇게 연습한 걸까.

테리오드는 아스티나의 춤 솜씨가 가장 까다로운 가르침을 받는 황족들에 비교해도 모자라지 않다고 생각했다. 그 사실이 이상하게 느껴지진 않았다. 테리오드는 무의식적으로 아스티나가 당연히 잘하리라 여기고 있었다. 그의 아내는 어떤 일에서든 부족함을 드러내는 법이 없었으니까.

"제가 따로 준비하는 게 없어도, 항상 모든 걸 완벽히 해내시니까요."

테리오드의 칭찬에 아스티나는 머쓱해졌다. 워낙 오래되어 실수했던 기억이 더 흐릿하긴 하지만, 그녀에게도 모든 게 서툴렀던 때가 있었다. 아스티나가 기억 저편을 더듬으며 애매하게 대답했다.

"많이…… 연습했었습니다."

처음 작위를 얻고 나서, 그녀는 생활 습관과 자세를 바꾸기 위해 무던히도 노력해야 했다. 가장 애를 먹었던 건 귀족들의 문화였다. 집시 출신이니만큼 몸치는 아니었으나 귀족과 평민의 무용은 완전히 결이 달랐다. 아무리 재능이 대단해도 어렸을 적부터 반복해 벼려 낸 귀족 영애의 솜씨보다야 서투를 수밖에 없는 분야였다. 날 때부터 숨 쉬듯 익히는, 몸에 밴 예법들은 단기간에 따라잡을 수 있는 게 아니었으니까.

따라서 그녀는 무도회에 참석해서도 이야기만 나눌 뿐, 춤 신청을 모두 거절하곤 했다. 마티나가 왈츠에 익숙해진 건 거절할 수 없었던 상대가 있었기 때문이다.

'나와 함께 춤춰 줘.'

그 웃음기 어린 목소리, 장난스러운 눈빛을 기억한다. 스텝이 서투르다는 것을 알면서도 굳이 자신에게 춤을 권하던 그 남자를.

누가 보아도 변덕 어린 흥미였으나 왕의 청을 무시할 수도 없는 노릇이었다. 서투른 파트너를 선택한 건 왕의 결정이니 그에 따른 피해도 그가 감수해야 했다. 마티나는 구둣발이란 점을 경고했지만 테오도르는 웃기만 할 뿐 청을 물리지 않았다. 마티나는 내심 짜증스러워하며 왕의 손을 잡았다.

마티나는 무도회가 있을 때만 여성복을 차려입곤 했다. 익숙하지 않은 구둣발은 얼얼했고 치렁치렁하게 늘어진 치마는 거추장스러웠다. 그를 사랑하지도 않았던 때였다. 걷기만도 부담스럽던 차에 왕의 요청은 그저 곤란했다. 무엇보다 마티나의 고생을 알아주기에 왕은 궁중 예법을 호흡만큼이나 당연하게 생각하는 인물이었다.

어색한 스텝에 마땅히 놀림이 돌아오리라고 생각했는데, 그는 의외로 간지러운 칭찬을 남겼다.

'그대는 역시 바지가 더 어울리는 것 같아.'

마티나는 그가 드레스가 안 어울린다는 말을 퍽 고상하게 돌려 말할 줄 아는 남자라고 생각했다. 뒤로 이어진 말에 그 평가는 곧 정정되었지만.

'다리가 예뻐서.'

테오도르가 속삭이듯 덧붙였다. 마티나는 구둣발로 테오도르의 발을 밟았다. 그녀가 무표정한 낯으로 대꾸했다.

'희롱이십니다.'

'왼뺨을 맞으면 오른뺨도 내밀라 했지.'

테오도르는 지지 않고 반대편 발을 내밀었다. 딱 좋게 튀어나온 발 받침을 마티나는 사양하지 않았다. 구두 굽을 사정없이 내리찍으며, 마티나가 사근한 웃음으로 답했다.

'주군께서 원하신다면.'

짓눌린 발등이 꽤나 아릴 법도 한데 테오도르의 표정에는 변함이 없었다. 드레스 자락에 가려져 다른 사람들은 이 무엄한 장난을 알아차리지 못한 듯했다. 테오도르는 아예 마티나를 제 위에 얹은 채 그대로 스텝을 밟았다. 움직이는 바닥에 마티나가 비틀거리자 허리를 더욱 단단히 잡아 지탱했다.

곡이 마무리되던 시점이었다. 선율이 가장 높게 치달았을 때, 테오도르는 몸을 기울여 마티나의 허리를 아슬아슬하게 꺾는 묘기를 선보였다.

마티나는 반사적으로 그의 목에 팔을 감았다. 워낙 유연성이 좋아 삐끗하진 않았지만 상대의 심술로 벌어진 일이라는 점엔 변함이 없었다. 유치한 보복에 마티나가 눈썹을 들어 올리며 경고했다.

'두고 보십시오, 내일 대련이 이보다 더 즐거우실 테니.'

테오도르는 꽤 멋들어진, 그러나 아는 사람이 보기에는 퍽 재수 없게 느껴지는 미소를 띠었다.

'신하의 충성심에 눈물이 앞을 가리는군.'

이후 마티나는 이를 악물고 연습하여 꽤 솜씨 좋은 춤꾼이 되었다. 그 결과로 자연히 테오도르와 춤을 추는 일이 늘어난 것이, 그의 의도였는지 아닌지는 알 수 없는 바다.

"아, 조심하세요."

테리오드가 아스티나의 뒤쪽을 넘겨보며 말했다. 바로 옆에서 춤을 추던 커플이 부딪칠 것처럼 간격을 좁혀 온 탓이었다. 테리오드가 아슬아슬하게 아스티나를 반대쪽으로 당겼다.

"대공께서도 리드가 자연스러우십니다."

절묘한 솜씨에 감탄한 아스티나가 칭찬했다. 테리오드는 무언가 찔리기라도 한 모양새로 황급히 변명했다.

"막상 실전 경험은 많지 않습니다. 아탈렌타가 자식 교육에 워낙 병적으로 민감하다 보니 연습을 많이 했을 뿐이라."

"그렇군요."

아스티나가 심드렁히 대답했다. 사람은 무언가 약점이 생기면 별것 아닌 일에도 지레 겁을 먹고 과민 반응을 하곤 한다. 아탈렌타는 그러한 심리에 퍽 잘 들어맞는 가문이었다. 괴물이 되어 가는 핏줄을 숨기기 위해, 그들은 누구보다도 완벽해지려 애썼을 것이다.

아스티나는 눈앞의 테리오드를 잠시 빤히 응시했다. 그러한 환경에서도 놀랍도록 이타적으로 자라난 특이한 남자를.

아스티나가 문득 입을 열었다.

"어렸을 적, 외롭지 않으셨습니까?"

"예?"

의외의 질문에 테리오드가 무심코 되물었다. 그의 과거사를 아는 이라면 보통 무게 있게 꺼낼 주제였다. 그러나 아스티나의 어조는 비교적 가벼웠다. 테리오드는 자신의 불행이 성역처럼 취급되지 않는 것이, 그리 나쁜 기분은 아니라고 생각했다.

테리오드는 곧바로 대답하는 대신 고개를 들어 허공을 응시했다. 분위기가 무르익어 주변은 온통 소란스러웠다. 사람들의 대화를 덮는 커다란 선율 덕분에 테리오드는 솔직함을 꺼내 들 수 있었다.

"외로웠습니다, 많이."

"부모님을 원망하시나요?"

"어렸을 적엔 그랬던 것도 같군요. 하지만 결국은 다 같은 피해자 아니었겠습니까."

"대공은 마음이 넓으시군요."

아스티나의 칭찬에 테리오드가 글쎄요, 하고 작게 답했다. 그가 이어 알 수 없는 어조로 운을 떼었다.

"그런 생각을 했습니다."

"무엇을요?"

"무던히도 사랑한 부모를 잃고 괴로운 것과, 애초에 정을 주지 않아 죽음조차 무감히 느끼는 것 중 무엇이 나은 걸까."

아스티나는 테리오드의 고민이 자신의 것과 꽤나 닮아 있다고 생각했다. 사랑하여 괴로워지는 것과 사랑하지 않아 외로워지는 것 중 어느 쪽을 택해야 했을까. 마티나는 테오도르와 전자의 경우를 이미 한 번 겪었다. 차라리 사랑하지 않았으면 좋을 거라고도 생각했다.

사람은 본래 자신이 얻지 못한 것을 욕망하게 되는 법일까, 테리오드가 피식 웃으며 꺼낸 결론에는 반대의 소망이 담겨 있었다.

"그래도 다정한 포옹 한 번쯤은, 받아 보는 편이 더 좋았을 거라고 생각하긴 합니다."

곡이 끝났다. 아스티나와 테리오드는 다시 간격을 두고 짧은 마무리 인사를 했다. 오래간만에 긴 춤을 추어 플로어 밖으로 벗어나자 몸이 더웠다. 아스티나가 무심코 쟁반을 든 시종에게 시선을 주자, 테리오드가 먼저 앞으로 나섰다.

"마실 것이라도 들고 오지요."

아스티나는 고개를 끄덕이고는 장외로 나왔다. 무도회가 시작되고 얼마 지나지 않은 시점이었다, 남몰래 제 짝을 찾아 숨어들기에는 다소 이른 때다. 평소라면 가득 찼을 테라스는 듬성듬성 비어 있었다. 아스티나는 개중 가장 가까운 곳으로 들어섰다.

"취하진 않은 듯한데……."

아스티나가 그리 중얼거리며 손등을 뺨에 대었다. 밤바람이 꽤나 시원하게 느껴졌던 탓이다. 그러고 보니 이 몸의 주량을 잘 알진 못했다. 미혼의 레이디가 인사불성이 되기엔 장애물이 너무도 많다. 식사를 하며 종종 와인을 곁들이기는 해도 두어 잔을 넘어선 적은 없었다.

"아스티나."

아스티나는 자신을 부르는 소리에 뒤돌아섰다. 놀란 듯 그녀의 눈은 다소 크게 뜨인 채였다. 그도 그럴 것이 음료를 가지러 오기로 한 파트너의 목소리가 아니었기 때문이다. 그러나 아스티나는 불한당의 등장을 경계하는 대신, 그의 이름을 불렀다.

"벤자민."

그 부름에 벤자민이 스치듯 웃었다. 커튼으로 완전히 테라스를 가린 그가 아스티나에게로 다가왔다. 옷을 갈아입은 듯 아까 입고 있던 것과 착장이 달라져 있었다. 아무래도 남들의 눈을 의식한 듯했다. 한 번 본 황자의 얼굴을 세세히 기억할 리는 없고, 눈에 띄는 건 아무래도 걸치고 있던 옷 쪽일 테니까.

"이게 어떻게 된 일이지? 네가 어떻게……."

"미안해, 어떻게 봐도 널 속이게 된 모양새라."

급하게 의문을 쏟아 내는 아스티나에게, 벤자민이 먼저 사과했다.

"널 못 믿어서 밝히지 않았던 건 아냐. 궁에 돌아올 줄은 나도 몰랐기에 말하지 못했어."

"나도 네게 배신감을 느꼈다거나 하는 건 아냐. 다만…… 놀랐지, 몹시도."

아스티나가 애매하게 인상을 찡그렸다. 6년이나 알아 온 친구가 갑자기 황자가 되었다. 놀라지 않는 게 더 이상했다. 아스티나는 혹 실례가 될지 모르는 어휘를 자제하며 최대한 조심스럽게 질문했다.

"어쩌다 궁으로 돌아오게 된 거지? 폐하께서 널 찾아내신 건가?"

"아니, 폐하께선 내가 태어났을 때부터 내 존재를 인지하고 계셨어. 사생아 출신은 아니라는 소리야. 일단은 적법한 후궁에게서 난 자식이니까. 후계자 싸움에 겁을 먹은 어머니가 나를 궁 밖에서 자라게 하셨었지."

벤자민이 먼저 민감한 부분에 있어 쐐기를 박았다. '일단은'이라는 미묘한 뉘앙스가 귀에 걸렸지만, 아스티나는 굳이 그것을 캐묻진 않았다. 그녀가 의아해한 건 다른 부분이었다.

"그렇다면 왜 갑자기 궁으로 돌아오기로 결심한 거지? 네가 그런 욕심이 있지는 않았던 걸로 기억하는데.”

벤자민은 그리 출세에 목을 매는 성격이 아니었다. 그는 모든 수업에 성실히 참가했으나 단지 그뿐이었다. 성공에 대단한 열의를 보인 적은 없었다.

지위는 사람에게 많은 짐을 지우는 법이다. 의무를 다하는 건 개인의 의지지만 벤자민은 제게 주어진 일을 무시할 사람이 아니었다. 그는 몹시 책임감 있는 사람이었기에, 역설적으로 책임이 필요한 자리에는 나서지 않으려 했다. 그런 그가 곤란한 지위를 떠맡은 건 그래야만 하는 이유가 있었기 때문이리라.

아스티나를 응시하던 벤자민이 툭 내뱉듯이 말했다.

“아스티나 네가 말도 안 되는 결혼을 했으니까. 나는 그런 상황을 타개할 힘이 없었고.”

“그게 무슨 상관이지? 나를 구제해 주기라도 하려 했단 말인가? 벤자민, 네가 아무리 내 친구라도 그럴 이유는…….”

맥락 없는 대답에 아스티나는 자연히 미간을 좁혔다. 반사적인 반문 뒤로, 그녀의 목소리가 이내 조용히 잦아들었다.

친구의 결혼이 장래를 저당 잡힐 이유는 되지 않는다. 벤자민은 그녀의 결혼이 말도 안 된다고 평했지만, 그의 희생이야말로 진정 터무니없었다. 아스티나는 그 사실에 주목했다. 벤자민은 이런 일을 벌여서는 안 되는 사람이었다.

그가 자신을 친구로 생각했다면,

“내가…… 아스티나, 너를 좋아했으니까.”

이래서는 안 된다.

반 박자 빨랐던 예감에 아스티나는 그 충격적인 고백에도 그리 놀라지 않았다. 그녀는 조용히 눈을 들어 벤자민을 응시했다. 한꺼번에 쏟아져 들어온 비밀을 정리하는 데는 약간의 시간이 필요했다.

'황자라니.'

놀라운 신분이기는 하나 황제였던 그녀의 과거에 비견할 바는 아니다. 그의 고백도 그 자체만 놓고 봤을 땐 복잡한 문제가 아니었다. 마음에 없는 상대는 거절하면 그만이었다. 아스티나를 가장 혼란스럽게 한 건 바로 그의 진짜 성이었다.

'벤자민이 피델리오가의 핏줄이라니.'

벤자민이 황자라고 하면 자연히 그의 선조는 엘시어가 되었다. 친남매처럼 지냈던 엘시어의 후손이라니…….

새삼스러운 깨달음에 아스티나는 소름이 끼쳤다. 친우의 증손자를 꼬여 내다니 엘시어를 볼 면목이 없다. 아스티나의 얼굴이 희게 질렸다. 그녀는 무의식적으로 도리질을 쳤다.

"안 돼, 이건…… 아니야. 미친 것 같군."

그 중얼거림에 벤자민은 몹시 상처받은 얼굴을 했다. 믿지 못하겠다는 듯 소름 끼쳐 하는 표정은 고백한 당사자에게 몹시 뼈아프게 다가왔다. 아스티나의 과거를 알지 못하는 그에게는 그저 싸늘한 거부일 뿐이었다.

"이럴까 봐 그간 티를 내진 않았어. 우린 이미 친구였고 그 관계를 깨부수고 싶진 않았으니까. 놀랐다면 미안하다."

벤자민이 변명하듯 덧붙였다. 그의 목소리는 언뜻 초조하게 들리기까지 했다. 아스티나는 그제야 자신이 친구의 고백에 경기까지 일으키고 있었다는 사실을 깨달았다. 아스티나가 황급히 해명했다.

"놀랐을 뿐이야."

그러나 벤자민은 그다지 충격을 벗어던진 표정이 아니었다. 아스티나는 이 고백을 빠르게 정리할 수 있는 길이 깔끔한 거절뿐이라는 사실을 인지했다. 표정을 가다듬은 아스티나가 단호히 고개를 저었다.

"그러나 네 마음을 받아 줄 순 없어. 벤자민, 나는 이미 기혼자다. 너도 알다시피."

그것은 반박할 수 없는 사실이었다. 미혼의 황자에게 고백받고 있는 상황이 우습게도, 아스티나는 유부녀였다. 그러나 벤자민은 그녀가 과거에 했던 약속을 지적했다.

"대공과는 헤어질 거라고 했잖아. 혹 그가 너를 붙잡은 건가? 그렇다면 내가 널 돕겠어. 그에게서 벗어날 수 있도록."

"그런 게 아니야."

"그런 게 아니면, 대공과 정이 들기라도 한 거야? 그래서 마음이 바뀐 거라면……."

"이건 그와는 관련 없는 문제야. 벤자민, 나는 너를 친구 이상으로 본 적이 없어."

아스티나가 딱 잘라 말했다. 거부만을 말하는 아스티나의 모습에 벤자민은 잠시 침묵했다. 그가 작달막한 음성으로 읊조렸다.

"알고 있어."

"벤자민."

"알고 있었어. 네가 내게 마음이 없다는 것 정도는."

그가 고개를 숙였다. 아스티나의 얼굴을 마주하고는 차마 남은 속내를 털어 낼 수 없다는 것처럼.

"그래서 대공령에 찾아갔을 때도 거짓말을 했어. 돌아올 게 거절밖에 없다는 것쯤은 이미 예감하고 있었거든. 이번에야말로 새로운 기대를 한 것도 아니고."

벤자민은 눈을 길게 감았다 떴다. 그는 고개를 들어 자신이 사랑하는 여자를 눈에 담았다. 친구로만 접근했던 첫 시작이 문제였을까, 아니면 고백할 엄두도 내지 못해 우정만 굳힌 비겁함이 문제였을까.

그러나 벤자민은 알고 있었다. 모든 인간관계에는 '아닌 사람'이 있다. 성향이 맞지 않은 이를 만났을 때 종종 친구가 될 수 없다고 판단하듯, 아스티나에게 자신은 연인이 될 수 없는 종류의 사람이었다.

벤자민은 저를 위해 마음 한편 내주지 않을 여자를 질긴 시선으로 응시했다.

"아스티나, 난 너를 위해 죽을 각오를 하고 궁에 들어왔어. 과거에 내 존재를 이미 한 번 지워 냈던 이 피비린내 나는 황궁에 말이야."

"애석하게도 난 너의 선택을 책임질 수 없어. 내가 강요한 게 아니니까."

아스티나는 때로 사람이 매정해야 할 순간이 있다고 생각했다. 맺고 끊는 건 확실하게 이루어져야 하는 종류의 일이다. 그러나 벤자민은 제멋대로 품은 연정의 보답을 강요하는 파렴치한이 아니었다. 그가 고개를 내저으며 말했다.

"네게 부담을 주려고 한 말이 아니야. 내 각오를 말한 거다. 네가 바라지 않는다면 나는 그 어떤 행동도 하지 않을 거야. 믿고 안 믿고는…… 네게 강요할 수 없는 문제겠지만."

"……."

"나는 너의…… 도피처 정도는 되어 주고 싶었던 거다. 너는 도무지 울지 않는 강한 사람이지만, 혹 네게 힘겨운 일이 있을 때 잠시 품을 내어 줄 수 있는 정도는 되고 싶었거든.”

벤자민은 사랑하는 여자를 구하지 못하는 무력한 기분을 다신 겪고 싶지 않았다. 아스티나가 도움을 원하기 이전에, 벤자민은 먼저 스스로가 기댐 직한 사람이 되어야 한다고 생각했다.

분명 사랑하는 여자에게 거절의 답을 들은 것은 고통스러운 일이었다. 그녀의 확언은 그의 예감보다 훨씬 더 뼈아팠다. 하지만 열병처럼 앓았던 진득한 사랑에 드디어 답을 얻었다. 본인에게는 결코 털어놓을 수 없었던 감정을 고백한 것만으로 충분히 의미 있지 않은가.

벤자민은 힘겹게, 그러나 진심 어린 미소를 지어 보였다.

“아스티나, 나는 네가 원하는 걸, 원하는 방향으로 돕겠어. 그게 내가 네게 주는 사랑이야.”

아스티나는 물끄러미 벤자민의 눈을 들여다보았다. 생각보다 벤자민이 엘시어와 닮은 점은 눈에 띄지 않았다. 비슷한 것이 있다면 단 하나, 반짝이는 금발쯤일까.

몇 대를 걸쳐 흐려진 피는 아스티나가 향수에 젖도록 허락하지 않았다. 피가 섞였다는 사실이 실감이 나지 않을 정도로 벤자민은 엘시어와 달랐다. 테리오드가 멀고 먼 선조인 테오도르와 똑 닮았다는 점과 비교되는 일이었다. 물려받은 피의 농도는 벤자민 쪽이 더 짙을진대 왜 그에게서는 엘시어의 외관을 찾아볼 수 없을까.

오히려 닮은 건 외모보다는 관계였다. 마티나의 수하이자 믿음직한 친구였던 엘시어처럼, 벤자민도 아스티나의 친구였으니까. 그마저도 엘시어가 마티나에게 연정을 품은 적은 없었다.

벤자민은 그의 선조와 전혀 다른 인물이었지만, 그럼에도 아스티나는 그에게서 옛 얼굴을 발견해 냈다. 그녀를 위해 헌신하던 올곧은 기사를.

아스티나가 말했다.

"벤자민, 우리가 처음 만났을 때 너는 꽤 어설픈 신사였지."

아스티나는 처음 만난 사이임에도 스스럼없이 대련을 청하던 벤자민을 기억했다. 그의 어린 손은 어느새 단단한 사내의 모습을 하고 있었다.

아스티나는 그 간극에서 문득 깨달았다. 6년의 세월은 작은 호감을 깊게 변질시키기에 충분한 시간이었다. 변하지 않은 건 아스티나 하나였다. 그녀는 자라지 못했으니까.

"너는 완성된 숙녀였고 말이야."

벤자민이 설핏 웃으며 그 점을 지적했다. 거절의 말을 들은 이후임에도 그는 여전히 친절한 친우의 모습이었다. 아스티나는 이전보다 편한 마음으로 말을 이었다.

"네가 사과시키겠다며 아돌프를 데리고 왔을 때 나는 꽤나 놀랐어. 솔직히 말하자면 검술반에서 좋은 대접을 기대하진 않았거든. 나는 도무지 타인의 비위를 맞출 재간이 없는 성격이니까. 그래도 너는 편견 없이 내게 다가왔지."

아스티나가 대련에서 이겨 연무장을 차지한 후, 아돌프는 약속대로 그녀가 있을 때면 그곳에 걸음하지 않았다. 적당한 사과가 있었다면 아스티나도 결정을 번복했을 테지만 아돌프는 제 자존심을 더 중요하게 생각했다.

그런 아돌프를 데리고 와 아스티나에게 사과시킨 장본인이 바로 벤자민이었다. 아스티나가 벤자민에게 호감을 가지고 교류를 이어

왔던 것도 그 일 때문이었다.

"너는 좋은 사람이다. 너라면 나 말고도 더 좋은 사람을 만날 수 있을 거야."

벤자민의 눈을 마주하며, 아스티나가 진심으로 말했다. 그녀가 담백하게 말을 맺었다.

"그러니 벤자민, 그런 약속은 더 소중한 누군가에게 해 주도록 해."

단칼에 자르는 아스티나의 말에 벤자민의 얼굴이 일그러졌다. 그가 겨우 입술을 달싹이며 물었다.

"내게 기회라도 줄 순 없는 건가?"

"……."

"대공과 헤어지게 된다면, 그 언젠가는 내게 올 수도 있다고…… 그런 희망마저도 안 되는 거겠지?"

아스티나는 대답하지 못했다. 그 말을 가로막은 다른 상대가 있었으니까.

"새 황자께 유부녀를 유혹하는 지저분한 취미가 있을 줄은 몰랐습니다."

싸늘한 음성이 내려앉음과 동시에, 벤자민이 놀란 눈으로 뒤를 돌았다. 아스티나의 얼굴에도 따라 곤란한 빛이 떠올랐다. 커튼을 열어젖히고 등장한 건 대공이었다. 조금 전 고백했던 여자의 남편이 나타났음에 벤자민은 몹시 당황했다.

그러나 벤자민은 곧 평정을 되찾았다. 그는 이 결혼의 불합리함을 잘 알고 있었다. 그가 판단하기로 대공은 아스티나에게 소유권을 주장할 자격이 없었다. 신부를 사지에 밀어 넣을 뻔한 신랑을 적합한 배우자라고 볼 수는 없을 테니까.

벤자민이 대공을 노려보며 말했다.

"지저분한 취미라니요. 돈으로 신부를 산 무뢰한이 할 말은 아닌 듯합니다, 대공."

"벤자민!"

아스티나가 앞으로 나서 둘을 중재하려고 했지만 테리오드 쪽이 더 빨랐다. 딱딱하게 표정을 굳힌 테리오드가 벤자민에게로 성큼 다가섰다. 상해를 입힐 만한 물건을 들고 있지는 않았으나 그 걸음은 더없이 위협적으로 느껴졌다. 벤자민도 장신이었지만, 테리오드 쪽이 더 눈높이가 높았다. 테리오드가 벤자민을 내려다보며 스산히 중얼거렸다.

"부끄러움을 알면 이만 알아서 물러갈 법도 한데."

"연적 앞에서 꼬리를 말고 도망갈 정도로 자신 없는 감정은 아닌지라."

벤자민의 쏘아붙임에 테리오드가 픽 웃음을 터트렸다. 대공이 조롱하듯 말했다.

"황자님, 보기 추하십니다."

"뭐요?"

벤자민이 표정을 구겼다. 테리오드가 입가에 걸린 비웃음을 지우지 않은 채 말했다.

"아무리 포장해도 방금의 일이 지저분한 수작이었음엔 다름이 없습니다. 남의 부인을 탐내시다니, 파렴치한 짓도 적당히 하셔야지요. 일국의 황자께서 이리 밑바닥을 보여서야 되겠습니까?"

테리오드의 날 선 응대에 아스티나는 당혹한 낯을 떠올렸다. 아스티나가 알았던 테리오드는 타인에게 이런 험한 말을 하는 성격이 아니었다. 그녀는 그가 이렇게까지 화를 내는 모습을 처음 보았다.

생각지 못한 반응에 아스티나는 둘을 말리지도 못했다. 때문에 먼저 침착함을 되찾은 건 벤자민 쪽이었다. 벤자민은 붉혔던 얼굴을 가다듬고는, 한껏 가시 돋친 어조로 되물었다.

"그게 얼마나 갈 것 같습니까?"

"뭐?"

"아스티나는 내게 일 년 후 대공과 이혼할 생각이라고 말했어요. 그리고 그녀는 한 번 결정한 걸 잘 바꾸는 성격이 아닙니다."

그것은 테리오드도 익히 가슴에 담아 둔 발언이었다. 벤자민은 여유를 되찾고 미소를 지어 보였다. 돈으로 여자의 자유를 앗은 대공에게 야유를 보내듯이.

"그 작은 기회나마 잘 끌어안고 살아 보십시오, 오래가진 않을 테지만."

테리오드의 얼굴이 딱딱하게 굳어 들었다. 벤자민을 내려다보는 테리오드의 눈에 흉흉함이 깃들었다. 테리오드가 핏줄이 선 목으로 한 자 한 자 힘주어 말했다.

"착각하지 마십시오, 전하. 그 작은 기회조차 황자님께는 주어지지 않았다는 걸, 좀 아셔야 할 것 같은데."

"건방 떨지 마. 그녀의 마음을 못 얻은 건 당신도 마찬가지야."

"그래도 그녀는 내 아내야."

벤자민의 지적에도 테리오드의 기세는 수그러들지 않았다. 으르렁거리듯 말을 맺은 테리오드가 검지로 벤자민의 어깨를 밀어냈다.

"혼인 서약서가 황궁으로 날아든 이상, 개새끼들은 적당히 꺼지셔야지."

"이게……."

벤자민이 반사적으로 주먹을 들어 올렸다. 새 황자가 대공의 얼굴에 주먹질을 하는 말도 안 되는 사건을 터트리기 전, 아스티나는 가까스로 둘 사이에 끼어들었다.

"둘 다 그만하세요. 대공, 상대하실 필요 없습니다. 벤자민, 너는 이게 무슨 무례지?"

어쩌다 두 남자를 사이에 둔 여주인공의 역할을 떠맡게 되었나. 연극의 한 장면 같은 상황에 골이 다 아파졌다. 어쩌다 일이 이렇게 흘렀는지 모를 일이었다. 테리오드가 아니어도 누군가 엿들었다면 곤란해졌을 고백이었다. 후에 이야기하자며 진즉 벤자민을 돌려보냈어야 했는데 자신이 안이하게 반응했다.

벤자민이 무어라 변명하기도 전, 아스티나가 싸늘한 목소리로 상황을 정리했다.

"벤자민, 이만 돌아가."

자신의 편을 드는 아스티나를 보자 테리오드는 우습게도 기분이 조금 나아지는 듯했다. 반대로 벤자민의 표정은 완전히 일그러졌다. 아스티나의 성격상 법적인 남편의 편을 드는 게 당연한 상황이었다. 벤자민도 자신이 이성적이지 못한 행동을 했음을 인지하고는 있었다. 그러나 짝사랑 상대를 앗아 간 불한당을 앞에 두고 평정을 찾을 수 있는 이가 얼마나 되겠는가.

욕지거리라도 쏟아 내고 싶은 심정이었으나, 벤자민은 그게 아스티나를 더 곤란하게 만들 뿐이라는 걸 알았다. 어찌 됐든 대공과 아스티나는 공적인 부부 사이였다. 벤자민 자신은 함부로 끼어들 수도 없는.

벤자민이 입술을 깨물며 먼저 뒤로 물러섰다. 대공도 이 자리에 함께하고 있음에 잠시 망설이던 그가, 이내 마지막 조언을 남겼다.

"아스티나. 프리모와 이시스에게 다가가지 마. 이시스의 관심을 사서도 프리모의 눈에 거슬려서도 안 돼. 대공비의 자리쯤 되면 풍파에 휘말리지 않기도 힘들겠지만, 너는 똑똑하니까 잘할 수 있을 거야."

그러고도 잠시간 대공을 쏘아보던 벤자민이, 못내 할 말이 남은 표정으로 아스티나를 응시했다. 그러나 아스티나는 짧게 고개만 한 번 더 저어 보였을 뿐이었다.

벤자민이 곧 걸음을 돌려 테라스를 빠져나갔다. 테리오드는 벤자민이 사라지기까지 그에게서 시선을 거두지 않았다.

"언제부터 들으셨습니까?"

아스티나가 곤란한 음성으로 물었다. 테리오드는 그제야 아스티나에게로 고개를 돌렸다. 테리오드가 딱딱함이 가시지 않은 목소리로 되물었다.

"그게 중요합니까?"

"……거절했습니다. 전하와의 혼인 기간 중에 부정을 저지를 생각은 없으니 안심하세요."

"그 말은, 혼자의 몸이 되면 저 남자의 손을 잡기라도 하시겠다는 뜻입니까?"

벤자민과의 사이를 의심할 필요는 없다고 말하려 했던 것뿐이다. 이혼 후라 해서 다른 남자를 만날 생각은 없었던 아스티나는 테리오드의 공격적인 태도에 당황했다. 그의 과민 반응은 그것으로 멈추지 않았다. 테리오드가 피식 웃으며 속삭였다.

"부인, 너무 안이하십니다."

그의 찬 눈이 아스티나의 어깨 너머로 굴렀다. 난간 너머로 흐드러진 나뭇잎에선 바람이 불 때마다 소란이 일었다. 테리오드의 주먹 쥔 손에 힘이 들어갔다.

'벤자민, 우리가 처음 만났을 때 너는 꽤 어설픈 신사였지.'

아스티나를 찾아 주변을 돌아다니던 중, 커튼 너머로 들려온 그녀의 목소리를 들은 건 순전히 우연이었다. 얼떨떨하게 걸음을 멈춰 세웠던 테리오드는 이어지는 말에 얼굴을 굳히고 말았다. 드문드문 들려오는 대화는 몹시 작았지만, 그럭저럭 맥락을 알아챌 정도는 되었다.

'대공과 헤어지게 된다면, 그 언젠가는 내게 올 수도 있다고…… 그런 희망마저도 안 되는 거겠지?'

이건 사랑 고백이다.

자신이 더 늦게 도착했다면 남자의 토로는 더 길게 이어졌을 테고, 그렇다면 아스티나의 마음을 뒤흔들었을 수도 있었다. 괴물의 곁에도 동정으로 남았던 여자다. 공평한 자비가 타인에게도 내려진들 어찌 불만을 표할 수 있겠는가. 심지어는 그것이 자신의 경우처럼, 동정만은 아니었다면?

'그녀도 황자와 같은 마음을 품었을까.'

테리오드는 그녀가 수도에 두고 온 연인이 있음을 알았다. 옛 연인이라 착각하고 그녀가 쏟아 냈던 고백은 제 심금까지 울리지 않았던가.

테리오드는 벤자민이라는 이름을 기억했다. 무려 대공령까지 검을 선물해 왔던 남자다. 아스티나는 황자를 친구라고 말했지만, 과거의 연인을 숨기기 위해 거짓을 말했을 수도 있었다.

거기까지 생각이 다다른 테리오드는 가슴팍에 불이 이는 것을 느꼈다. 그가 성큼 아스티나의 앞으로 다가섰다. 무서운 기세에 아스티나는 무심코 뒤로 물러섰다. 그러나 바로 뒤엔 난간이 있었다. 테리오드는 어렵지 않게 아스티나의 앞에 다다랐다.

"아니, 안이한 건 제 쪽이었군요. 부인께서는 처음부터 이혼을 생각하셨던 것을."

테리오드가 천천히 손을 뻗어 그녀의 뺨을 감쌌다. 그의 진득한 시선이 아스티나에게로 쏟아졌다. 아스티나는 제 눈 밑을 문지르는 테리오드를 막지 않았다. 테리오드가 아스티나와 눈을 맞추며 말했다.

"그래요, 나를 떠나겠다고 하셨었지요."

"……그건 벤자민과는 상관이 없는 일입니다."

"이 와중에도 제 앞에서 다른 남자를 보호하시다니, 잔인도 하셔라."

그가 자조하듯 중얼거렸다. 언뜻 차게 느껴지는 목소리와 반대로, 뺨을 감싼 그의 손은 뜨거웠다. 테리오드가 피식 웃으며 말했다.

"제가 화를 내는 것이 참으로 몰염치하지 않습니까."

"애초에 대공께서 화를 내실 만한 일은—"

"그래요, 주제 모를 참견임은 나도 압니다. 하지만 부인, 이건 기억하셔야지요."

테리오드가 평소와 같은 상냥한 투로 경고했다.

"제가 말씀드렸었지요, 괴물은 사람 된 염치를 모른다고. 그렇게 다정하셔서는 안 된다고요."

"……."

"그러니 제가 자꾸 욕심을 내는 게 아닙니까."

테리오드가 아스티나에게로 고개를 기울였다. 가까워지는 입술에 아스티나는 급히 팔을 뻗어 테리오드를 붙잡았다. 늘 자연스럽게 입맞춤에 응해 왔던 것과 비교되는 반응이었다. 입술이 완전히 닿기 전 테리오드는 제자리에 멈추었다. 느릿하게 그녀의 눈동자를, 코를, 뺨을 응시하던 그가 곧 조용히 물러났다.

아스티나의 침묵은 테리오드의 의심을 확신으로 굳혔다. 사랑한 연인이, 저는 될 수 없는 그 남자가, 그 인연이 그리도 소중해서.

테리오드가 싸늘히 웃으며 말했다.

"수도에 두고 오셨다는 그 남자가 바로 저치이십니까? 이전의 연인을 보고 나니, 다른 남자와 입을 맞추는 데 새삼 죄책감이라도 느껴지시나 보지요."

당혹스러울 만치 뜨거운 분노였다. 오롯이 그녀만을 보는 눈동자엔 열렬함이 담겨 있다. 테리오드의 어깨를 잡은 아스티나의 손에 힘이 들어갔다. 아스티나는 그 터무니없는 오해에 대답하지 않았다. 그녀에겐 먼저 확인해야 할 것이 있었으니까.

아스티나는 떨리는 손을 뻗었다. 천천히 위로 미끄러진 손끝이 남자의 목을 눌렀다.

"저를 그 남자로 착각하셨을 때는 그리도 열렬하셨는데."

그가 속삭임과 동시에, 아스티나는 불에 데기라도 한 것처럼 그에게서 손을 떼어 냈다. 남자의 살갗 밑으로 맹렬한 박동이 느껴졌다. 서둘러 뛰뛰는 심장을 곧 토해 내기라도 할 것처럼.

아스티나는 테리오드가 말하는 '그 남자'가 누구인지 어렵지 않게 이해했다. 대공을 테오도르라고 착각하고 저질렀던, 처음의 그 키스를 말하는 것이다.

당연히도 그건 저주를 풀기 위한 목적으로 했던 것과 확연히 달랐다. 그와 입 맞추는 일이 잦았다고는 하나 결코 테오도르에게 했던 것처럼 행할 수는 없었으니까.

아스티나가 떨리는 입술로 말했다.

"아니, 아닙니다. 그런 게……."

도통 혀가 제 것같이 움직이지 않았다. 끝내 그녀의 목소리가 완전히 잦아들었다. 꽉 막혀 버린 성대를 대신해 본심이 가슴 아래에서 아우성쳤다.

아니야. 그런 게, 그래서는 안 되는데.

아스티나는 인정했다. 자신은 부정하고 싶었다. 곤란할 뿐인 마음을 인지하여 스스로를 머리 아픈 상황으로 끌어들이고 싶지 않았다.

남자는 섣부른 고백으로 상처받지 않으려 애썼지만, 숨기는 행위조차 그저 서툴렀다. 이리 말도 안 되는 억지를 쓰는 것만 봐도 알 수 있다. 그는 제 마음을 숨길 여유조차 없어 보였다. 애초부터 그가 내내 보여 주고 있었던 답은 하나였다. 왜 전처럼 키스해 주지 않느냐는 물음에서 다른 뜻을 찾을 필요는 없었다.

아, 이리도 뻔한 것을 어째서 몰랐나.

"그래도 그에게로 돌아가실 수는 없답니다, 부인."

비겁한 괴물이 다정히 속삭이는 소리.

선연히 쏟아지는 질투를 마주하며, 아스티나는 당연히도 깨달았다.

날 사랑한다, 이 남자는.

12. 우아한 그녀

12. 우아한 그녀

앤서린은 아침부터 기분이 별로 좋지 않았다. 원인으로 꼽을 수 있는 것들은 다양했다. 아침으로 나온 빵에서 평소보다 버터 향이 덜했다든가, 아니면 옷을 입으려는데 그녀가 제일 좋아하는 셔츠가 준비되어 있지 않았다든가, 길을 걷다가 지난밤 축제에 흠뻑 취했던 누군가가 쏟아 낸 토사물을 밟았다든가.

"후작님, 대공비는 어땠습니까? 대공은 강건해 보이던가요? 후작님!"

그도 아니면 그녀의 수하가 지나치게 눈치 없다거나.

"그런데 대공비는…… 소문처럼 그렇게 예뻤습니까?"

처비가 손으로 제 입을 가리며 속살거렸다. 앤서린은 말없이 마차의 창문 쪽으로 그의 머리를 밀어냈다. 대놓고 불편한 티를 냈으니 알아들을 법도 한데 흥분한 처비는 종알거리기를 멈추지 않았다.

"얻어듣기로는 무척이나 아름다웠다고 하던데요. 대공까지 더해지니 선남선녀가 따로 없었다며 벌써 도성 안에 소문이 다 번졌습니다."

"나는 못 봤네."

앤서린이 심드렁한 목소리를 가장하며 대답했다. 생각지 못한 대답에 처비가 눈을 동그랗게 떴다.

"예? 어째서요?"

앤서린은 멍청한 질문을 상대하는 대신 짜증스레 뒷머리를 긁었다.

'대체 대공비라는 여자가 어떻기에 저 난리들인지.'

앤서린은 지난밤 무도회에서 대공비를 만나지 못했다. 그도 그럴 것이 등장이 누구보다 늦었던 탓이다. 얼마 전 부상을 입었던 말의 상태가 악화되어 그녀는 저녁 내내 마구간을 떠나지 못했다. 자정이 가까워져서야 말은 안정된 기색을 보였다.

뒤늦게 준비를 마쳐 황궁으로 향했지만 결과는 더 말할 것도 없이 완벽한 지각이었다. 늦었다며 방방곡곡 홍보하는 꼴이 될 것이 뻔해 시종장은 그녀의 이름을 불러 주지도 못했다.

당연히도 늦은 입장 탓에 앤서린은 대공비라는 여자를 볼 수 없었다. 멀리서 존재를 인지하긴 했으나 마침 대공 부부는 돌아갈 무렵이었고, 앤서린은 그 얼굴에 대놓고 호기심을 보일 수 없는 입장이었다. 그녀에겐 정적으로서 지켜야 할 체통이라는 것이 있었으니까.

따라서 앤서린은 회장을 나서는 대공비의 뒤통수만 겨우 살폈다. 날개 뼈 밑으로 굽이치듯 내려온 붉은 머리칼이 앤서린이 볼 수 있었던 것의 전부였다.

다소 아쉽기는 했으나 무도회는 일주일 내내 이어질 예정이었다.

앤서린은 다음을 기약하며 친분이 있는 자들에게로 걸음을 돌렸다. 그녀가 신경 쓸 것은 어떻게 씹어 먹을지 간을 봐 둬야 할 대공뿐, 대공비에게 할애할 관심은 없었으니까.

그러니까 어디까지나 앤서린은 그랬다는 말이다.

'앤서린 후작! 왜 이렇게 늦으셨습니까! 대공비 전하는 만나 보셨는지요?'

플랑벤 백작이 말했고,

'앤서린 후작님, 늦으셨군요. 대공 부부께선 이미 돌아간 듯한데, 혹 얼굴은 뵈셨는지 모르겠군요.'

웰링턴 자작이 수선을 부렸으며,

'앗! 대공비 전하는 만나 보셨습니까?'

베르디 자작은 흥분하여 포도주를 흘렸다.

그 모든 아우성 끝에 결국 앤서린은 참지 못하고 근엄하게 답했다.

'아무래도 잊으신 듯하여 한 가지 조심스레 알려 드리자면, 제 성은 트리스탄입니다.'

그 말에 베르디 자작이 얼큰히 달아오른 얼굴로 큰 웃음을 터트렸다.

'오, 물론이지요. 후작님! 제가 취하긴 했어도 후작님의 잘생긴 얼굴을 알아보지 못할 얼간이는 아닙니다!'

'다행이군요. 모두가 벌써 저 아름다운 달빛에 취하신 건 아닌지 염려했습니다. 아무래도 제 도착이 워낙 늦었다 보니.'

'확실히 후작께는 적절치 않은 화제였을지도 모르겠군요. 하지만 저희도 모두 놀라서 말입니다. 대공 전하의 존재만으로도 이미 신의 공평함을 의심할 지경인데, 그 옆에 비슷한 미인이 서니 눈이

다 멀 것 같더군요.'

베르디 자작이 손을 내저으며 능청을 떨었다. 이쯤 되니 앤서린도 궁금해졌다. 대체 대공이 어떤 여자를 데려왔기에 저리들 난리가 난 것인가.

앤서린도 대공의 부인이라는 여자에 대해 조사한 게 없는 건 아니었다. 아스티나 반 아탈렌타는 처녀 적 벨라체에서 두각을 드러내던 수재로, 학생들 사이에서도 대단한 미인으로 소문이 나 있었다. 개중에는 검술반이 아닌데도 연무장에 꾸준히 출석하여 걸출한 무예를 다졌다는 이야기도 있었다.

'낭설이겠지만.'

터무니없는 소리다. 앤서린은 딱 잘라 그것을 헛소문으로 치부했다. 벨라체의 편협한 사내들이 여자가 연무장을 사용하는 걸 허락했을 리 없다. 앤서린도 그래서 벨라체가 아닌 북부의 세브리노에서 학업을 이수하지 않았던가.

'하지만 제가 후작님께 대공비 전하의 이야기를 꺼낸 건 다른 이유가 더 크답니다.'

베르디 자작이 그렇게 말하며 앤서린에게로 거리를 좁혔다. 그가 속삭이듯이 말했다.

'제가 황궁에서 근무하며 이런저런 미술품을 많이 얻어 보지 않습니까. 대공비 전하께서 입장하시는 순간 저는 묘하게 옛 그림 중 하나가 떠오르더군요. 마티나 여제의 초상 말입니다. 색이 진한 적발이나, 당당한 표정 같은 게 꼭 닮았더란 말이죠. 아마 후작님께서도 그분을 보셨으면 마음에 들어 하셨을 겁니다.'

물론, 아탈렌타만 아니었다면요. 베르디 자작이 어깨를 으쓱이며 덧붙였다.

그 말은 저택으로 돌아와서까지 앤서린의 머릿속을 어질렀다. 그녀의 마음엔 대공비를 향한 순수한 궁금증이 반, 아탈렌타의 여자가 그 대단한 여제와 비교된 것에 대한 불쾌감이 딱 반 정도로 섞여 있었다. 안 그래도 생각이 복잡한데 처비까지 목소리를 보태니 자연스레 짜증이 일었다.

창밖을 내다보던 앤서린이 불쑥 마부를 향해 말했다.

"난 여기서 내려야겠군, 말을 멈춰라."

"후작님?"

처비의 얼떨떨한 표정을 무시한 채 앤서린은 문을 열었다. 앤서린은 마차 밖으로 뛰어내리기 전, 손을 뻗어 처비의 어깨를 힘 있게 두드렸다.

"처비, 상사의 퇴근길엔 되도록 입을 다무는 습관을 들이도록. 알겠나?"

그러고는 멍청한 표정의 처비를 뒤로한 채 길로 내려섰다. 그녀는 손을 길게 뻗어 단번에 마차의 문을 닫았다. 문과 이음새가 부딪히며 쾅, 하고 시원한 소리를 냈다. 그것을 신호로 받아들인 듯 말이 곧장 다시 발을 굴렀다.

창 너머로 앤서린과 길거리를 번갈아 보던 처비가 황급히 몸을 일으켰다. 그러나 바깥에서 잠근 문은 다시 열리지 않았다. 그가 애절하게 소리쳤다.

"후작님! 자택에서 보셔야 하는 서류가아!"

앤서린은 모자를 벗으며 마차의 뒤꽁무니를 향해 정중한 인사를 남겼다. 돌아서는 발걸음은 방금 선사한 골탕만큼이나 경쾌했다.

심술로 휘어졌던 입꼬리가 곧 제자리를 찾았다.

그녀는 바로 앞의 서점으로 걸음을 옮겼다. 안 그래도 찾던 물건이 있던 차에, 새로 나온 서적이라도 구경하고 돌아갈 생각이었다.

시내에서 제법 큰 규모를 자랑하는 서점은 방문객의 수도 많았다. 앤서린은 천천히 안으로 걸어 들어가며 매대를 구경했다. 주변을 둘러보던 앤서린의 시선이 어느 한 지점에서 멈췄다. 앤서린의 눈이 가늘어졌다.

'저 여자는…….'

이상하게 낯이 익은 붉은 머리칼과 체구. 저번처럼 로브를 입고 있진 않았지만 익숙한 분위기였다. 역광으로 흐릿했던 얼굴을 빈 도화지에 표현하지는 못해도, 대조할 만한 얼굴을 옆에 두자 쉽게 기억과 겹쳐 그릴 수 있었다.

'그녀다.'

예상보다 가깝게 이루어진 재회에 앤서린의 낯이 환히 밝아졌다.

아스티나는 아침부터 기분이 그다지 좋지 않았다. 원인으로 꼽을 수 있는 것들은 다양했다. 어젯밤 취침이 늦어 늘 하던 새벽 수련을 빼먹었다든가, 아침부터 찾아온 칸나가 외출을 종용했다든가, 서점으로 향하던 길에 마차 바퀴가 고장 나 남은 거리를 직접 걸어야 했다든가.

'그래도 그에게로 돌아가실 수는 없답니다, 부인.'

아니면 참으로 기껍지 않은 상대의 연심을 알아차렸다든가.

하루의 반 동안 이성을 잃는 대공의 병증이 이리도 반갑게 느껴진 적은 없었다. 짧은 유예였지만 그나마라도 얻을 수 있어 다행이었다. 완전히 없었던 일인 척 잊을 수는 없어도, 마음의 정리를 마친다면 모르는 척 정도는 할 수 있을 테니까.

그러나 저택으로 돌아가는 건 여전히 달갑지 않게 여겨졌다. 아직 테리오드의 얼굴을 마주 볼 자신이 없었다. 지난밤 무도회를 잘 마무리하고 저택으로 돌아온 게 믿기지 않을 지경이었다. 테리오드는 언제 그랬냐는 것처럼 다정히 그녀를 에스코트했고, 자신도 무심히 응대했으나 결코 이전 같지는 않았다. 아스티나는 테리오드가 금방이라도 사랑한다고 고백할 것만 같은 불안감에 시달렸다.

"아스티나."

"……."

"아스티나!"

아스티나의 눈이 굼뜨게 칸나에게로 굴렀다. 넋이 나간 동생을 보고 칸나는 한숨을 내쉬었다.

"좋아, 아무래도 동생이 숙취에 제정신이 아닌 것 같으니 난 저쪽에서 혼자 구경하겠어."

불만을 표하듯 어깨를 으쓱인 칸나가 결국 홀로 떠나갔다. 아스티나는 자신이 서 있는 곳이 역사학 서적을 분류해 둔 쪽이라는 걸 뒤늦게 알아챘다. 그리고 칸나가 오늘 구매해야 하는 참고 서적은 모두 그 외의 분야였다.

아스티나는 들고 있던 책을 성의 없이 내려놓았다. 두께만큼이나 둔탁한 소리가 울렸다. 아스티나는 매대 위로 손을 짚고는 고개를 숙였다.

'착각일 수도, 속단일 수도 없지.'

구원자에게 가닿는 집착이 곧 성애를 뜻하는 건 아니다. 실제로 미숙한 테리오드가 스스로의 감정을 오해한 적도 있지 않았나. 아스티나는 줄곧 그리 생각하며 다가오는 테리오드를 회피해 왔다.

그러나 이번 경우는 완전히 결이 달랐다. 당연히도, 은인이 다른 남자에게 고백을 받았다고 질투를 쏟아 낼 필요는 없다. 그녀는 그 선명한 감정을 두고 차마 억측이라고 말할 수도 없었다.

그는 왜 하필 자신을 사랑하게 된 걸까. 혹 그가 정말 테오도르의 환생이라서? 그와 자신이 다음 생에도 이루어질 사이였기 때문에?

아스티나는 그 미련한 기대를 치워 내기 위해 애썼다. 바라서도, 있어서도 안 되는 일이다. 그녀는 의미 없는 고민을 하고 있었다. 만약 그가 정말 테오도르의 환생이라 해도, 같은 기억을 갖고 있지 않은 남자에게서 옛 추억을 그리는 건 어리석은 짓이었다.

하지만 그럼에도, 만일 그가 진짜 테오도르라면…….

'테오도르와 같은 얼굴을 한 남자와 다시 사랑에 빠질 텐가? 어리석게도?'

아스티나의 손에 힘이 들어갔다.

기실 그건 그녀조차 알 수 없는 사실이었다. 테오도르를 증오하면서 사랑했듯, 그를 향한 그녀의 감정은 언제나 두서없었다. 아스티나는 자신이 품은 것이 기대인지 두려움인지 도통 분간해 낼 수 없었다.

답이 없는 일에 매달리는 건 오직 미련 때문이다. 그녀는 테리오드가 테오도르일지 모른다고 생각하는 스스로의 어리석음이 부끄러웠다.

그런 헛된 희망과 기대 따위에.

구역질이 치솟았다. 아스티나는 참지 못하고 속을 게워 낼 뻔했다.

"괜찮으십니까?"

입을 틀어막은 그녀에게 누군가 염려의 말을 전해 왔다. 아스티나는 화들짝 놀라 고개를 돌렸다. 무심코 뒤로 물러서다 그만 매대를 발로 차, 주변에 약간의 소란이 일었다. 아스티나의 격한 반응에 앤서린이 당황한 낯으로 말했다.

"제가 놀라게 해 드렸군요."

"아니요, 그게……."

더듬더듬 대답하던 아스티나가 겨우 침착을 되찾았다. 아스티나는 짧은 순간 자신에게 말을 건 상대의 직위를 인지했다. 아스티나가 가장 먼저 행한 건 낯에 서린 당황을 지워 내는 일이었다. 그것은 일종의 훈련에 가까운 반응이었다.

아스티나는 자연스럽게 시선을 피하며 머리칼을 쓸어 올렸다. 이리 가까이 다가올 때까지 알아차리지 못했던 걸 보면 정신을 놓고 있긴 했던 모양이었다.

"아무래도 제가 정신이 팔려 있었나 봅니다."

"몸이 안 좋으신 듯하여 여쭌 것인데…… 괜찮으십니까?"

"예, 염려하실 정도는 아닙니다."

아스티나의 대답에 안심한 앤서린이 입가에 상냥한 미소를 떠올렸다.

"이렇게 또 뵙는군요."

앤서린은 만면에 호감을 드러내고 있었다. 아스티나는 그런 그녀를 잠시 찬찬히 살폈다. 인사는 아무렇지 않은 척 받았으나 어떻게 자신을 알아봤는지 알 수 없었다. 아스티나가 의문을 숨기지 않고 물었다.

"저인 줄 어떻게 알아보셨습니까? 분명 그때 얼굴을 보이진 않았던 걸로 기억하는데……."

"말에 올라타실 때 잠깐 모자가 벗겨지셨어서요. 사실 잘 보이진 않았지만—"

앤서린이 그렇게 말하며 아스티나의 손을 끌어갔다. 손등에 장난스럽게 입을 맞추고는 눈을 휘었다.

"이런 미인을 알아보지 못하는 눈이라면 그 필요성이 대체 어디에 있겠습니까."

아스티나는 새삼스러운 시선으로 앤서린을 응시했다. 진에도 생각했지만 참으로 사람을 홀리는 재주가 있는 인물이었다. 어느 귀공자마냥 달콤한 언행을 들으면 누구라도 얼굴을 붉힐 듯싶었다. 사교계에 데뷔한 지 얼마 되지 않은 어린 소녀라면 더더욱 말이다.

아스티나는 내심 혀를 찼다.

'아탈렌타는 버리게 될 성이거늘, 가문 간의 알력을 이유로 마음에 드는 상대를 박대해야 한다니.'

물론 그러한 사감과는 별개로 앤서린은 어디까지나 멀리해야 할 상대였다. 그러나 맺고 끊음에도 예의가 있어야 하는 법. 아스티나는 실성한 것처럼 낯을 굳히며 대뜸 절교를 선언할 생각은 없었다.

얼굴을 내보인 이상 아스티나가 택할 수 있는 가장 현명한 선택지는 앤서린에게 인간적인 호감을 얻어 두는 것이었다. 그리고 불편한 신분이 밝혀질 시기는 가급적 뒤로 미뤄지는 편이 좋았다. 뒤늦게 앤서린이 자신의 신분을 알아챘다고 해도, 아탈렌타령으로의 귀환이 머지않은 때라면 곤란함이 오래 지속되진 않을 것이다.

아스티나는 눈을 돌려 칸나의 위치를 살폈다. 계산을 할 요량인지 칸나는 카운터 앞에 서 있었다. 트리스탄 후작을 상대할 잠깐의 시간은 벌 수 있을 듯했다.

앤서린이 물었다.

"책을 보러 나오신 겁니까?"

"예, 후작님께서도요?"

"저는 충동적으로 들른 것인데…… 그것이 몹시 대단한 행운이었다는 생각이 드는군요."

그리 대답한 앤서린이 입꼬리를 끌어 올렸다. 그녀의 시선이 아스티나의 뒤편으로 가닿았다. 앤서린은 손을 뻗어 그 서적들을 일렬로 길게 쓸었다.

"역사서에 관심이 있으신가 봅니다."

"마땅히 교양으로 삼을 만한 분야니까요."

아스티나의 겸양 섞인 대답에 앤서린은 지나치게 반색하는 기색을 보였다.

"역시, 허영이 아닌 마음의 양식을 채울 줄 아시는 분이군요."

"……글쎄요, 그 말씀이 민망하게도 오늘은 언니의 교재를 구매하기 위해 나온 것뿐이라서요. 벨라체의 악명 높은 시험 기간이 머지않았거든요."

"명문 벨라체라, 혹 언니분과 같이 그곳에 다니고 계십니까?"

"아니요, 재학 중인 건 언니뿐입니다."

잠시 고민하던 아스티나가 고개를 내저었다. 사실만 말하자면 아스티나는 공식적으로 아직 벨라체 아카데미의 학생이 맞았다. 휴학 처리를 해 두었을 뿐, 완전히 학업을 그만두겠다고 선언한 건 아니었으니까. 그러나 아스티나는 단 한 번도 아카데미에 돌아갈 미래를 그려 본 적이 없었다.

벨라체 생활이 나빴던 것은 아니나 그렇다고 대단한 추억이 있지도 않았다. 아카데미에서 가르치는 것들이 배움이 되지 않음에야, 그녀에게 기숙사 생활은 십 대를 보내는 지루한 송사에 불과했다. 아스티나는 합법적으로 벨라체를 떠날 기회를 걷어찰 생각이 없었다.

그러나 아스티나의 말에 앤서린은 몹시 안타깝다는 표정을 지었다. 아스티나가 벨라체에 다니지 못한 게 타의 때문이라 판단한 듯했다. 실제로 귀족이라 해서 모두가 아카데미에 진학할 수 있는 건 아니었다. 어마어마한 학비를 감당할 수 없는 가문들은 장손, 혹은 특출난 아이만을 골라 보내기도 했다.

앤서린이 진심 어린 어조로 말했다.

"저런, 만일 그대도 벨라체 재학생이셨다면 저희 가문에서 지원을 해 드릴 수도 있었을 텐데요."

"말씀은 감사합니다만 학업에 그리 대단한 뜻은 없었습니다."

"그래도 그곳에 다니셨다면 분명 수재로 유명세를 타셨을 겁니다."

아스티나는 다소 곤혹스러운 기분이 되었다. 어떤 말을 하든 자신에 대한 찬양으로 이야기가 흘러간다. 아스티나는 아카데미 이야기를 잇는 대신 앤서린에게 질문을 돌려주기로 했다.

"후작님께서는 어떤 분야에 관심이 있으십니까?"

"저는 병법이 적힌 서적을 보는 것을 좋아합니다. 아, 물론 그대처럼 역사에도 관심이 있지요. 대륙을 가로지르는 대단한 전쟁이 벌어졌던 건 어디까지나 과거의 일이니 말입니다."

앤서린이 반갑다는 듯이 대답했다. 그러고는 눈을 찡긋이며 가볍게 덧붙였다.

"특히 마티나 여제는 저를 지루한 전술서의 세계로 이끈 장본인이지요."

갑자기 튀어나온 제 이름에 아스티나는 그만 헛기침을 뱉어 낼 뻔했다. 아스티나가 겨우 목을 가다듬고는 대꾸했다.

"대륙 전쟁에 관심이 있으신가 보군요."

"예, 그 시대를 공부하다 보면 참 재밌는 문화들을 많이 알게 되지요. 아시겠지만, 그땐 지금처럼 큰 제국이 아니라 작은 나라들이 옹기종기 모여 있는 식이었으니 말입니다. 요즈음의 얼간이들은 리체 지방의 거대한 성이 본래 블란체의 도성이었던 것도 모르는 듯하지만요."

농담치고는 다소 냉소적인 투였다. 아스티나가 판단하기로 앤서린은 스스로에게 자부심이 넘치는 인물인 듯했다. 그에 대한 반동으로 타인에게도 대단히 엄격해졌을까.

아스티나에게 돌아온 건 방금과 비교되는 상냥한 미소였다. 앤서린이 마침 생각났다는 듯 물었다.

"참, 블란체 성에서 켈른어로 쓰인 문서가 발견되었다는 소식 들으셨습니까?"

"블란체에서요?"

"예, 분명 모양은 켈른의 것인데 도통 문맥이 이어지지 않아 해독이 어렵다고 하더군요."

의외의 일이었다. 당연히도 블란체에서 사용하던 언어는 퀠른어가 아니었으니까. 외교 문서라기엔 두 나라 간의 눈에 띄는 접점이 없었다. 아스티나가 궁금증을 보이자 앤서린은 괴상한 조합을 읊어 냈다.

"독수리, 날개, 소젓, 울고 꽃 뽑기."

내용만큼이나 우스꽝스러운 목소리였다. 앤서린이 재기 넘치는 웃음을 지으며 말을 이었다.

"이런 식의 말도 안 되는 내용이 적혀 있다고 하더군요. 연구자 친구의 앓는 소리를 들어 주느라 저도 아주 정신이 없었습니다."

앤서린의 말에 아스티나는 다른 가능성을 제기했다.

"퀠른어가 아닐 수도 있지요. 맥을 같이 하는 다른 글자일 수도 있지 않겠습니까."

"글쎄요, 그 물건이 발견된 공간이 블란체 성의 비밀 집무실이라고 해서요. 다른 사람이 볼 수 없게 암호로 적었다는 설이 더 유력합니다."

블란체 성내의 비밀 장소라니. 아스티나는 그 물건이 테오도르의 것일 수도 있겠다는 데 생각이 미쳤다. 테오도르가 제게 보여 주지 않은 공간이 있다는 건 의아한 일이었으나, 마지막에 당했던 기만을 생각하면 수긍하지 못할 것도 없었다. 마티나는 분명 테오도르를 전부 알지는 못했다.

그러나 아스티나는 블란체의 왕좌를 거쳐 간 고귀한 엉덩이의 숫자가 결코 적지 않다는 사실을 알았다. 아스티나가 기대 없이 물었다.

"혹 사용한 자의 이름이 적혀 있지는 않다던가요?"

"흠, 차르라고 적혀 있었다고 들은 것 같군요."

아스티나의 표정이 굳어 들었다. 아스티나는 무심코 앤서린에게로 한 걸음 내디뎠다.

그러나 아스티나가 다른 질문을 내뱉기도 전, 칸나가 지척에 다가왔다. 아스티나의 앞에 선 낯선 이를 발견한 칸나는 의아한 표정을 지었다. 동생이 언제 또 저 모르게 이런 미남을 사귀었는지 궁금했던 탓이다.

앤서린과 아스티나를 번갈아 본 칸나가 조심스레 질문했다.

"이분은 누구셔……?"

"안녕하세요, 처음 뵙겠습니다. 저는 앤서린 트리스탄이라고 합니다. 동생분께 큰 도움을 받았었지요."

앤서린이 격식을 갖춰 인사했다. 이번에도 앤서린은 자연스럽게 칸나의 손등에 입을 맞췄다. 그러나 칸나는 발그레한 뺨을 보이는 대신 빳빳이 몸을 굳혔다. 당연히도, 칸나는 트리스탄과 아탈렌타의 곤란한 관계를 알고 있었다.

도대체 동생이 무슨 짓을 벌였기에 트리스탄에게 감사 인사를 들은 건지 짐작도 가지 않았다. 칸나의 혼란스러운 눈이 아스티나를 향해 굴렀다.

'이게 어떻게 된 거야?'

'일단 나가서 얘기해.'

아스티나는 설명을 유보했다. 다행히도 평균 이상으로 사이가 좋았던 자매는 눈치껏 서로의 말을 알아들을 수 있었다. 고개를 든 앤서린을 향해 칸나가 어색한 눈웃음을 지어 보였다.

마땅찮은 반응에 앤서린은 내심 당황했다. 언제나 영애들에게 인기 있던 자신인데 티나라는 여자와 그녀의 자매는 반응이 조금 남달랐다. 상대가 누구든 이 나라 사람이라면 자신의 외모나 재력, 혹은 신분 중 어느 한구석에라도 매료되기 마련이었다. 한데 정체를 밝혀도 이들은 그다지 반가운 기색이 없다.

"하하……. 만나 뵙게 되어서 기쁩니다, 후작님. 한데 저희가 일정이 조금 바빠 이만 돌아가야 할 것 같아서요, 무척 아쉽네요."

만나자마자 가 봐야겠다니, 앤서린은 칸나의 말에 몹시 당황했다. 우연은 우연일 뿐 티나라는 여자와 다시 만날 수 있다는 보장은 없었다. 아직 보답도 하지 않았는데 이런 식으로 보낼 수는 없다. 앤서린이 그들을 붙잡으려 입을 열었을 때였다. 그보다 먼저 더 크게 소리친 사람이 있었다.

"칸나 레테 님! 배송지 확인 부탁드리겠습니다. 적어 주신 것처럼 레테 백작저가 아닌 수도의 아탈렌타 저택으로 보내 드리면 될까요?"

점원의 말에 그 누구도 대답하지 않았다. 아스티나와 칸나의 눈이 마주쳤다가, 칸나와 앤서린의 눈이 마주쳤다가, 종래에는 아스티나와 앤서린의 눈이 마주쳤다.

칸나는 어색한 얼굴로 황급히 점원에게 돌아갔다. 앤서린은 문득 고개를 돌려 아스티나의 머리칼을 눈에 담았다. 그녀는 어렵지 않게 상기해 낼 수 있었다. 유독 눈에 띄던 대공비의 붉은 뒤통수를.

"티나……, 아스티나 레테?"

아스티나의 결혼 전 이름을 읊은 앤서린의 입술이 황당하게 벌어졌다.

그제야 퍼즐 조각이 맞춰졌다. 의심도 하지 않았을 적에는 그냥 넘겼던 것들이 이제는 큰 의미로 다가왔다. 당연히 저 짙은 붉은 머리칼이 흔할 리는 없는데, 설마 아탈렌타의 대공비라고는 차마 상상도 못 하여…….

앤서린이 혼란스러운 얼굴로 아스티나를 응시했다. 아스티나가 한숨을 내쉬고는 말했다.

"예, 처녀 적 성이 그러했습니다."

"그럼 그대가…… 그……?"

"정식으로 인사드리겠습니다. 얼마 전 테리오드 대공과 혼인한 아스티나 반 아탈렌타입니다."

아스티나가 담담히 자신을 소개했다. 우아하게 풀네임을 읊은 아스티나가 이어 미미하게 미간을 좁혔다.

"제 신분을 밝히지 못했던 부득이한 사정은 그 이름만으로도 충분한 설명이 될 것 같습니다. 사실, 후작님의 자택에 초대받았을 때는 도무지 성을 밝힐 용기가 생기지 않더군요."

앤서린은 좀처럼 말을 잇지 못했다. 그리도 마음에 들어 했던 상대가 아탈렌타의 대공비였다니. 도무지 이 상황을 믿을 수가 없었다. 머리로는 인지했으나 아스티나의 이름 뒤에 붙은 성을 받아들이기가 너무도 힘겨웠다.

빠른 발각에 당황한 건 아스티나도 마찬가지였으나, 그녀로서는 이미 염두에 두고 있던 일이었다. 때문에 침착함을 되찾는 속도는 아스티나 쪽이 더 빨랐다.

"예의가 아닐지는 모르겠으나, 그때 말씀하셨던 보답을 이 자리에서 부탁드려도 될는지요?"

앤서린에게 보답을 요구하지 않은 건 필요한 게 없어서이기도 했지만, 만약 정체를 들키게 된다면 더 유용하게 쓸 수 있으리라 판단했기 때문이었다.

얼떨떨한 낯의 앤서린을 향해 아스티나가 조심스레 물었다.

"후작님을 속인 제 무례를 용서해 주시겠습니까?"

앤서린은 겨우 정신을 차렸다. 상대의 품위 있는 대응이 둔해진 머리를 일깨웠던 탓이다.

저리도 교양 있게 사람을 대하는 여자는 분명 자신의 은인이었던 그녀가 맞다. 놀란 건 분명 사실이었지만, 아스티나의 신분이 기존에 가지고 있던 호감마저 앗아 간 건 아니었다. 앤서린은 황급히 고개를 내저었다.

"아닙니다. 대공비 전하께서도 당황하셨겠지요. 도움을 준 입장임에도 마음이 불편하셨을 줄로 압니다."

괜찮다고 답은 했으나 정말로 괜찮은 건 아니다. 아스티나를 응시하는 앤서린의 눈에 진득한 미련이 남았다.

'아탈렌타의 대공비라…….'

아탈렌타라는 상종 못 할 가문 내에 썩히기엔 너무도 아까운 여자가 아닌가. 못내 희망을 버리지 못한 앤서린이 충동적으로 아스티나를 불렀다.

"대공비 전하."

"네. 말씀하세요."

"대공과 이혼하십시오."

앤서린이 결연히 말했다.

"제가 행복하게 해 드리겠습니다."

아스티나는 멀뚱히 눈을 깜빡였다. 곧 입가에서 부스스한 웃음이 터져 나왔다. 앤서린의 심각한 표정에 내심 불안했던 것도 사실인데, 그제야 긴장이 풀리는 듯했다. 아스티나가 눈 밑을 문지르며 말했다.

"재밌는 농이군요."

제 실수를 알아챈 앤서린이 황급히 방금의 발언을 주워 담았다.

"실언하였습니다."

"덕분에 즐거웠어요. 다음에 뵐 때는…… 지금처럼 유쾌하시진 않으시겠지만, 적어도 인사 정도는 나누었으면 좋겠습니다."

아스티나가 아쉽다는 듯 덧붙였다. 앤서린은 좀체 아스티나에게 알겠다고 대답할 수 없었다. 그녀는 아스티나와 '적어도 인사 정도는 나누는 사이'가 아닌, 인사는 당연하거니와 함께 이야기도 나누는 사이가 되고 싶었으니까.

앤서린은 제대로 알지도 못하는 대공에 대한 맹렬한 적개심을 느꼈다. 분명 이성을 잃고 괴물이 되었다 하였는데 무슨 염치로 여자까지 들여 결혼을 하였는가. 앤서린이 답답하단 듯 한숨을 내쉬며 이마를 긁었다.

'남편만 아니면, 남편만 바꾸면…….'

문득 앤서린의 시선이 근처의 매대에 가 꽂혔다. 눈에 익은 제목을 발견한 앤서린이 불쑥 그쪽으로 손을 뻗었다. 앤서린은 책을 하나 뽑아 들고는 다시 아스티나의 앞으로 다가왔다. 앤서린이 조급하게 느껴지는 음성으로 말했다.

"대공비 전하, 이렇게 만난 것도 영광인데 선물을 하나 드리지요."

"이게……."

"요새 유행하는 도서입니다."

앤서린은 아스티나에게 자신이 골라 온 책을 안겨 주었다. 엉겁

곁에 받아 든 아스티나가 제목을 흘긋 살펴보았다.

〈남편 교체〉

"……이게 무슨 내용입니까?"

"여주인공이 얼굴 외엔 잘난 게 없는 전남편을 갈아 치우고 새 남자를 찾는 내용입니다."

아스티나는 애매한 표정으로 책을 끌어안았다. 부담스러운 시선에 자연히 두 손이 모아졌다. 그 위로 제 손을 겹치며, 앤서린이 결연히 당부했다.

"꼭 읽어 보십시오, 부디."

✣ ✣ ✣

"언니분과의 외출은 즐거우셨습니까?"

해가 뉘엿하게 저물어 가는 오후였다. 머리 위에서 들려온 목소리에 아스티나는 고개를 들었다. 어느새 가까이 다가온 테리오드가 그녀를 내려다보고 있었다.

아스티나는 내심 당황했으나, 들키지 않기 위해 곧 시선을 비스듬하게 내렸다. 그녀가 아무렇지 않은 척 대답했다.

"대공께선 편히 쉬셨습니까?"

"아니요, 깨어났더니 부인이 자리를 비우셨기에 몹시 슬피 울었습니다."

테리오드가 그리 말하며 아름답게 웃었다. 사람을 곤란하게 만드는 미색이었다. 그의 마음을 알아채고 나자 더욱 의중이 선명히 읽혔다. 그야말로 속이 뻔히 보이는 수작이다. 못 알아채는 사람이 바보 같아 보일 지경이었다.

아스티나는 자신의 회피가 과연 효과나 있을는지 의문이었다. 이리 눈치 없는 척을 하다가 테리오드에게 얼간이 취급이라도 받는 건 아닌가.

그럼에도 아스티나는 무표정을 가장했다. 그녀는 테리오드의 마음을 모르는 척하기로 마음을 굳힌 참이었다. 테리오드를 받아들이는 건 안 될 말이었고, 그렇다고 거절을 돌려주어 껄끄러운 사이로 남고 싶지도 않았으니까.

어찌 보면 비겁하게도 도망을 택한 셈이었다. 짝사랑 상대에게 매 순간 신경을 곤두세우고 있는 저 남자와는 다르게.

"……이상한 말씀을 하십니다."

아스티나는 평소처럼 눈썹을 들어 올렸다 내렸다. 검토하던 서류를 내려놓고는 안경을 벗었다. 낯선 물건에 테리오드가 의아함을 표했다.

"웬 안경입니까? 이전엔 쓰시는 걸 못 봤던 것 같은데."

"아카데미에서 쓰던 겁니다. 기숙사에 두고 간 걸 언니가 가져다 주었네요."

"눈이 안 좋으십니까?"

"아뇨, 그냥…… 습관입니다."

아스티나가 안경다리를 접으며 대답했다. 눈이 나쁜 편은 아니었다. 지금 쓰고 있는 것은 굴절률이 미미해 거의 장신구에 가까웠다. 시력 교정이 필요했던 건 이전 생의 일이다.

마티나의 나이로 서른 즈음 맞추었던 안경은 죽음을 맞이하기 전까지 함께했다. 신식으로 변한 물건에서 앞선 골동품을 추억할 수는 없었지만, 그럭저럭 집중을 도울 정도는 되었다. 옛 기억들은 이렇게 사소하게 남아 그녀를 구속했다.

테리오드가 미소 지으며 칭찬을 남겼다.

"잘 어울리십니다."

"미용을 목적으로 쓰는 것은 아닙니다만."

"저도 예쁘다고 하진 않았는데요."

테리오드의 능청스러운 대꾸에 아스티나가 헛웃음을 지었다. 농인 걸 알아 기분이 나쁘진 않았지만, 아스티나는 불만을 내보이듯 눈썹을 들어 올렸다.

"굳이 지적해 주셔서 감사합니다."

"기분 상하셨습니까?"

그리 물으며 테리오드가 책상 위로 걸터앉았다. 창가의 커튼은 열어젖힌 상태였고, 햇빛으로 얼룩진 남자는 마치 소년 같아 보였다. 허벅지 사이에 손을 모은 그가 아스티나를 지그시 내려다보았다.

아스티나는 의자에 완전히 등을 기대었다. 손깍지를 낀 채 나른히 그를 응시했다.

"그럴 이유가 있나요. 대공께서 몸소 칭찬해 주신 것을."

"흠. 이왕 밉보인 것, 한마디만 더 해도 되겠습니까?"

"말씀하세요."

"사실은 아주 아름다우십니다."

장난기 넘치는 얼굴로 말을 맺은 그가 아스티나에게서 안경을 앗아 갔다. 행동이 몹시 자연스럽게 이어져 아스티나는 그를 말리지 못했다. 테리오드는 안경다리를 펴더니, 미간을 찌푸린 채 렌즈를 들여다보았다. 아스티나는 어깨만 으쓱였다.

"아마 맨눈과 그리 다르지 않을 겁니다."

"그럼 제가 한번 써 봐도 되겠습니까?"

의외의 질문이다. 그리 중요한 물건도 아니었으므로 아스티나는 선선히 허락했다. 테리오드는 아스티나가 고개를 끄덕이자마자 그것을 써 보았다.

동그란 안경은 그에게 제법 잘 어울렸다. 원체 아름다운 남자지만 특정한 소품이 더해지니 더욱 고상한 인상을 주었다.

지켜보던 아스티나가 제 턱을 쓰다듬으며 진지하게 말했다.

"대공께서 외모를 칭찬하실 때면…… 가끔 그 진의를 의심하게 됩니다."

"그것참 억울한 일이군요, 언제나 진심인데 말입니다."

아까에 이어 제법 간질거리는 칭찬이다. 아스티나가 대답하지 않자 테리오드는 그녀를 빤히 쳐다보기만 했다. 이윽고 그가 안경을 벗었다. 튀어나온 대를 만지작거리며, 할 말이라도 있는 것처럼 손을 불안하게 떨었다.

테리오드가 움직임을 멈추고는 불쑥 말했다.

"지난밤엔 제가 괜한 화를 내었지요."

그는 여전히 투명한 렌즈 위로 시선을 고정한 채였으므로, 아스티나는 의외라는 표정을 숨기지 않았다. 사과할 일이 아닌데 왜 고해라도 하듯 굴고 있을까.

테리오드는 감정의 동요를 드러낸 일을 후회하고 있는 듯했다. 확실히 아스티나가 테리오드의 질투를 감당해야 할 이유는 없었다. 그들 사이에 있는 것은 사랑이 아닌 계약이었으니까. 합의되지 않은 연정은 테리오드를 죄인으로 만들었다.

아스티나는 그가 비 맞은 개처럼 굴고 있는 상황이 달갑지 않았다. 그녀가 무심히 말을 돌렸다.

"기분 상하실 만한 상황이었으니까요. 벤자민은 대공을 무시한 것이나 마찬가지였고."

"하지만 화는 부인이 아니라 그 황자에게만 향해야 했지요. 제가 부인께 무례했습니다."

"대공께서 왜 그러셨는지 압니다."

테리오드가 퍼뜩 고개를 들었다. 그의 어깨가 긴장으로 빳빳이 굳어졌다. 제 속내를 내보인 걸까 염려라도 하는 모양새였다. 저런 표정을 하면서 그는 정말 들키지 않을 수 있다고 생각하는 걸까.

아스티나가 책상으로 눈을 돌리며 말을 이었다.

"걱정 마세요, 그리 불안해하지 않으셔도 전하의 병색이 해결되기 전까진 아탈렌타를 떠날 생각이 없습니다."

이전이라면 감읍했을 법한 말이었으나 테리오드는 답이 없었다. 잠깐의 침묵 끝에 그가 스스로에게 되새기듯 중얼거렸다.

"그래요. 저주, 저주라."

테리오드가 허탈한 웃음을 흘리며 제 눈가를 문질렀다. 그러고는 기대고 있던 책상에서 몸을 일으켰다. 제자리를 돌았다가, 앞으로 두어 발자국 갔다가, 이윽고 멈춰서는 걸음에선 초조함이 묻어났다.

아스티나는 그가 무슨 생각을 하고 있는지 듣지 않아도 알 수 있을 것 같았다. 사랑도 질투도 모두가 처음인 사내다. 그의 서투른 몸짓은 애처로움까지 선사했다.

아스티나는 그가 진정하길 기다리며 서류에 다시 시선을 주었다. 그러나 저리 발소리가 요란함에야 글자가 눈에 들어올 리 없었다. 한 문장을 정확히 다섯 번 다시 읽었을 때쯤 테리오드가 성큼 앞으로 다가왔다.

무언가를 결심한 듯 입을 열던 테리오드의 시선이, 문득 책상 위 어딘가에 꽂혔다. 테리오드의 몸이 그대로 굳어졌다. 뻐끔거리던 입술에서 아연한 음성이 새어 나왔다.

"저게…… 무엇입니까?"

무엇을 말하는 것인가. 아스티나는 의아한 마음으로 테리오드가 보고 있는 쪽으로 눈을 돌렸다. 이어 아스티나의 눈이 미미하게 커졌다.

"아."

앤서린 후작이 주었던 책이었다. 선물 받은 것을 함부로 두기도 뭣해 집무실 책상에 올려놓았는데, 마침 그게 테리오드의 눈에 띈 모양이었다. 표지를 크게 장식한 제목은 멀리서도 아주 선명히 보였다.

〈남편 교체〉

기혼자가 소유하고 있기엔 그 저의가 다소 의심되는 도서였다. 아스티나가 곤란한 얼굴로 해명했다.

"제가 산 게 아니라 선물 받은 것입니다. 요즘 무척 인기 있다고 하더군요."

"직접 구매하신 게 아니라요?"

"예, 이 책을 좋아하는 지인이 읽어 보라며 제게도 한 권 주었습니다."

다른 사람이 준 것이라는 말에 테리오드는 방금보다는 안심한 기색이었다. 그러나 저자를 향한 그의 맹렬한 적개심은 사그라들지 않았다.

책을 집어 든 테리오드가 거칠게 책장을 넘겼다. 글자 따윈 눈에 담기지도 않았을 게 뻔한데 그는 탐독이라도 마친 양 당당한 표정을 지었다. 테리오드는 가차 없이 앤서린의 추천 도서를 평가 절하했다.

"부인께는 수준이 맞지 않는 책인 듯싶습니다. 저자의 사상이 의심될 지경이군요."

"……한 문단도 제대로 읽지 않으신 것 같던데요."

"읽지 않아도 뻔하지요. 무슨 이런 말도 안 되는 통속 소설이 다 있단 말입니까?"

테리오드가 책을 바닥에 패대기치려는 듯 손을 들어 올렸다. 그러나 온화한 귀공자였던 그는 곧 분노를 사그라트렸다. 책상 근처의 쓰레기통을 찾은 테리오드가 그 안에 싸늘히 책을 내버렸다. 빈 철제 통이 울리는 소리가 유독 크게 울렸다.

테리오드는 숨을 진정시키고는 아스티나에게로 시선을 돌렸다. 아스티나는 애매한 표정으로 관자놀이만 문지르고 있었다.

아무 말이 없는 그녀를 보고 테리오드는 퍼뜩 정신을 차렸다. 그는 자신이 방금 아내가 받은 선물을 내버리는, 말도 안 되는 중죄를 저질렀다는 사실을 깨달았다.

혹시 그녀는 이미 저 책을 읽고 난 후가 아니었을까. 만일 아스티나가 독서를 썩 만족스럽게 마친 참이라면, 방금의 자신은 그녀의 취향까지 비난한 셈이었다.

테리오드가 조심스럽게 물었다.

"혹시 이런 걸 좋아하십니까?"

"말씀드렸듯 선물 받은 물건이라, 아직 읽어 보지 않아서 모릅니다."

아스티나가 피곤한 목소리로 답했다. 테리오드가 몸을 움찔했다. 그가 아스티나의 눈치를 보며 물었다.

"……다시 주울까요?"

"물론, 선물 받은 물건은 소중히 보관해야겠지요?"

아스티나의 말에 테리오드가 조용히 책을 주워 들었다. 몹시 내키지 않는 기색이었지만 어쨌든 그는 아스티나에게 그것을 내주었다.

책을 받아 든 아스티나가 새삼스러운 감흥으로 표지를 살폈다. 그녀는 겉에 묻은 먼지를 가볍게 털어 내고는 자리에서 몸을 일으켰다. 테리오드는 잘못을 저지른 아이라도 되는 것마냥 머뭇거렸다. 그가 돌아선 아스티나를 향해 조금은 고집스럽게 말했다.

"그 황자와는 아무 사이도 아니라 하셨으니, 저는 그리 믿겠습니다."

"물론입니다. 벤자민은 그저 친구인 것을요."

"하지만 수도에 두고 온 연인이 있다고 하셨었으니까요."

집요한 의문에 아스티나는 입을 다물었다. 등 뒤로 인기척이 가까워졌다. 테리오드가 망설임 끝에 물었다.

"황자가 아니라면 연인이라던 그 남자는 누구인지…… 혹 알려주실 수 있으십니까?"

"의미가 없습니다."

아스티나가 딱 잘라 대답했다. 계약 결혼의 상대는 알 필요가 없는 이름이라는 뜻인가. 아스티나의 대답에 테리오드는 가슴 언저리가 따끔해지는 듯했다. 그러나 이어진 말은 테리오드를 당혹으로 밀어 넣었다.

"이미 죽은 사람이니까요."

집무실 한쪽 책장에 책을 꽂으며, 아스티나는 잠시 열 지어 보관된 도서들을 눈에 담았다. 책장에는 지나간 것들의 이름이 빼곡히 늘어져 있었다. 아스티나는 개중에서 마티나 때에 즐겨 읽었던 몇 서적들도 발견해 냈다. 그때만 해도 신간이었던 것이 지금은 몹시 고리타분한 고전이 되어 있었지만.

이미 죽은 사람들의 언어는 아스티나에게 묘한 기분을 선사했다. 그녀는 조용히 되짚었다. 죽은 사람과 산 사람, 마티나와 아스티나, 그리고 테오도르와……

"대공께선 어떤 책을 좋아하십니까?"

아스티나가 뒤에 선 대공을 향해 물었다. 아스티나의 목소리에 테리오드는 뒤늦게 정신을 차렸다. 더없이 충격적인 이야기를 전한 후였음에도 그의 부인은 그리 동요하는 기색이 아니었다. 테리오드는 가까스로 평소 같은 목소리를 내었다.

"책이요?"

"예, 소설류를 좋아하십니까 아니면 잡학에 관심이 있으십니까?"

"글쎄요……."

테리오드가 애매하게 답하며 아스티나의 옆으로 와 섰다. 아스티나는 고개를 돌려 대공의 옆모습을 눈에 담았다.

그녀가 홀린 것처럼 다시 입을 열었다.

"……음식은, 어떤 것을 좋아하십니까?"

"왜 갑자기 그런 게 궁금해지셨을까요."

뜬금없는 질문에 테리오드가 어색하게 웃었다. 그가 대답하기도 전, 아스티나는 곧바로 다음 질문을 읊었다.

"닭과 양, 소와 돼지 중 어느 것을 선호하시는지 말씀해 주세요. 디저트는 어떤 것이 좋으십니까? 달게 졸여 식힌 과일을 올린 푸딩은 입맛에 맞으신지요?"

"오늘따라 궁금증이 많으시군요."

"꽃의 경우는 어떠십니까. 날씨와 계절은 어떤 것을 선호하시는지도 궁금하군요. 그도 아니면……."

서둘러 질문을 쏟아 내는 아스티나를 보고 테리오드는 당황한 기색을 보였다. 아스티나를 진정시키듯 그가 손을 맞잡아 왔다. 손을 죄어 오는 다정한 악력에 아스티나가 흠칫했다. 테리오드가 아스티나를 보며 장난스럽게 웃었다.

"부인, 생각할 시간을 좀 주세요."

그건 일부러였다. 대답할 여유도 주지 않고 선택지를 쏟아 낸 것은.

질문은 던졌어도 정작 테리오드가 하는 말은 듣고 싶지 않았다. 그가 정해진 답을 내놓지 않으면 실망할 것 같았으니까.

아스티나는 그만 숨을 들이켰다. 소름이 끼쳤다. 그녀는 자신이 그에게서 누군가의 흔적을 발견하려 하고 있었다는 사실을 깨달았다. 모른 척 덮기로 했으면서 또 무슨 기대를 하였던가.

테리오드를 받아 주지 않기로 한 건 아스티나가 이기적이라서가 아니었다. 기실 이 사안에 있어서 그녀는 그 누구보다 이타적으로 굴고 있었다. 아스티나는 자신이 원하든 원하지 않든, 테리오드를 볼 때마다 테오도르와의 기억이 그림자처럼 따라다닐 것을 알았다. 그리고 그건 누구에게도 저질러서는 안 될 잔인한 짓이었다.

'같은 사람이어도 안 되고, 같은 사람이 아니라면 더더욱 아니 되지.'

아스티나는 입술을 깨물었다. 테리오드와의 미래를 생각하는 것은 곧 테오도르를 잊지 못했다는 반증이 되었다. 과거의 얼굴이 저리도 선명하게 자신을 보고 있음에야.

사랑하는 여자의 비열함을 모르는 남자는 그저 다정히 웃었다. 테리오드는 아내가 제게 관심을 보인 것이 몹시 달가운 눈치였다. 그가 상냥한 음성으로 말했다.

"전 부인께서 무엇을 좋아하시는지가 더 궁금한 것을요."

아스티나는 입을 다물었다. 테리오드와 마주 잡은 손에 힘이 들어갔다. 테리오드가 이어 사심 어린 질문을 던졌다.

"부인께서는 어떤 남자가 취향이십니까? 코가 높다거나, 어깨가 넓다든가요."

자신의 취향을 그대로 옮긴 것이 바로 그라는 사실을, 아스티나는 당연히도 말하지 않았다. 그녀가 시선을 피하며 대답했다.

"딱히 취향이랄 것은 없습니다."

그쯤 되면 물러갈 법도 한데 테리오드는 만족하지 못한 눈치였다. 부부는 닮기 마련일까, 테리오드는 방금의 아스티나마냥 무던히도 끈질기게 캐물어 왔다.

"놀리지 않을 테니 솔직하게 잘생긴 남자가 좋다고 답하셔도 좋습니다."

"정말 이상형이 없습니다. 그게 뭐라고 숨기겠습니까."

"흠. 얼굴을 신경 쓰지 않으신다면, 혹 어떤 머리 색을 좋아하십니까?"

"저는 흑발을……."

무심코 대답하던 아스티나가 입술을 깨물었다. 실수였다. 그녀의 얼굴이 굳어졌다. 아스티나는 답지 않게 반복해 고개를 내저었다.

"아니, 아닙니다. 잊으세요."

아스티나는 아직까지 맞잡고 있던 테리오드의 손을 다소 거칠게 떨쳐 냈다. 해야 할 일이 있다는 몹시 성의 없는 변명을 던지고는 그대로 밖으로 나갔다.

복도 너머로 빠르게 멀어지는 발소리가 울렸다. 문은 채 닫지도 않은 채였다. 무슨 일이기에 저리도 황급히 떠나는가.

홀로 남은 테리오드는 그녀가 닿았던 손을 잠시 멀뚱히 들여다보았다. 그가 아연히 중얼거렸다.

"진짜 궁금한 것은 물어보지도 않았는데."

이를테면 그녀의 남편은 그럭저럭 취향에 맞는 얼굴이었는지 같은.

테리오드의 입술에서 피식 웃음이 새어 나왔다. 집무실로 찾아오기 전만 해도 몹시 가슴을 졸이고 있었는데, 이야기를 마치고 나니 우습게도 기분이 나아졌다. 벤자민이라는 황자와 아무 사이도 아니라는 확답을 듣고 마음이 놓인 탓이었다.

'게다가 그 옛 연인은 이미 볼 수 없는 사람이라니.'

테리오드가 멈칫했다. 그는 스스로가 그녀의 연인이 이미 죽었다는 사실에 안도하고 있었다는 걸 깨달았다. 그 저열한 본심은 테리오드를 몹시 당혹스럽게 했다. 분명 연심이란 건 세상이 더없이 아름답게 보이도록 함이 옳은데, 이 사랑은 그를 자꾸만 나쁜 사람으로 만들고 있었다. 초면인 사람에게 욕설을 내뱉은 것도 테리오드에겐 처음 있는 일이었다.

그러나 테리오드는 곧 고개를 내저었다. 죽음은 분명 애도를 표할 만한 일이었으나, 덕분에 그가 기회를 얻은 것도 사실이었다.

그리고 분명, 자신이 그 남자였다면 그녀가 새 행복을 찾기를 바랐으리라. 문제는 테리오드가 아직 그녀를 행복하게 만들 자격을 갖추지 못했다는 점이지만.

테리오드는 책상으로 돌아가 그녀가 앉아 있던 자리에 걸터앉았다. 상 위를 가볍게 쓸고는 그 위에 놓여 있던 금속판에 얼굴을 비춰 보았다. 잘생긴 낯이 제법 선명하게 들여다보였다. 테리오드는 제 얼굴 곳곳을 자세히 뜯어 살폈다.

'이만하면 꽤 괜찮게 생기지 않았나.'

부인의 심미안에는 이 정도도 모자란 걸까. 테리오드가 진지한 고민을 하는데 문가에서 누군가의 인기척이 일었다.

"……대공 전하?"

올리버의 황당한 음성이 울렸다. 대공 부부가 둘 다 집무실에 있다 하여 차를 들고 온 참이었다. 문이 열려 있기에 그대로 트레이를 밀고 들어온 것인데, 자신이 대체 무엇을 본 것인가.

테리오드는 헛기침을 하며 금속판을 내려놓았다. 금속이 나무 상판 위로 떨어지며 둔탁하고 날카로운 소리를 냈다. 없던 일인 척 넘어가기엔 그 소음이 너무도 컸다.

주인과 사용인 사이의 어색한 침묵이 이어졌다.

테리오드는 모른 척 창 쪽으로 고개를 돌렸다. 그러나 해괴망측한 걸 봤다는 듯한 올리버의 표정은 사그라들지 않았다. 결국 먼저 적막을 깬 것은 테리오드였다.

이왕 들킨 것, 그는 참지 못하고 그만 이렇게 묻고 말았다.

"……내 머리카락 말일세, 검은색으로 물들여 보면 어떨 것 같나?"

✣ ✣ ✣

연회의 마지막 날은 첫날만큼이나 화려했다. 일주일간 끊이지 않고 이어졌던 무도회에 대공 부부는 좀처럼 걸음하지 않았다. 개회식에서 선보였던 완벽한 모습에 대한 소문이 알음알음 번지던 차였다. 마지막 날이 돼서야 다시 비친 얼굴에 많은 이들의 관심이 쏠렸다.

이전과 달리 대공 부부 주변으로 모여든 인파는 대단했다. 쉽게 만날 수 없는 상대라는 희귀성을 강조한 덕분으로, 모여든 객은 자연히 애가 단 기색을 보였다.

계산된 바에 아스티나의 입가에 은은한 미소가 떠올랐다. 장식품으로 한껏 무장하고 회장을 찾은 대공 부부는 그야말로 훌륭한 응대를 선보였다. 오늘 이후로 괴물 테리오드라는 굴욕적인 명칭은 표면상 흔적도 남지 않게 되리라.

아스티나는 자신에게 주어진 사교계 진입이라는 과제가 퍽 달가웠다. 오늘을 준비하느라 정신이 없었던 통에 테리오드도 그녀에게 그럴듯한 작업을 걸지 못했다. 이렇다 할 진척이 없음에 아스티나는 안심했다. 그녀는 직접적으로든 간접적으로든 테리오드가 제 본심을 꺼내 들지 못하도록 종용할 작정이었다.

'그리고 떠나야겠지.'

저주를 풀게 되면 대공저를 떠나겠다는 건 대공과도 이미 약조가 된 바였다. 아스티나는 잊고 있던 계획에 살을 붙였다. 파혼은 귀족 사회에 있어 대단한 흠이었으므로 적당한 재산을 챙겨 먼 지방으로 향할 생각이었다. 테리오드는 실연의 상처를 얻겠지만, 애석하게도 아스티나가 그의 마음까지 신경 쓸 필요는 없었다.

'애초에 그 정도의 사이였으니.'

테리오드가 차라리 자신을 싫어했다면 상황이 더 나았을 것이다. 그러나 그가 아스티나에게 품은 건 연심이었다. 아스티나가 견딜 수 없는 단 한 가지가 바로 그것이었다.

테오도르의 얼굴을 한 남자가 그녀에게 사랑을 말하는 일.

아스티나는 자신과 테리오드가 이루어져서는 안 될 사이라는 것을 알았다. 사람을 망가뜨리는 건 상한 음식이나 물리적인 상처 같은 외부적인 것들에 국한되지 않는다. 때론 건강하지 않은 관계도 사람을 병들게 만들곤 한다.

사랑하는 여자에게 대체품으로 여겨지는 일은 그 얼마나 비참한가. 아스티나는 테리오드를 볼 때 도무지 테오도르를 지워 낼 자신이 없었다. 지난번 집무실에서 있었던 일로 그 사실을 충분히 체감했다.

아스티나가 테리오드에게 해 줄 수 있는 가장 큰 배려가 바로 이별이었다. 그가 아니라 자신을 위해서라도, 그녀는 아탈렌타를 떠나야 했다.

이성적인 결론을 내리고 나자 한결 마음이 차분해졌다. 아스티나의 입가에 피어난 미소가 더욱 자연스러운 느낌을 띠었다. 인사를 나눌 인물들은 처음과 비교해 많이 줄어든 상태였으나, 그럼에도 참으로 적절한 시점이었다. 기나긴 행렬 끝에서 마주한 건 이 제국에서 황제 다음으로 고귀한 자였으니까.

"대공의 얼굴을 보기가 이렇게 힘들어서야."

낮은 음성이 진중하기보다는 비정하게 느껴지는 사내였다. 건네온 말은 퍽 장난기 있었으나 그 속에 담긴 뼈는 알아차리지 못하기가 더 어려웠다. 대공이 어째서 그간 얼굴을 비치지 못했는지는 이 자리에 있는 모두가 알고 있었다.

입가에 미소를 띤 테리오드가 짧게 묵례했다.

"제국의 광영을 뵙습니다. 황자 전하, 황녀 전하."

프리모의 옆에는 그의 누이인 이시스 황녀도 함께였다. 이시스는 짧은 인사를 마치고는 곧장 프리모의 뒤로 물러섰다. 그의 수족이라도 되는 듯한 행동이었다. 프리모는 당연하다는 듯 누이에게 시선조차 주지 않았다.

아스티나는 별다른 내색 없이 그들에게 테리오드와 같은 인사를 건넸다. 프리모의 시선이 자연히 새로운 얼굴에게로 향했다.

"공의 그 유명한 아내를 이제야 만나 보는군. 결혼식에 초대받았으면 더욱 좋았을 텐데 말이야."

아스티나가 프리모 황자에게 받은 첫인상은 당연하게도 오만함이었다. 아스티나는 그의 무례가 무지에서 나온 것이 아님을 알았다. 그는 이 자리에서 누가 우위에 있는지를 당당히 공표하려 들고 있었다. 테리오드의 눈썹이 미세하게 꿈틀했다. 먼저 앞으로 나선 아스티나가 무심히 대답했다.

"단둘이 함께하는 신혼이 퍽 달콤했더랬지요. 당분간은 수도에 머물 테니 또 찾아뵐 기회가 있을 겁니다."

"그래, 친애하는 대공의 아내라면 나와도 가족과 같은 사이가 아니겠는가."

프리모가 테리오드에게로 눈을 돌렸다. 그는 테리오드의 어깨를 묵직하게 두드리며 친근함을 표했다.

"이런 미인을 부인으로 맞다니 자네도 참 대단하군. 사실 그대는 언제나 운이 좋았지. 이전에도 나와 한 이런저런 내기에서 곧잘 이기지 않았는가."

"다 전하께서 봐주셨던 덕분입니다."

"아니야, 아니야……. 그대의 운은 출생부터가 증명하고 있지. 아탈렌타령에 포함된 그 많은 광산과 자원의 존재를 알았더라면 마티나 여제도 그걸 쉬이 내리진 않았을 거야. 그러니 초대 대공도 퍽 운이 좋았던 셈이지, 아니 그런가?"

프리모의 목소리에선 아쉬운 기색이 묻어났다. 프리모는 이전부터 아탈렌타령의 자원에 눈독을 들이곤 했다. 힘을 보태라며 테리오드를 이런저런 방식으로 회유했던 적도 있었다.

테리오드가 그의 마수를 피할 수 있었던 이유는 간단했다. 제국법에 '공국은 황가의 후계 문제에 간섭할 수 없다.'는 짧은 문항이 명시되어 있었기 때문이다. 공국이 지나치게 득세할 것을 염려했던 엘시어 황제는 아탈렌타가가 황위 다툼에 끼어드는 일을 금했다. 대공은 공식적으로 황태자가 되지 못한 황손에게 세를 보탤 수 없도록 제한되어 있었다.

당연히도 아탈렌타의 지난 가주들은 눈 가리고 아웅 하는 식으로 이를 가볍게 무시하곤 했다. 문서는 문서일 뿐이라 공표 없이도 세력을 드러낼 방법은 얼마든지 있었으니까. 테리오드는 그 조항을 방패막이로 삼은 유일한 자였다.

프리모는 권위적이었고 신하의 충성을 과하게 증명받으려는 경향이 있었다. 사교계에서 몇 번 어울리기는 했어도 테리오드는 그에게 호감이랄 것을 품어 본 적이 없었다. 딱히 프리모를 거스를 생각은 없었으나, 굳이 나서 그의 발을 핥고 싶지도 않은 게 솔직한 심정이었다.

프리모가 테리오드를 눈엣가시로 판단하기까지는 그리 오랜 시간이 걸리지 않았다. 그러나 아탈렌타는 일개 가문치고 지나치게 비대한 편이었다. 프리모는 대공의 지지를 포기하는 일이 단순히 아쉬움만 남기지 않으리라는 사실을 알았다. 때문에 그는 아직까지 테리오드를 제 세력으로 품고자 하는 미련을 지우지 못한 상태였다.

그러니까 이건 이쯤하고 슬슬 제 뒤에 서라는 신호였다. 받아들이는 입장에선 대단히 유쾌하지 못한.

"전부 황가에서 내리신 은혜가 아닙니까. 그저 감사할 따름입니다."

익숙한 신경전에 테리오드는 말끔한 웃음을 내보였다. 이미 준 걸 아까워해 봤자 어쩌겠느냐는 뜻이다. 이에 프리모의 눈이 가늘어졌다.

"그래…… 확실히 우리의 초대 황제는 통이 큰 편이었지."

"무려 대륙을 집어삼키셨으니 그 야망의 크기를 알 만도 합니다."

"글쎄, 대공. 나는 좀 다르게 생각해."

테리오드의 점잖은 응대에 프리모가 유들유들한 투로 답했다. 가만히 듣고만 있던 아스티나가 눈을 돌려 프리모를 응시했다. 프리모가 어깨를 으쓱이며 물었다.

"마티나 여제가 정말 그렇게 대단한 사람이었을까?"

"무슨 말씀이신지 잘 모르겠습니다."

"이보게, 알지 않나. 그 존엄한 여제는 사실 매달 피를 쏟아야만

했다네. 사람을 참으로 비이성적이게 만드는 현상이지."

프리모가 재미있지 않느냐는 듯 킬킬거렸다. 황자가 말하고자 하는 바는 분명했다. 그는 비옥한 땅을 아탈렌타에게 내린 여제의 결정을 조롱하고 있었다. 프리모가 비난키로 선택한 것은 역사상으로도 유구한 전통이 있는 약점이었다.

마티나에게 있어 유일한 오점이었던, 바로 그녀의 성별이다.

보통의 경우라면 황손인 그가 초대 황제를 모욕 주는 건 제 얼굴에 침을 뱉는 행동이었다. 그러나 다행인지 불행인지 마티나는 피델리오 황가와 핏줄이 이어지지 않았다. 그녀는 수하였던 엘시어에게 제위를 물려주고 떠났고, 이후 엘시어는 적법한 황후를 들여 대를 이었으니까. 피델리오 황가는 대대로 초대 황제의 위업보다는 자신들의 선조를 치켜세우는 데 긴 열정을 할애해 왔다.

바로 이런 식으로.

"여자의 몸으로 대륙 통일이라는 대업을 어찌 이루었겠나. 엘시어 황제가 그녀를 보필했기에 가능했던 일이지."

프리모가 거드름을 피우듯 말했다. 아스티나는 재미있다는 표정을 지어 보였다.

"엘시어 황제 폐하가 당시의 실세였단 말씀이십니까?"

"그래, 마티나 여제가 대륙을 통일하고 머지않아 제위를 넘긴 이유가 무엇이었겠나. 다 약속된 바가 있었기에 그리한 것이지. 그리 보면 우리의 선조는 참으로 사랑에 눈이 멀었던 셈이야."

정조 모를 여자를 위해 나라까지 바치다니! 프리모가 개탄하듯 말을 맺었다. 아스티나는 프리모가 이 대화에 자신의 집시 시절까지 끌어왔음을 어렵지 않게 깨달았다.

마티나가 왈도에게 당했던 일은 유명한 이야기였다. 대부분은 그녀의 불행을 안타까워했으나, 그건 어디까지나 이면지 같은 감정이었다. 손가락만 까딱하면 곧바로 뒤집힐 수 있는.

사람들은 마티나에게서 부정적인 면모를 발견할 때마다 그 비극을 끌어와 입에 담곤 했다. 그것이 그녀에게 있어 대단한 흠결이라도 되는 것처럼.

더 나아가서는 왈도를 진심으로 안타까워하는 자도 있었다. 여색에 눈이 멀어 복수의 싹을 살려 놓았다가 죽음을 맞이한 비운의 인재라고도 했다. 그들은 살아남은 여자의 정의에는 그다지 관심이 없었다. 진심으로 마티나를 동정하는 이들도 있었으나 그녀의 불행이 이야깃거리로 소비되었다는 사실 자체는 다르지 않았다.

'그게 후대에까지 이런 식으로 이어질 줄이야.'

낯선 모욕은 아니었다. 마티나는 짧은 생을 지나오는 내내 온갖 원색적인 비난을 감당해야 했다. 엘시어와의 우정도 마찬가지였다. 당시에도 엘시어와 자신을 엮어 폄하하는 소리는 질릴 만치 들었다. 그것을 엘시어의 후손이 직접 행할 줄은 그녀도 예상치 못한 바였지만.

"오라버니, 슬슬 준비하러 올라가 보셔야 할 듯합니다."

뒤에 잠자코 서 있던 이시스가 대화의 맥을 끊었다. 흘긋 동생을 넘겨본 프리모가 알았다며 짧게 고개를 끄덕였다.

"음, 아아. 내가 이야기가 즐거워 그만 잊었군. 대공, 다음에 다시 보도록 하지. 오늘 내 아주 진귀한 볼거리를 선물해 줄 테니 꼭 자리를 지켜 주게나."

그가 테리오드를 보며 만면에 웃음을 띠었다. 아쉬움이 묻어나는 목소리는 꼭 진짜인 것만 같았다.

먼저 돌아선 프리모의 뒤를 이시스가 조용히 따랐다. 인사만큼이나 간소한 작별을 마치고, 테리오드와 아스티나는 곧 둘만 남았다.

"피곤하셨지요."

테리오드가 약간의 곤란이 섞인 목소리로 말했다. 제국의 초대 황제를 모욕하는 소리가 듣기 좋았을 리 없었다. 프리모가 꺼낸 이야기는 청자를 불편하게 만드는 종류의 것이었다. 테리오드는 프리모 황자의 무례에 아스티나가 기분 상했을까 걱정이었다.

"프리모 황자 전하는 참…… 재밌는 분이군요."

아스티나가 부채로 입을 가리며 말했다. 눈빛만은 사랑 이야기라도 속삭이는 듯 달콤했다. 그러나 저편에서 부러움에 한숨짓는 뭇 소녀들과는 달리, 테리오드는 그 뒤에 숨겨진 딱딱한 입매를 볼 수 있는 위치에 있었다. 테리오드가 애매하게 미간을 좁혔다.

"그 말, 진심이십니까?"

"예, 아주 흥미로운 해석이었어요. 결국은 아탈렌타의 기를 죽이려는 말이라 대공께선 좀 불쾌하셨을 수도 있지만요."

"그게 아니더라도 부인과는 초면이 아니었습니까. 황자께서 무례하셨던 게 사실이지요. 정말 불편하지 않으셨습니까?"

"예, 전 불편하지 않았답니다."

아스티나가 상냥한 음성으로 대답했다. 그녀는 불편이라는 귀여운 표현은 지금의 기분에 어울리지 않는다고 생각했다. 분노를 삭여 가슴 속 기저에 저며 내며, 아스티나는 프리모의 뒷모습을 오래도록 눈에 담았다.

호위 없이 전쟁 통에 몸을 맡겼다간 열 합도 버티지 못하고 죽어

나갈 애송이가 당최 무슨 소리를 지껄인 건가.

누구도 감히 마티나의 위업을 평가할 자격이 없었다. 이 대국의 평화로운 체제 속에 살아온 사람이라면, 그게 누구든.

"황위를 물려받을 가장 첫째가는 후보다 보니 갈수록 콧대가 높아지는 게 사실입니다. 사실, 만남이 썩 기분 좋은 사람은 아니죠. 원하신다면 자리가 겹치지 않도록 최대한 노력하겠습니다."

테리오드는 아스티나의 심기를 살피는 데 열성이었다. 안 그래도 마음에 들지 않던 황자다. 좋아하는 여인과 함께하는 자리인데 분위기까지 망치고 가니 테리오드로서도 썩 유쾌하진 않았다. 아스티나가 테리오드의 말을 받아 조용히 중얼거렸다.

"황위를 물려받을 가장 첫째가는 후보라……."

누이를 수족 부리듯 하는 모습은 과연 교만했었다. 저 건방진 성골을 어떻게 벌주어야 할까. 아스티나가 가벼운 투로 되물었다.

"그게 아니게 된다면요?"

"예?"

아스티나가 무어라 대답하기도 전에 위층이 소란스러워졌다. 황제의 등장이었다. 첫날과 같이 단상 위에 황손들이 모여 서고, 그 사이로 황제가 걸어 나왔다. 아까 만났던 프리모의 뒤로 벤자민 역시 자리를 지키고 있었다. 벤자민의 존재를 알렸던 근엄한 투로, 황제는 이번에도 새 소식을 알렸다.

"드디어 수확절 연회의 마지막 날이로군. 아마 혈기 왕성한 영식들은 오늘을 무척이나 기다려 왔을 것이오. 아니, 기다린 건 오늘보다는 일주일 후 벌어질 사냥 대회 쪽이겠군."

황제의 말에 젊은 패거리들이 환호했다. 언뜻 무례하게 비쳐 보일 수 있는 반응이었으나, 이를 유도하려 했던 황제는 만족한 표정을 지었다. 아스티나는 왼편으로 고개를 돌렸다가 개중에 섞여 있던 앤서린과 눈이 마주쳤다.

놀란 듯 커지던 앤서린의 눈이 곧 가라앉았다. 앤서린은 무어라 말을 걸고 싶은 기색이었지만 옆자리에 선 테리오드를 발견하고는 이내 멈칫했다. 아스티나는 설핏 웃으며 짧게 고개만 까딱였다. 풀 죽은 기색의 앤서린을 뒤로하고 아스티나는 다시 단상 위를 올려다보았다.

"사냥 대회보다도 오래 미뤄 온 소식이 있었지. 아마 좀 더 나이 든 이들은 내가 이 결론을 꺼내기만을 기다려 왔을 것이오."

장내는 다시 조용해졌다. 홀 안을 길게 둘러보던 황제가 엄숙히 입을 열었다.

"첫날 말했듯 나는 병들었소. 늙었고, 힘은 나날이 쇠해지지. 수많은 백성을 끌어안기에 이제는 기력이 부족한 것도 사실이오."

황제가 다음으로 꺼낼 말을 깨닫지 못한 자는 없었다. 그는 지금 후계를 지정하려 하고 있었다. 수확제에 발표한다던 중요한 소식이 새 황자를 소개하는 것뿐이 아니었다니. 잔혹한 프리모가 새로운 형제의 등장을 가만히 두고 본 이유가 있었다며 누군가가 남몰래 수군거렸다.

"프리모, 내 옆에 와서 서도록 해라."

황제가 다정한 목소리로 프리모를 불렀다. 프리모는 호감형의 미소를 지으며 앞으로 걸어 나왔다. 대공에게 내보였던 것과 비슷한 종류의 표정이었다. 저 연기가 기능할 필요가 없는 장소에서, 그는 진실로 어떤 얼굴을 할까.

"이제는 이것이 황가의 창고를 벗어나 모습을 보일 때도 되었지. 여봐라, 후계자의 잔을 가져와라."

황제가 경쾌한 어조로 시종을 향해 명령했다.

엘시어가 황위에 오른 이래, 피델리오가는 후계를 지정할 때마다 한 가지 유물을 사용해 왔다. 새로 건국된 나라는 애국심이 부족하기 마련이다. 무엇보다 엘시어의 황위는 양도받은 것이었다. 정통성을 채우기 위해 피델리오 황가는 많은 것들의 이름을 빌려 와야 했다. 황제가 지금 가져오라고 명한 잔도 그중의 하나였다.

카라벨라의 황성은 리체드로 왕가와의 전쟁에서 얻은 것으로, 그들은 오백 년도 넘게 이어진 대단한 역사를 가지고 있었다. 리체드로 왕가가 점차 쇠락의 길을 걷고 있지 않았다면 마티나도 정복에 있어 어려움을 겪었을 것이다.

도락한 왕성에는 당연히도 기나긴 영광만큼이나 많은 유물들이 있었다. '후계자의 잔'은 개중에서도 가장 오래된 것이었다.

리체드로 왕가 역시 타국과의 전쟁에서 얻었던 잔은 한눈에 봐도 영롱한 모양이었다. 뼈대가 된 황금은 반짝였으며 그 위에 알알이 박힌 보석은 눈이 부셨다. 리체드로는 깊은 역사만큼이나 스스로에 대한 자부심이 대단한 왕가였다. 그들이 정복한 소국을 따라 '후계자의 잔'으로 계승해 왔을 정도이니 그 대단한 외양을 알 만도 했다.

본래 소유주였던 왕가가 새로운 주인을 축복했을지 저주했을지는 알 수 없는 바나, 어쨌든 그것은 오늘의 프리모에게까지 가닿았다.

아니, 가닿을 예정이었다.

"아니, 이게 왜……."

늘 말없이 주인을 보필할 뿐인 시종의 목소리가 크게 울렸다. 그의 낯빛은 백색에 가까웠다. 시종이 어쩔 줄 몰라 하며 주변을 둘러보았다. 황제와 프리모는 놀란 듯 눈을 크게 떴고, 뒤편에 선 사람들은 그들의 눈치를 보듯 허둥거렸다.

마침내 시종이 들고 있던 함이 바닥으로 떨어졌다. 함은 바닥과 부딪치며 묵직한 소음을 내었지만, 잔이 떨어지는 청량한 소리는 들려오지 않았다.

"잔이 사라졌다!"

누군가 크게 소리쳤다. 무도회장에 걷잡을 수 없는 소란이 번졌다. 프리모의 가면 같던 웃음에 금이 갔다. 그는 얼굴을 구기며 시종의 멱살을 잡아챘다.

"잔을 어디다 빼돌렸지?"

"저저저전하, 저는 모릅니다. 정말로 모르는 일입니다……!"

"이 멍청한 게 물건 간수 하나 제대로 못해서는!"

그를 보필하던 이시스는 아까의 덤덤한 태도와는 반대되는 모습을 하고 있었다. 당황한 얼굴로 주변을 살피다가는 패악을 부리는 형제의 팔 대신 제 치맛자락만 붙잡았다.

이시스에게서 시선을 떼지 않고 있던 아스티나는 그녀가 벤자민과 짧게 눈을 마주치는 순간을 놓치지 않았다. 벤자민은 몹시 당황한 표정을 짓고 있었으나, 아스티나는 그를 오래도록 봐 왔다. 이러한 순간에서 친구의 연기를 구별해 낼 수 있을 정도로는.

"당장 잔을 찾아내!"

프리모가 목에 핏대를 세우며 소리쳤다. 소란을 지켜보는 아스티나의 눈이 가늘어졌다.

"저걸 찾아야겠군."

"예?"

아스티나는 테리오드의 의문에 대답하지 않았다. 아스티나가 턱을 들며 우아하게 부채를 흔들었다. 테리오드는 그녀가 귀부인처럼 굴 때가 가장 무서운 순간이라는 걸 경험으로 알고 있었다. 테리오드의 등허리에 이유 모를 식은땀이 흘렀다.

아스티나가 꽤나 즐거운 투로 말했다.

"대공, 참으로 재밌는 우연이 아닙니까. 저희에게 모욕을 준 황자가 후계자의 잔을 물려받으려는 영광스러운 순간, 하필 그것이 분실되다니."

테리오드는 주변에 가득한 소란 때문에 이 대화가 새어 나갈 염려가 없어 다행이라고 생각했다. 의미심장한 말에 테리오드가 불안한 기색으로 되물었다.

"설마…… 부인께서 저지르신 일은 아니시겠지요?"

그럴 리가 있나. 아무리 그녀라고 해도 그 잠깐 사이 잔을 훔쳐내는 기행을 선보이는 건 불가능했다. 연회가 시작된 내내 남편의 옆을 지키고 있었다면 더더욱.

"물론, 아니지요."

아스티나는 테리오드에게 진실 된 대답을 돌려주었다. 거짓말은 아니었다.

"아직까지는요."

이제부터 할 예정이라서.

✣ ✣ ✣

후계자의 잔을 잃어버린 여파로 황궁은 부산스러웠다. 시종들의 행적을 추궁하고 성을 드나드는 이들을 통제했으며, 잔이 있을 법한 모든 공간을 뒤집어엎다시피 했다. 덕분에 아스티나가 벤자민에게 보냈던 편지까지 늦게 주인을 찾아가, 연회 다음 날 요청했던 만남이 사흘 후로 미뤄졌을 정도였다.

아스티나는 적당히 격식을 갖춘 가벼운 옷을 차려입고는 저택을 나섰다. 옆구리엔 영문 모를 얼굴의 제시를 동반한 채였다.

신분이 확실하기 때문인지 입궁 자체는 오래 걸리지 않았다. 검문마저도 다분히 형식적으로 이루어졌다. 경비병들은 대공비가 탄 마차 내부로는 눈길조차 주지 않았다. 뒤져 봤자 특별한 걸 발견하지도 못했을 테지만.

"들어오시라 하셨습니다."

시녀가 공손한 얼굴로 인사했다. 아스티나는 잠자코 열린 문 안으로 발을 내디뎠다. 미리 한 당부 때문인지 제시는 생각보다 얌전하게 굴었다. 다만 고개는 빳빳이 앞을 향하되 이곳저곳으로 향하는 눈만은 억누르지 못했다.

아스티나는 그런 제시를 귀여운 눈으로 보아 넘겼다. 어차피 안에서 기다리고 있는 건 이를 책할 만한 인물도 아니었다.

"아스티나."

벤자민이 반가운 눈으로 일어섰다. 대화를 엿들을 것을 염려했는지 시녀들은 모두 내쫓은 상태였다. 아스티나도 안심하고 그의 이름을 불렀다.

"잘 지냈나, 벤자민?"

"그래, 먼 길 와 피곤하지. 어서 앉아."

아스티나는 사양하지 않았다. 벤자민이 아스티나의 뒤에 선 제시에게로 시선을 주었다.

"그, 네가 데려온……."

"내가 가르치고 있는 아이야. 내보내지 않아도 괜찮아."

"네가 그렇다면."

벤자민은 선선히 제시에게서 시선을 떼어 냈다. 전부터 생각했지만 참으로 맹목적인 믿음이었다. 아카데미에서였다면 그랬을 법도 한 일이다. 당시의 벤자민이 가지고 있던 것 중 가장 볼 만한 건 미래에 대한 가능성뿐이었으니까.

그러나 황자라는 직위를 얻은 지금에 와선 그 의미가 조금 달랐다. 제국은 강대했다. 별 볼 일 없는 황자에게조차도 많은 것을 쥐여 줄 수 있을 만큼.

아스티나는 벤자민의 신의가 무엇을 뜻하는지 모를 만큼 철없지 않았다. 오히려 그녀에겐 그의 가장 깊은 곳까지 뒤흔들어 이용할 수 있는 연륜이 있었다. 그녀는 벤자민이 모든 것을 내주고도 아까움조차 느끼지 못하도록 눈을 가려 줄 수도 있었다. 그는 어렸고, 그녀를 사랑했고, 자신은 노련했다.

그러므로 아스티나는 아무것도 하지 않았다.

미리 준비된 차에서는 그녀가 좋아하는 향이 났다. 아스티나가 찻잔을 내려놓자 벤자민이 물었다.

"대공에겐 뭐라고 설명하고 왔어?"

"그건 좀 비열하게 들리는군. 남편에겐 뭐라고 하고 왔냐니."

아스티나가 전혀 장난처럼 들리지 않는 투로 농을 건넸다. 벤자민이 당황한 얼굴로 해명했다.

"이상한 의미가 아냐! 그냥…… 내가 그때 벌였던 일이 있으니 쉽게 만남을 허락하지 않았을 것 같아서, 그래서 한 말이야."

"벤자민, 나는 그에게 내 외출을 제한할 권한을 주지 않았어."

그 대답에 벤자민은 더욱 어찌할 바를 몰랐다. 무심코 그녀가 대공 아래의 사람인 양 말했음을 깨달은 탓이다. 그가 더듬더듬 설명을 덧붙였다.

"물론……, 그렇겠지. 하지만 그런 일이 종종 벌어지는 것도 사실이니까."

종종 벌어지는 일이지만 테리오드는 그녀를 막지 않았다. 황궁으로 벤자민을 보러 간다고 말하자 무던히도 이유를 캐묻기는 했으나, 배웅 이상의 것을 욕심내진 못했다.

아스티나는 테리오드의 초조한 얼굴을 떠올려 보았다. 일찍 돌아오기를 당부하던 표정은 애처롭기까지 했다. 그의 마음을 모르는 척하고 있다는 사실에 새삼 죄책감까지 느꼈을 정도로.

"그래, 그는 부인을 가두지 않는 보기 드문 신사야. 그러니 나는 슬슬 네가 대공을 존중해 줬으면 하는데."

아스티나가 무심히 경고했다. 안 그래도 테리오드에겐 마음의 빚이 많은 상황이었다. 친구가 그의 명예를 폄훼하는 것까지 보아 넘길 수는 없었다. 벤자민은 말문이 막혀 잠시 아스티나를 빤히 쳐다보기만 했다.

사실, 짝사랑을 하는 당사자가 듣기에는 퍽 잔인한 말이었다. 벤자민은 방금의 매서운 선 긋기가 의도된 바라는 사실을 알았다. 아스티나가 상대방이 상처받을 것을 모르고 그 말을 했을 리는 없었다.

이건 공표에 가까웠다. 앞으로 그들 사이가 친구 이상의 것으로 나아갈 수는 없다는. 그 말끔한 정리는 아스티나에게 있어 퍽 간편한 일이었을 것이다.

그녀의 곁에 남기로 한 것은 결국 이 같은 일을 수용하겠다는 뜻이었다. 벤자민이 더 이상 못 견디겠다고 말한다면, 그녀는 안타까운 눈으로 그를 볼 것이다. 그러고는 알겠다고 말하며 이 자리를 떠나 주겠지. 그것으로 모두 끝이 날 터다.

벤자민은 그 사실을 알아 차마 아스티나를 원망하지도 못했다. 말을 꺼냈다간 울컥 차오른 감정을 삼켜 낼 수 없을 것 같아, 벤자민은 고개만 끄덕였다. 다행히도 아스티나는 곧바로 화제를 돌렸다.

"황궁에서 지내는 데 불편한 점은 없나?"

"그래, 꽤 지낼 만해."

벤자민은 부러 쾌활함을 지어내 보았다. 생각보다 그 연기는 효과가 있었다. 벤자민은 요즈음의 생활을 떠올려 보았다. 아스티나와의 만남을 가장 우선으로 삼을 수 있을 정도로 그는 한가했다. 벤자민이 허탈한 어조로 말했다.

"솔직히 말하자면 이렇게 마음 놓고 살았던 적이 또 있을까 싶을 정도야."

"황위 계승권을 포기했기 때문에?"

"그것도 그렇지만, 나는 인증을 받았거든."

"무슨 인증 말이야?"

"이시스에게 친히 해가 되는 인물이 아니라는 공증을 받았지."

마음에 들지 않는다는 듯 벤자민이 코를 찡긋였다. 아마 한 달 전에 이 대답이 돌아왔다면 아스티나는 그가 왜 프리모가 아닌 이시스의 이름을 말하는지 의아해했을 것이다. 그동안은 전혀 관심을 두지 않았던 문제였으니까. 그러나 아스티나는 벤자민과 만나지 못한 며칠간, 황위 다툼이 어떤 방향으로 흘러왔는지 퍽 성실하게 알아본 참이었다.

어려울 것도 없는 이야기다. 황제가 형제간 다툼에 눈을 감아 준 이후, 후계가 될 수 있는 자라면 누구든 서로를 잡아먹으려 혈안이 되었다. 먼저 상대의 머리를 베지 않으면 심장을 내어 주는 것은 본인이 될 테니까.

그 지난한 싸움은 현실이 늘 그렇듯 그다지 공평하지 않았다. 프리모의 대단한 외척은 황제가 될 핏줄을 위해 무슨 일이든 벌일 결심이 되어 있었다. 친누이인 이시스조차 그의 수족을 자처하지 않았다면 살아남지 못했을 것이다.

어디까지나 외부의 시선으로는.

"이시스 황녀가 프리모의 머리였다는 뜻인가?"

"그래. 쉬쉬하고 있지만 정치판과 가까운 모두가 알고 있는 사실이지."

아스티나는 벤자민의 대답에 크게 놀라지 않았다. 그녀는 이미 프리모가 어떤 방식으로 마티나를 깎아내리는지 보았다. 효용이 증명되지 않았다면 누이를 뒤에 세우지도 않았을 것이다. 아스티나는 이시스가 수재 이상의 인물임을 어렵지 않게 짐작했다.

아스티나가 턱을 들며 말했다.

“네가 위협이 되지 않는다는 걸 그 대단한 책사에게 어떤 식으로 증명했을지 궁금해지는데.”

“네가 말했듯, 나는 공식적으로 황위 계승권을 포기했으니까.”

“글쎄. 아탈렌타 역시 황위 싸움에서 공식적으로 누군가를 지지했던 역사는 없지. 하지만 그 결과는 언제나 정적들의 기대를 배신해 왔을 거야.”

벤자민은 대답하지 않았다. 아스티나가 이어 물었다.

“연회의 첫날, 이시스 황녀와 프리모를 조심하라고 했던 건 무슨 의미였지?”

“그건…….”

벤자민이 눈에 띄게 동요한 기색을 보였다. 그가 겨우 표정을 가다듬고는 입을 열었다.

“위험하니까. 그들이 어떻게 정적들을 처리했는지 알면 너도 내 걱정을 이해할 만하지 않니.”

너무도 평범해서 지루하기까지 한 대답이었다. 창의성이라고는 찾아볼 수 없는 응대에 아스티나는 눈을 가늘게 뜨고는 대꾸했다.

“알았다.”

아스티나가 몸을 일으켰다. 제시를 손짓해 부르고는 떠날 채비를 마쳤다. 벤자민이 황급히 아스티나를 따라 일어섰다.

“벌써 가 보려고?”

“그래, 난 네가 무사한지를 보려고 한 거야. 잔이 없어지고 가장 먼저 의심받을 게 너라고 생각했거든.”

벤자민은 준비해 둔 식사나 미리 알아 놓은 정원의 가장 아름다운 장소를 떠올렸다. 그가 아연한 음성으로 중얼거렸다.

"하지만 너무 이르잖아."

아스티나는 흘긋 방 안에 있는 시계를 넘겨보았다.

"나는 외려 예상보다 시간을 지체한 쪽인데."

벤자민의 어깨가 실망으로 늘어졌다. 그의 눈이 제시에게로 향했다. 주인을 좀 말려 달라는 듯이.

제시는 허둥거리며 아스티나와 벤자민을 번갈아 보았다. 숙련된 사용인이라면 하지 않을 행동이었다. 아스티나 역시 제시에게 그런 부분을 기대하고 데려온 것은 아니었다. 벤자민은 곧바로 그 알 수 없는 의도를 지적해 왔다.

"……아까부터 신경 쓰였는데, 저 휘황찬란한 상자는 대체 뭐야? 날 주려고 가져온 줄 알았는데."

벤자민이 제시가 들고 있는 상자를 가리키며 말했다. 제시는 정교한 장식이 새겨진 함을 소중히 끌어안고 있었다. 긴 사각기둥의 형태만으로는 내용물을 짐작할 수 없었다.

아스티나가 담백하게 대답했다.

"빈 상자야."

"뭐?"

황당한 얼굴의 벤자민을 보고 아스티나가 조용히 검지를 입가에 가져다 댔다.

"입궁할 땐 없었던 물건이 갑자기 생겨나면 의심스러우니까."

"아니, 대체 그게 무슨……."

아스티나는 대답하지 않고 문밖으로 나갔다. 대기하고 있던 시녀들이 아스티나를 발견하고는 공손히 고개를 숙였다. 아스티나가 우아한 투로 물었다.

"황자님께서 후원이라도 구경하고 돌아가라며 친절을 베푸시더군. 어느 쪽으로 가면 되지?"

"제가 안내하겠습니다."

벤자민이 뒤따라온 듯 안쪽에서 작게 덜컹거리는 소리가 났다. 그러나 아스티나가 시녀와 나누고 있는 대화를 먼저 들은 듯, 벤자민이 문틈 사이로 반짝이는 금발을 드러내는 일은 없었다. 아스티나는 벤자민이 기대어 있을 문을 한 차례 흘기고는 걸음을 옮겼다.

애석하게도, 오늘 벤자민을 찾아온 것도 '공식적인' 용건에 해당하는 일이었다.

시녀는 황제가 기거하는 본궁에서 가장 가까운 후원으로 아스티나를 안내했다. 아스티나가 벤자민이 추천한 곳이라며 넌지시 운을 뗀 덕분이었다. 조용히 풍류를 즐기고 싶다고 하자 시녀는 한 시간 후 돌아오겠다며 자리를 비켜 주었다.

아스티나는 인기척이 사라지자마자 건물 쪽으로 성큼성큼 걸음을 내디뎠다. 후원을 둘러볼 줄로만 알았던 제시가 깜짝 놀라 아스티나의 뒤를 따랐다.

"대, 대공비 전하!"

"목소리를 낮추렴, 지나가는 경비들이 듣겠구나."

"예……. 한데 어디로 가시는 것인지……."

반사적으로 입을 가린 제시가 눈치를 보며 물었다. 아스티나는 희고 평평한 석판이 깔린 복도로 들어섰다. 따로 창을 막아 놓지 않아 지나가면서도 경치를 구경할 수 있는 곳이었다.

때마침 맞은편에서 근엄한 표정의 경비대원이 걸어왔다. 아스티나는 어깨를 펴고는 자세를 단정히 했다. 이상한 점을 느끼지 못한 남자는 그대로 그들을 지나쳤다. 경비가 완전히 사라진 것을 확인한 제시가 물었다.

"궁을 이렇게 막 돌아다녀도 되는 걸까요……?"

"물론 안 되지. 우리가 출입을 허락받은 건 황자가 기거하던 궁뿐이니까."

아스티나는 담백하게 그들이 범법 행위를 저질렀다는 사실을 일러 주었다. 소시민인 제시는 곧장 울상이 되었다.

"대공비 전하…… 왜 저를 데려오신 거예요? 저는 도무지 오늘 제가 전하를 잘 보필했던 것 같지도 않아요……."

콩알만 한 담을 가진 제시로서는 황궁에 들어온 것 자체가 부담스러운 일이었다. 같이 입궁할 사용인으로 지목받았을 땐 또 얼마나 놀랐던가. 제시는 온몸을 바쳐 아스티나에게 충성할 자신이 있었지만, 몸에 익지 않은 예법을 구현해 내는 것은 전혀 다른 문제였다.

"제시, 네가 날 잘 보필해야 하는 건 지금부터란다."

"예?"

아스티나가 우뚝 걸음을 멈춰 세웠다. 제시가 그 등에 코를 박지 않을 수 있었던 건 전부 남다른 반사 신경 덕분이었다. 아스티나가 미소를 지으며 그런 제시를 한 번 돌아보았다. 아스티나의 시선이 이어 왼편의 벽면으로 향했다. 그녀가 금이 간 자리를 몇 차례 쓸며 중얼거렸다.

"여기쯤인가."

제시는 의아한 눈으로 아스티나를 쳐다보기만 했다. 제시가 왜 그러시느냐고 묻기도 전, 아스티나는 길게 숨을 들이켜고는 그대로 벽을 걷어찼다. 제시는 가까스로 비명을 삼켜 냈다.

다행인지 불행인지 대공비는 황가에 대한 반기로 건물을 파손하려 든 게 아니었다. 석판이 가볍게 뒤편으로 밀려 나가자 제시가 눈을 동그랗게 떴다. 아스티나가 허리를 숙여 안쪽을 살피며 말했다.

"다행히 뭐가 많이 달라지진 않았군."

"대공비 전하……! 대체 이게 뭐예요?"

제시는 벌어진 입을 다물지도 못했다. 아스티나가 입고 있던 옷을 벗으며 짧게 대꾸했다.

"비밀 통로지."

제시는 대낮에 공공장소에서 탈의를 시도하는 주인에게 놀라야 할지, 아니면 처음으로 본 황궁의 비밀 통로에 놀라워해야 할지 도통 알 수 없었다.

기겁한 제시를 내버려 둔 채 아스티나는 치렁치렁한 치맛자락을 분리해 냈다. 옷을 대충 접어 둔 아스티나가 머리칼을 끈으로 동여 묶었다. 이 모든 일을 처음부터 계획했던 듯, 준비를 마친 아스티나는 활동에 최적화된 모습이었다.

아스티나가 제시를 돌아보며 물었다.

"너도 겉옷은 벗어 두는 게 나을 것 같은데."

"저, 전 안에 셰인즈(chainse)밖에 입지 않았는데요?"

"새 옷을 버리는 것보단 나을걸."

아스티나가 그리 말하며 제시의 치맛자락을 가리켰다. 입궁을 위해 대공비가 친히 선물해 줬던 물건이었다. 제시가 가진 의복들 중 가장 비싼 것이기도 했다. 제시는 결국 아스티나의 충고를 따라 옷을 벗었다.

현명한 선택이었다. 안에 기다리고 있는 건 좁고 오래된 통로였다. 오가다 보면 자연히 먼지가 묻을 수밖에 없다.

깔끔하게 개켜 둔 옷은 가까이 있는 수풀 뒤 적당한 공간에 숨겼다. 아스티나는 망설이지도 않고 벌어진 틈 안으로 들어갔다. 제시 역시 아스티나를 뒤따랐다.

밀려났던 벽을 제자리에 세우자 좁은 통로 안이 온통 어두워졌다. 제시는 굽혔던 몸을 일으켜 주변을 둘러보았다. 빛이 차단된 암실이라 어디가 앞이고 뒤인지 도통 구분이 되질 않았다.

"제시, 함을 이리 줘."

뒤늦게 정신을 차린 제시가 아스티나에게 상자를 내밀었다. 아스티나는 그 안에서 작은 램프와 성냥을 꺼내 들었다. 황자가 물었을 때 빈 상자라고 답하여 정말 든 게 없는 줄 알았는데, 참으로 의외의 물건이 들어 있었다.

제시는 입을 떡하니 벌렸다. 벨루아에서도 느꼈지만 그녀의 주인은 거짓말에 대단한 재능이 있었다. 상대가 진실이라 느낄 만큼 태연한 연기력도 가졌음은 물론이다. 제시가 감탄하듯 소리쳤다.

"안이 비었다고 하셨잖아요!"

"원래 담으려고 했던 물건은 아니니까."

아스티나가 그리 말하며 램프에 불을 붙였다. 밝진 않았지만, 그럭저럭 사위를 분간해 낼 수준은 되었다. 길을 다 외우기라도 한 양 아스티나는 망설이지도 않고 발을 움직였다. 자연히 제시의 얼굴에 의문이 떠올랐다.

"대공비 전하께서는 이런 곳을 어떻게 아신 거예요?"

목적한 곳까지는 약간의 거리가 있었다. 말을 아껴야 할 때는 아니었기에 아스티나는 잠자코 대답을 돌려주었다.

"카라벨라는 온 대륙이 통일된 거대한 나라이니만큼 온갖 건축 양식이 섞여 있지. 근본은 블란체에 가까우나 강대했던 리체드로의 영향이 대부분이다. 특히 황제가 기거하는 본성은 리체드로의 유산을 유지 보수만 해 둔 것이지."

"리체드로요?"

"그래, 수도 바실의 지난 주인은 원래 리체드로 왕가였어. 대단한 역사만큼이나 소유자의 성이 여러 번 바뀌었던 나라지. 위협을 느낀 권위자들은 안전하게 숨어들 비밀 공간을 가지고 싶어 했단다."

"대피를 목적으로 만들어진 통로라는 말씀이세요?"

"처음에는 그러했지. 하지만 태평성대를 살았던 왕은 이곳을 사적인 목적으로도 채우고 싶었을 거야."

"사적인 목적이요?"

"그래. 궁의 주인들은 창피한 기억과 귀한 물건, 혹은 밀담까지도 이 안에 숨겨 왔지."

아스티나가 그리 말하며 왼편으로 손을 뻗었다. 쭉 일직선으로 이동했으므로 아직은 후원과 이어진 긴 복도를 따라 걷고 있는 셈이었다. 벽면을 가볍게 두드리자 맑은 소리가 울렸다.

"겉으로 드러나지 않을 공간을 만들기 위해 필연적으로 얇아져야 했던 벽들이 있지. 아까 들어낸 것도 그런 부분이야."

"그럼 황제…… 폐하나 황자 분들도 그런 구멍으로…… 오가시는 거예요?"

제시가 조심스럽게 소곤거렸다. 그들이 들어왔던 입구는 낮고 좁았다. 아무래도 체면을 버리지 않고 드나들 수 있는 공간은 아니었다. 제시는 근엄한 얼굴의 황제가 그 구멍으로 기어들어 오는 것을 상상했다가, 그만 스스로의 무엄함에 깜짝 놀랐다.

제시의 어린 상상에 아스티나가 픽 웃음 지었다. 아스티나는 카라벨라 황가가 이 비밀 장소를 발견하지 못했으리라 짐작했다. 자신이 마티나였을 적 엘시어의 잔소리를 피하려다 찾아냈던 장소다. 당연히도 엘시어에겐 이곳의 존재를 알려 준 적이 없었다. 무엇보다 황가에서 이미 인지하고 있었던 공간이라면, 황제는 의미 없는 수색을 잇는 대신 곧바로 잃어버린 잔을 찾았다고 공표했을 것이다.

그러나 아무도 모르는 비밀 장소를 아스티나 혼자만 알고 있는 건 몹시 수상한 일이었다. 아스티나는 뭉뚱그려 말을 흐렸다.

"내부로 가면 좀 더 제대로 된 입구들도 있지. 아까 그 벽면은…… 누군가가 발견하고 분리해 놨던 부분이야. 개구멍에 가깝다고 볼 수 있지."

"그게 누군데요?"

"글쎄, 그건 잘 모르겠구나. 나도 황자께서 일러 주어 위치만 알고 있는 것이라."

아스티나가 시치미를 떼며 앞으로 나아갔다. 가늘고 긴 길을 한참 걷고 나서야 시야가 트였다. 그러나 제시는 안도의 숨을 내쉬지도 못했다. 그들이 다다른 곳은 미로의 시작점에 가까운 외양을 하고 있었으니까.

갈림길은 여럿이었다. 그러나 보통의 탐사자들이 거치는 고민은 없었다. 아스티나는 망설임 없이 그중 두 번째로 발을 들였다. 비슷한 갈림길은 몇 번이고 이어졌다. 지리를 알지 못하는 자라면 능히 길을 잃을 법도 했다. 제시는 혹여 아스티나를 놓칠까 싶어 되도록 좁은 간격을 유지했다.

마침내 아스티나가 한 방 앞에서 멈춰 섰다.

아니, 방이라는 표현이 썩 어울리는 공간은 아니었다. 도배하지 않은 울퉁불퉁한 돌벽은 일종의 동굴 같아 보이기도 했다. 그것이 방이라고 불릴 수 있는 이유는 아치형의 입구로 복도와는 분리되어 있다는 사실 하나 때문이었다.

아스티나는 불을 가볍게 비춰 보고는 안으로 발을 디뎠다. 광원이라고는 아스티나가 든 램프 하나뿐이었기에 제시도 재빠르게 그 뒤를 따랐다.

전체적으로 꽤나 음산해 보이는 실내였다. 아까까지는 올록볼록한 바닥 때문에 속도를 내는 것이 힘들었는데, 그나마 이곳엔 낡은 카펫이 깔려 있었다. 고대하던 사람의 흔적이었으나 어딘지 으스스한 느낌은 가시지 않았다.

제시의 눈이 안쪽의 벽으로 조심스럽게 굴렀다. 그 끝엔 온갖 상자가 가득했다. 아무래도 제 주인은 저것을 열어 볼 생각인 듯했다. 안쪽으로 다가서는 발걸음은 사뭇 경쾌하기까지 했다. 제시는 그 안에서 해골을 발견하는 일이 없기만을 바랐다.

함이 쌓여 있는 곳으로 다가가기 위해서는 낮은 턱을 지나야 했다. 아스티나는 몇 번 바닥 위로 발을 구르더니 제시를 불렀다.

"제시, 이리 와서 서도록 해."

"예? 예!"

제시가 방 안을 둘러보다 말고 황급히 아스티나에게로 달려갔다. 제시가 지정한 곳에 서자마자 아스티나가 짧게 경고했다.

"내가 됐다고 말할 때까지 거기서 나오지 말렴, 알겠니?"

"네?"

"안 그러면 화살 비가 쏟아질 테니."

"……네?"

제시가 당황한 얼굴로 아스티나를 응시했다. 아스티나는 방금 했던 말이 농담이라도 되는 것처럼 짓궂은 미소를 지어 보였다. 그러나 막상 그 입에서 장난이라는 말은 나오지 않았다.

"대, 대공비 전하……?"

제시가 목만 길게 빼 아스티나를 불렀다. 그러나 아스티나는 이미 쌓여 있는 짐들을 치워 내기 시작한 후였다. 상자 위에 가득한 먼지는 얼마나 오랫동안 묵은 것인지 짐작조차 되지 않을 지경이었다. 아무래도 마티나 이후로 여길 찾은 사람은 또 없는 모양이었다. 하기야 이곳을 알고 있을 만한 리체드로의 사람들은 모두 백 년도 더 전에 세상을 떠났다.

아스티나는 곧 기억 속 물건을 어렵지 않게 찾아냈다. 상자를 열 열쇠는 없었으나 상관없었다. 이미 잠금쇠는 부서진 상태였으니까.

아스티나는 그 안에서 아직도 빛을 잃지 않은 휘황찬란한 유물을 꺼내 들었다. 세월이 감상을 퇴색시킨 탓일까, 다시 마주한 물건은 기억보다도 더 반짝였다. 그 영롱한 빛에 뒤편에 서 있던 제시조차 잠시 넋을 잃었을 정도였다.

아스티나는 조심스럽게 먼지를 털어 내고는 가지고 왔던 함에 잔을 넣었다. 아스티나가 뚜껑을 닫자마자 제시가 퍼뜩 정신을 차렸다.

"대공비 전하, 설마 그게……."

수확절 연회의 마지막 날 밤 후계자의 잔이 없어졌다는 사실은 수도의 모두가 알고 있었다. 제시가 물건의 정체를 눈치챈 건 너무도 당연한 일이었다.

직접 눈으로 보지는 못했어도 제국민이라면 누구나 그 잔의 아름다움을 알았다. 제시는 환상 속 보물이라도 되는 양 잔을 칭송하던 노래에 전혀 과장이 없었다고 단언할 수 있었다. 자신부터가 실물을 보자마자 그 찬사 가득한 가사 말들을 떠올렸을 지경이니.

아니나 다를까 아스티나가 노래하듯 대답했다.

"후계자의 잔이지."

그 목소리에 냉소적인 기색이 여실해 제시는 잠시 당황했다. 의문은 그뿐만이 아니었다. 후계자의 잔이 왜 이런 숨겨진 장소에서 나왔는지 알 수 없었다. 분명 도난당했다고 들었는데, 사실 사라진 물건은 진짜가 아니었던가. 제시가 이유를 짐작해 내기도 전 아스티나가 턱 아래로 내려섰다.

"이제 내려오렴."

제시는 잠자코 아스티나의 말을 따랐다. 뒤편을 돌아보는 시선에 미묘한 아쉬움이 남았다. 상자 안에 분명 더 대단한 물건들이 쌓여 있었을 듯한데 아스티나가 꺼내 온 건 후계자의 잔뿐이었다. 물론 그것 하나만으로도 대단한 가치를 가지고 있는 물건이긴 했지만.

제시가 자신이 서 있던 바닥을 살피고는 물었다.

"무슨 장치가 되어 있던 건가요?"

"별건 아니란다. 바닥에 지렛대가 깔려 있어서 상자 가까이에서 무게가 느껴지면 장치가 발동되거든. 그래서 반대쪽에 서 있으라고 한 거지."

"예?"

"그대로 들어가 저 상자를 열면 화살 비가 내린단다."

아스티나가 별일 아니란 듯 손가락을 까딱여 천장을 가리켰다. 제시의 낯빛이 삽시간에 퍼렇게 물들었다. 사실 대단한 위력의 함정은 아니었지만 아스티나는 굳이 그것까지 알려 주지는 않기로 했다. 제시가 이 기억을 포도주마냥 오래도록 묵혔을 즈음, 오늘의 경험은 나이 든 그녀에게 그럭저럭 괜찮은 모험담이 되어 주리라.

백 년도 더 전에 설치된 화살이 본래의 위력을 갖고 있다고 생각하는 것도 우습다. 마티나였을 적 홀로 이곳을 찾았을 때도 적당히 쳐 내었던 수준의 허술한 장치였다. 하지만 귀찮게 몸을 움직이는 것보다는 누군가를 바깥에 세워 두는 쪽이 더 간편한 게 사실이다.

사람을 동반하기로 결정하고 나니 그다음엔 누구를 선택할지가 고민이었다. 뒤를 맡길 수 있는 건 칸나나 대공, 히센과 올리버 정도인데 셋 다 시녀로 위장할 수가 없는 사람들이었다.

아스티나가 고를 수 있었던 가장 괜찮은 선택지는 제시였다. 제시에겐 혹시 모를 돌발 상황이 발생했을 때 대응할 반사 신경과 체력이 있었으니까. 무엇보다 제시는 대공비가 아닌 아스티나 개인에게 충성하는 사람이었다. 지금도 저 경외 넘치는 시선은 쌓여 있는 보석이 아닌 아스티나 쪽을 향하고 있지 않은가.

"대공비 전하는 이걸 다 어떻게 알아내신 거예요?"

제시는 계속해서 질문만 쏟아 내는 자신이 퍽 멍청하게 느껴졌지만, 그럼에도 또 이 말을 내뱉지 않을 수 없었다. 제시가 흥분한 투로 오늘 아스티나가 해낸 일들을 두서없이 주워섬겼다.

"황궁의 비밀 장소나 함정을 피하는 법이나, 심지어는 저 안에 후계자의 잔이 들어 있다는 것까지 알고 계셨던 거잖아요."

확실히 잔이 이곳에도 남아 있었다는 건 누구도 알지 못할 사실이었다. 아스티나는 말없이 바닥에 내려 두었던 램프를 집어 들었다. 잔이 든 함을 제시에게 넘기며, 아스티나는 그 정보의 출처를 가만히 되짚었다.

후계자의 잔은 후대에 와선 반쪽짜리 기원만 남은 오래된 역사 속의 물건이었다. 마티나일 적 읽었던 고서적이 아니었다면 그녀도 몰랐을 사실이다. 아스티나는 그것이 누구의 기록이며 어떤 방식으로 남았는지, 그리고 누가 불살라 이 세상에서 없앴는지조차 기억하고 있었다.

아스티나가 걸음을 내딛는 동시에 입을 열었다.

"제시. 지금도 종이는 귀한 물건이지만, 근래의 것과 비교도 되지 않을 만큼 조악하고 귀했던 때가 있었단다."

"네, 그래서 예전에는 오래 보관할 수도 없었다고 알고 있어요."

제시가 순순히 대답했다. 아스티나가 갈수록 좁아지는 벽에 빛을 비추며 말했다.

"서원은 오래도록 지식의 보고였지. 그들은 언제나 그 방대한 서책들을 필사하며 후대로, 또 후대로 가르침을 이어 왔어. 그렇지 않으면 그 나약한 종잇장이 세월을 견뎌 내질 못할 테니까."

아까 거쳤던 곳인데도 제시로서는 지금 도통 어디쯤에 서 있는지 분간이 가지 않았다. 제시는 아스티나를 따라붙는 일과 그녀의 이야기 모두에 집중하기 위해 애썼다. 아스티나가 이어 자조하듯 물었다.

"그렇다면 그들이 불온하다고 판단한 서적은 어떻게 되었겠니?"

"필사하지…… 않았겠지요."

"그뿐이겠어. 금서의 낱장 낱장에 독을 발랐단다. 종이는 습기에 취약하지. 책장이 붙어 잘 넘어가지 않았고……."

제시는 상상했다. 어두운 밤 서고로 숨어든 남자가 잘 넘어가지 않는 서적에, 손가락에 침을 묻혀 가며 짜증스럽게 다음 장을 넘기는 모습을.

소름이 끼쳐 제시는 그만 몸을 떨었다. 아스티나가 엷게 웃으며 말했다.

"그 기록을 보았던 자들은 다 죽었단다."

그리고 마티나는 그 남은 글자들을 모두 태워 버렸다. 정복의 불은 많은 것들을 지워 내는 법이니까. 더 이상은 그 어떤 기록으로도 남지 않은 것들을, 오직 아스티나만이 알고 있었다.

딱히 안타까운 일은 아니었다. 그나마 근래에 속하는 마티나의 역사조차 얼마나 많이 찢겨지고 기워지고 또 지워졌던가. 잊혀야 했을 것들을 끌어안고 있는 아스티나야말로 이치를 거스르는 존재였다.

아스티나는 걸음을 멈추고 제시를 돌아보았다. 잠깐의 모험과 꿈결 같은 옛이야기에 제시의 눈은 몽롱하게 젖어 있었다.

아스티나는 바닥으로 손을 뻗어 현실의 입구를 끌어냈다. 아직 시간은 한낮에 가까웠으므로, 당연히도 어두운 미로와 반대되는 눈부신 빛이 새어 들어왔다.

"세상엔 그런 식으로 사라진 비밀들이 많지. 이 잔도 그중의 한 부분일 뿐이야. 나는 유능한 교수님의 밑에서 수학해 이런저런 고서적들을 많이 볼 수 있었단다."

"역시 명문 벨라체는 대단하네요."

"그래, 이제 이 물건을 주인에게 전해 주러 가자꾸나."

아스티나는 역사를 말하기를 멈추었다. 램프의 불을 꺼 안쪽에 버려둔 뒤, 그대로 햇빛 밖으로 걸어 나왔다.

✣ ✥ ✣

약속대로 한 시간 후 돌아온 시녀는 다시 정돈된 외양의 아스티나와 제시를 마주했다. 당연히도 대공비에게선 어떠한 이상한 점도 발견되지 않았다. 옷을 잘 접어 보관해 두었던 덕분에 겉으로 보기에는 그저 감쪽같았던 탓이다. 속치마에 묻은 검댕은 세탁방의 하녀들만이 발견할 수 있을 것이다.

그럼에도 시녀는 몹시 당황해야 했다. 그대로 출궁할 줄로만 알았던 대공비가 터무니없는 요구를 해 왔기 때문이다.

"황제 폐하께 대공비가 비밀리에 급히 알현을 청한다고 아뢰어라."

황제를 알현하려면 미리 연통을 넣어야 하는 게 당연한 예의다. 황궁의 관료도 아닌 대공비가 대뜸 황제에게 만남을 청하다니, 이는 분명 대단한 무례였다. 그녀가 대공비쯤 되는 인물이라 더더욱 그러했다.

한미한 가문이라면 황제는 그대로 알현을 거부할 수도 있었을 것이다. 하지만 대공비의 청을 그런 식으로 매정히 내칠 수 있을 리 없다. 불쾌하다 해도 황제는 이 만남을 감정을 내세워 거절할 수 없었다.

아스티나도 자신이 억지를 부리고 있다는 건 알고 있었다. 그럼에도 이 요구를 강행한 건, 황궁을 나올 즈음엔 앞선 무례가 기억조차 남지 않으리라 계산했기 때문이었다.

긍정의 답은 생각보다 이르게 돌아왔다. 아스티나는 지루한 기다림이 길게 이어지지 않았음에 내심 안도하며 시녀의 안내를 받았다.

다행인지 불행인지 황제가 사용하는 방은 과거와 변함이 없었다. 아스티나는 거대한 문 앞에 서 잠시 과거의 소유물을 눈에 담았다. 아쉬움을 느낀 건 아니었다. 재물에 미련이 있었다면 엘시어에게 황위를 양도하지도 않았을 것이다. 다만 감회가 새로운 건 어쩔 수 없었다.

아스티나는 안으로 들어가기 전 제시가 들고 있던 함을 황궁의 시녀에게 넘겼다. 벤자민처럼 무르게 대할 상대가 아니었으므로 제시는 안에 들이지 않을 생각이었다. 신호하면 물건을 내오라 지시한 뒤, 아스티나는 문 안으로 들어갔다.

아스티나의 예상과 달리 그녀를 기다리고 있던 사람은 하나가 아닌 둘이었다. 딸과 함께 시간을 보내고 있었던 듯 황제는 이시스 황녀와 함께였다.

만남을 청한 상대가 도착했는데 제삼자를 내치지 않는 것은 분명 실례다. 아스티나는 황제의 심기가 편치 않음을 짐작했으나, 내색하지 않고 인사했다.

"제국의 광영을 뵙습니다, 황제 폐하. 황녀 전하."

"반갑소, 대공비. 수확절 연회에서 보고는 처음이군. 이리 와서 앉게나."

꽤나 시큰둥한 말투였다. 아스티나는 잠자코 이시스와 황제가 있는 테이블로 향했다. 시녀가 의자를 빼 주고는 어떤 차를 내올지 물어 왔다. 아스티나는 여유롭게 요즈음 즐겨 마시는 차종을 답했다. 그에 황제의 눈썹이 미세하게 꿈틀했다. 그가 두 손을 모아 깍지를 끼며 물었다.

"독대가 필요한 용건이요?"

이시스 황녀를 내보내고 싶지 않다는 뜻이다. 자신을 곤란하게 하려는 행동임을 알았지만, 아스티나는 그저 미소 지었다.

"아닙니다."

어차피 황제를 만난 후 따로 또 찾아야 했던 인물이었다. 같은 얘기를 두 번 할 필요가 없다니 외려 기꺼운 바다.

의외라는 듯 아스티나를 응시하던 이시스가 곧 온화한 투로 말했다.

"나는 신경 쓰지 말고 편히 이야기 나누도록 하게."

프리모와 대화할 때도 느꼈지만 이시스는 언제나 한발 물러서는 데 익숙한 모습이었다. 아스티나는 이시스에게 감사하다는 의례적인 인사를 돌려주었다. 그러고는 황제를 향해 운을 떼었다.

"우선 이리 급히 찾아뵙기를 청하게 되어 죄송합니다, 사안이 사안인지라 보편적인 절차를 받지 못했음을—"

"그래, 오늘은 무슨 일로 입궁한 것인지 내 한번 들어나 보지."

황제가 대놓고 흥미 없는 눈으로 아스티나의 말을 잘랐다. 귀족들의 대화는 이런 식으로 흘러가지 않는다. 황제는 반복해서 아스티나가 저지른 무엄한 알현 요청에 대한 불만을 표하고 있었다. 그가 대공비의 청을 거절하지 못했듯, 아스티나도 그 성의 없는 대응에 가타부타 말을 더할 수 없는 입장이었으니까.

그러나 용건으로의 빠른 진입은 그녀에게야말로 달가운 일이었다. 아스티나가 담담한 어조로 대답했다.

"폐하께서 아실지 모르겠으나, 저는 대공 전하와 혼인하기 전 벨라체 아카데미에서 수학했었습니다. 당시 위의 학년이었던 벤자민 황자 전하와도 친분이 있었지요."

"그래, 벤자민에게 그리 듣기는 했었지."

그에 황제가 새삼스러운 시선으로 아스티나를 응시했다. 그러고 보니 벤자민이 괴물 대공의 아내가 된 친구를 돕겠다며 아탈렌타로 내려갔던 일이 있었다.

당시만 해도 황제는 제물이 될 신부에겐 그리 관심을 두지 않았었다. 한데 그녀가 이렇게 유명 인사가 되어 수도에 등장하다니, 꽤 감회가 새로웠다.

"예, 오늘 공식적으로는 그분을 뵈러 찾아온 것입니다."

아스티나가 말끔한 미소를 내보이며 말했다.

황제는 그 말에 담긴 함의를 곧바로 알아챘다. 그가 궁금증을 숨기지 못하고 물었다.

"남부에서 첫째가는 거대한 영지에 사는 그대가 바실이 넓다 하여 길을 잃은 것은 아닐 테고, 그렇다면 나는 무슨 일로 찾아온 것이오?"

아스티나는 아까 함을 맡겨 두었던 시녀를 불러들였다. 귀한 것이라 짐작한 것인지 시녀는 몹시도 조심스러운 태도로 물건을 내왔다. 황제가 미간을 좁혔다.

"이게 무엇이지?"

테이블 위로 내려놓은 상자에 모두의 시선이 쏠렸다. 아스티나는 천천히 잠금쇠를 풀었다. 곧 드러난 내용물에 모두에게서 신음 섞인 감탄사가 튀어나왔다.

"이것은……!"

"이게 대체!"

어찌나 놀랐는지 이시스는 자리에서 벌떡 일어서기까지 했다. 잔 가까이로 다가가려던 그녀가 이내 정신을 차리고는 몸을 물렸다. 아스티나는 그녀의 눈동자에 담긴 혼란과 경악을 잠시간 눈에 담았다.

황제 역시 정도만 덜할 뿐 이시스와 같은 반응을 보였다. 그는 아예 잔을 덥석 집어 세세히 들여다보기까지 했다. 믿을 수 없다는 듯 계속해서 잔의 외관을 살피는 황제를 향해, 아스티나가 조곤조곤한 투로 설명했다.

"얼마 전 대공가의 가보를 도둑맞는 사건이 있어 창고를 정리하다가 발견했던 물건입니다."

그에 황제가 도끼눈을 떴다. 다음 대로 넘겨주기 전까지 후계자의 잔은 당연히도 황제의 소유였다. 누구보다 그 잔에 대해 잘 알고 있는 자가 바로 황제라는 뜻이었다. 그가 확인한 바로 이것은 틀림없는 진품이었다.

대공비가 남몰래 알현을 청한 이유가 이것 때문이었던가. 황제가 분노 어린 투로 물었다.

"그렇다면 이것이 대공이 빼돌린 잔이라는 말이오?"

"아닙니다, 이것은 도둑맞은 잔과는 다른 물건입니다."

그러나 아스티나는 웃으며 고개를 저었다. 그에 황제가 의아한 기색을 보였다.

"다른 물건이라니, 그럼 이것이 복제품이라는 말인가? 그렇다면 의미가 없지 않은가."

황제는 실망한 기색을 숨기지 못했다. 그럼에도 그는 잔에서 미련 어린 눈을 떼지 않았다. 그가 보기엔 진품과 다를 바가 없었던 탓이다. 시들해진 음성에도 아스티나는 아랑곳하지 않고 말을 이었다.

"황제 폐하, 저는 벨라체에서 정치학을 이수했습니다. 지나간 역사에 대단한 관심을 가지고 있는 분야이지요. 아카데미에서 저는 교수님을 도와 고문서를 분석하거나 연구에 참여할 일이 종종 있었습니다."

"그대가 수재라는 말은 익히 들었지, 한데 그게 이 일과 당최 무슨 상관인가?"

"언제였는지 자세히 기억나지는 않습니다만, 당시 저는 한 고서적에서 흥미로운 사설을 읽은 적이 있습니다. 그 안엔 후계자의 잔을 쌍둥이 잔으로 추측하는 내용이 담겨 있었지요."

그것이 백 년도 더 전에 읽었던 문서였던 점만 빼면 그럭저럭 사실에 기반한 설명이었다. 덕분에 성의 비밀 통로에서 잔을 발견했을 때 마티나는 그것이 가품이 아님을 확신할 수 있었다.

믿기지 않는 이야기에 황제가 눈을 휘둥그레 뜨며 물었다.

"쌍둥이 잔이라?"

"예, 폐하께서 확인하셨던 대로 진품과 다를 게 없는 물건이 아니었습니까. 저도 이것을 발견하고서야 그때 읽었던 내용의 진위를 확인했지요."

"좀 더 자세히 설명해 보오."

"세세히 생각나지는 않습니다만…… 최대한 기억을 떠올려 설명드리겠습니다. 기록에 따르면 본래 그 잔은 짝이 있는 물건이었습니다. 이는 겔라토 왕국의 역사와 관련되어 있는데, 쌍둥이 아들을 얻은 한 왕이 기쁜 마음에 똑같은 황금 잔을 두 개를 만들어 하사했다고 합니다. 실제로 대부분의 보석 광산이 위치한 테스 지방이 겔라토의 옛 국토에 해당되지요. 보석이 가득 박힌 잔을 제작하는 건 그들에게 그리 어려운 일이 아니었을 겁니다."

"그럼 저 물건이……."

"예, 저는 저것이 발견되지 않았던 두 번째 잔이라고 짐작하고 있습니다. 소실되지 않았던 쪽이 리체드로 왕국에 이어 카라벨라 제국에까지 따라 내려온 것이고요."

황제는 신묘하다는 듯 잔을 세세히 살폈다. 아까는 흥분하여 알아차리지 못했었는데, 대공비가 내온 것은 분실한 쪽보다 확연히 더 보관 상태가 좋았다.

아탈렌타는 대륙 전쟁에 대단한 기여를 했던 가문이었다. 그들 가문의 곳간에도 약탈한 많은 보물이 흘러들었을 것이다. 존재도 인식하지 못하고 고이 보관되어 있었던 물건이라면 이리 반짝일 법도 했다. 아무래도 사람의 손길을 탄 건 황가에 내려오던 잔 쪽이었으니.

"사실 그 내용을 마저 연구하여 잔과 함께 발표할 생각도 했습니다만…… 황가의 불미스러운 일을 수습하는 것이 우선이라 여겼습니다."

아스티나가 수줍은 표정을 지으며 고개를 숙였다. 황제의 얼굴에 감탄이 어렸다.

"황가를 향한 충성이 갸륵한지고."

"필요하시다면 이 잔을 폐하께 드리고 싶습니다. 더 이상 프리모 황자 전하께 불온한 소문이 따라붙어서는 안 되니까요."

잔을 도둑맞은 후, 당연히도 수도에는 프리모에 대한 부정적인 소문이 퍼졌다. 후계자의 잔은 카라벨라 황가와 명맥을 함께하던 보물이었다. 그것이 하필 프리모가 물려받을 때 분실되었음에 사람들은 불길한 징조라 수군거렸다. 프리모가 황제가 될 인물이 아니라 이런 일이 벌어진 것이라며 음모론을 펼치는 자들도 있었다.

후계자의 명성에 흠이 나며 황제의 심려 역시 나날이 깊어 가던 와중이었다. 이 상황을 타개할 구세주가 나타났음에 황제는 만면에 기쁨을 떠올렸다. 불청객을 박하던 태도는 찾아볼 수도 없이, 황제의 눈빛엔 단번에 애정이 어렸다.

"과연 영특하도다."

"폐하의 심려를 덜어 드릴 수 있어 다행이었습니다."

"참으로 고맙소, 대공비. 내 진작 그대와 대공을 궁으로 초청해 이야기를 나누어야 했던 것을. 아들의 신변을 살피느라 바빠 그러지 못했소."

근시일 내엔 대공 부부를 만나 볼 생각도 없었지만, 황제는 최대한 아쉬운 목소리를 지어냈다. 그가 따사로운 눈빛으로 아스티나를 보며 말했다.

"그대가 따로 원하는 것이 있다면 내 무엇이든 들어주겠소."

"그렇다면……."

기대한 바에 아스티나가 은근한 목소리를 내었다.

황제는 긴장하여 대공비의 얼굴을 주시했다. 오늘 대공비는 황가에 그야말로 엄청난 은혜를 베풀었다. 보답으로 어떤 대단한 요구가 나올지 알 수 없어 황제는 내심 긴장했다.

아스티나가 싱긋 웃으며 말했다.

“책을 하나 받고 싶습니다.”

“책이라?”

황당하단 듯 황제의 목소리가 허물어졌다. 자신이 지금 잘못 들은 것은 아닌가. 청력을 의심하는 황제에게 아스티나는 그가 들은 것이 사실임을 확인시켜 주었다.

“정확히 말하면 책은 아닙니다. 방금 말씀드렸듯 저는 역사학에 관심이 있는데, 얼마 전 리체 지방에 있는 블란체 성에서 해독할 수 없는 문서가 발견되었다는 소식을 들었습니다. 혹시 제게 그것을 내려 주실 수 있겠습니까.”

아스티나가 요구한 건 앤서린에게 전해 들었던 예의 그 문서였다. 황제는 기억의 끄트머리에서 겨우 아스티나가 말한 물건의 존재를 끄집어냈다.

블란체는 초대 황제 마티나의 고국이었다. 황가는 여제를 기리는 의미로 블란체 왕궁을 따로 하사하지 않고 직접 관리하고 있었다. 따라서 그곳에서 발견된 문서도 엄연히 말하면 황가의 재산이긴 했다. 즉, 원칙상 대공비가 말한 물건을 얻길 위해선 황제의 승인이 필요하다는 뜻이었다.

그러나 당연히, 해독도 하지 못한 물건보다는 후계자의 잔이 압도적으로 중요했다. 그것이 고고학자들에게 있어 얼마나 귀한 자료인지는 모르겠으나 황제에겐 그저 쓸모도 없는 헌 종이일 뿐이었다. 이것은 도무지 수지가 맞지 않는 거래였다. 황제 쪽이 폭거에 가까운 이득을 본.

말도 안 되는 거래에 황제의 눈이 의심으로 가늘어졌다. 그러나 그는 대공비를 향한 고마운 마음에 곧 미안함까지 더하게 되었다. 대공비는 더없이 총명한 학자의 눈을 하고 있었으니까. 벨라체에서 학업을 잇기가 어렵게 되었으니 개인적인 연구라도 하고 싶었던 것이리라.

황제가 흔쾌히 대답했다.

"좋네, 그대가 보여 준 신의에 대한 보답으로 짐도 최대한 빨리 그것을 구해다 주겠네. 사냥 대회 전까진 받아 볼 수 있을 게야."

어떤 무리한 부탁이 나와도 받아 줘야 하는 입장이었는데, 상대가 참으로 보잘것없는 물건을 청했음에 황제는 몹시 기분이 좋아졌다. 아스티나 역시 들뜬 표정을 내보였다.

"신경 써 주셔서 감사합니다."

"대공은 어디서 이런 복덩이를 얻은 것인지! 그대를 황가의 가계에 들이지 못한 것이 안타까울 지경이야."

황제가 그리 말하며 파안했다. 이시스와 아스티나 역시 그를 따라 적당한 웃음을 흘렸다. 어느 정도 정리된 분위기에 아스티나는 자리에서 일어났다.

"지체하는 시간이 길어지면 이상할 터이니, 저는 이만 돌아가 보도록 하겠습니다."

"그래그래, 대공과 언제 또 찾아오도록 하게. 필히 나눌 이야기가 많겠군."

"예, 이제라도 자주 찾아뵙도록 하겠습니다."

아스티나가 사근하게 웃으며 대답했다. 이시스는 아스티나가 돌아갈 채비를 마치는 것을 잠시간 빤히 응시했다. 곧 이시스도 아스티나를 따라 몸을 일으켰다.

"대화가 즐거운 나머지 저도 모르게 폐하의 귀한 시간을 많이 앗아 버린 듯하군요. 저 역시 이만 물러가 보겠습니다, 폐하."

황제는 후계자의 잔을 매만지느라 객을 붙잡을 정신도 없어 보였다. 아스티나와 이시스는 나란히 밖으로 나왔다. 제시는 주인 옆에 선 이시스를 보고 다소 놀란 듯했지만, 다행히도 별다른 내색 없이 뒤로 따라붙었다.

황제가 기거하는 궁은 가장 큰 규모를 자랑했고, 당연히 밖으로 향하는 복도 역시 길기 그지없었다. 한참을 말없이 걷던 이시스가 먼저 입을 열었다.

"대단하오."

"무엇이 말씀이십니까."

황제와 함께 있을 땐 별다른 말이 없었던 그녀다. 갑작스러운 대화였지만 아스티나는 당황하지 않았다. 이시스가 자신을 따라 나왔을 때부터 예상했던 바였다. 아니, 어쩌면 기다렸던 일이라고 볼 수도 있었다.

"박학함이 학자에 못지않았소. 내 무척이나 감탄했다네."

이시스가 호감 어린 목소리로 말했다. 그야말로 모범적인 황녀의 얼굴이었다. 아스티나는 그 표정이 이시스와 무척이나 어울리면서도, 동시에 몹시 어울리지 않는다고 생각했다.

궁중에선 누구나 가식을 진심처럼 속이고 사는 법이다. 그러나 유독 이시스의 맨얼굴은 호기심을 자아냈다. 아스티나는 아직 이시스의 기저에 깔린 속내를 알지 못했으나, 그럼에도 그녀를 완전히 이해할 수 있으리란 기묘한 예감이 들었다.

아스티나가 말했다.

"황녀님, 아시겠지만 저것은 후계자의 잔이 아니랍니다."

이시스는 벤자민을 끌어들였던 바로 그 자리에 멈춰 섰다. 소리를 죽이면 그 누구도 이야기를 훔쳐 들을 수 없는 곳에.

본능적인 선택이었지만 이시스는 아직 자신을 드러낼 준비가 되어 있지 않았다. 그녀의 얼굴에 약간의 당황과 심려가 떠올랐다.

"무슨 말을 하는지 모르겠군. 아까는 분명 쌍둥이 잔이라 하였던 걸로 기억하는데, 그대가 감히 황제 폐하께 가짜를 내어 드렸단 말이오?"

이시스의 목소리엔 황가가 기만당한 것에 대한 분노마저 서려 있었다. 그러나 아스티나는 그저 담담했다. 그것이 거짓된 분노임을 알았기 때문이다.

"분명 황제 폐하께 말씀드렸던 대로 그 잔이 같은 시대에 같은 방식으로 만들어진 물건은 맞습니다. 겉에 난 흠을 제외하면 아무도 둘의 차이를 구별하지 못할 것입니다. 그러나 그 의미에 있어서는 완전히 다르지요."

과거에 두 번째 잔을 발견하고도 그대로 묻어 두었던 데는 이유가 있었다. 아스티나가 여유로운 미소를 지으며 물었다.

"황녀님은 저 잔이 왜 숨겨져 있었는지 아십니까?"

"그대가 무슨 말을 하는지 모르겠소."

"황녀님, 아시겠지만 왕좌에 오를 수 있는 사람은 하나입니다. 저 잔이 공식적으로 하나만 남겨진 것도 그 이유 때문이지요. 안타깝게도 쌍둥이 잔의 소유주들은 그다지 사이가 좋지 않았답니다. 기나긴 내전을 겪은 이후, 왕위에 오른 것은 형 쪽이었지요. 그는 자신이 지닌 저 아름다운 예술품을 왕의 상징으로 삼았습니다."

아스티나의 이어진 말에 이시스의 가면은 곧 산산이 부서졌다.

"동생은 왕위 싸움에서 패배하여 평생을 동쪽 탑에 갇혀 살았습니다. 잔혹한 왕은 동생에게 주어졌던 황금 잔마저 빼앗아 국고 깊숙한 곳에 처박았지요. 스스로의 것만이 승자의 잔으로 남도록."

말을 마친 아스티나가 음미하듯 이시스의 굳은 모습을 천천히 눈에 담았다. 이시스가 겨우 마른 입술을 열었다.

"……폐하께 내어 드린 것은."

"저는 저 물건이 온당한 자에게 갔다고 생각합니다."

"……."

"잃어버린 잔도, 제 주인을 찾아갔겠지요?"

이시스는 아무 말도 하지 않았다. 아스티나는 그녀의 눈이 전에 없이 차갑게 식은 것을 알았다. 아스티나의 얼굴에 더없이 우아한 웃음이 떠올랐다.

아스티나가 예법의 교본이라고 볼 수 있는, 그림 같은 움직임으로 무릎을 굽혀 인사했다.

"조만간 다시 뵙겠지요, 초대가 늦지 않기를 바랍니다."

아스티나는 그대로 이시스를 지나쳤다. 이시스는 아스티나를 쫓아오지 않았다. 주춤거리던 제시가 황급히 아스티나의 뒤로 따라붙었다. 싸늘해진 분위기에 제시는 남겨진 황녀 쪽을 돌아보지도 못했다.

긴 복도를 지나 아스티나와 제시는 마침내 바깥으로 나왔다. 주변에 사람이 없는 것을 확인한 제시가 급히 물었다.

"대공비 전하, 방금 무슨 말씀을 하신 거예요? 그렇다면 황제 폐하께 내어 드린 게 패배자의 잔이라는 말씀이세요?"

"그래, 리체드로 왕가에서 약탈한 보물의 일부를 눈에 띄지 않는 비밀 장소로 옮겨 두었던 거지. 후대로 가선 옅어진 내력이지만, 전쟁이 벌어진 당시만 해도 그들은 패배자의 잔과 승리자의 잔을 구분할 줄 알았거든."

"하지만, 하지만…… 그럼 왜 그 사실을 알려 드린 거예요? 불경한 짓이라며 고발당할 수도 있잖아요."

"글쎄, 황가로선 분실 사건을 수습하는 게 더 먼저일 게다. 게다가 더 불경한 짓을 저지른 쪽은 따로 있지."

"예?"

아스티나가 걸음을 멈춰 세웠다. 고개를 돌려 뒤편을 확인하자 어느새 입구 쪽으로 나온 이시스가 보였다. 이시스의 시선이 향한 곳은 먼 거리에서도 분명히 알아볼 수 있을 만큼 명확했다.

아스티나가 이시스와 눈을 맞추며 말했다.

"잔을 숨긴 건 이시스 황녀니까."

13. 전략적 협약

13. 전략적 협약

다음 날 후계자의 잔을 되찾았다는 소문이 수도 전체에 파다하게 번졌다. 내용을 정리하자면 훔친 물건을 암암리에 되팔려던 도둑을 대공비가 영민하게 포착하였다는 것이 요지였다. 아스티나는 그에 황제의 입김이 닿아 있음을 어렵지 않게 알아차렸다.

프리모 황자로선 여러모로 면을 구긴 상황이었다. 그리고 아탈렌타가 얼마나 대단한 이름인지는 카라벨라의 국민 되는 모두가 알고 있었다. 황제는 프리모 진영의 손해를 만회하고자 부러 대공비의 존재를 입에 담았으리라. 도둑을 잡은 주체가 대공비가 됨으로써 겉으로 보기엔 프리모가 아탈렌타의 지지를 받고 있는 듯한 그림이 연출되었으니까.

혹시 몰라 벤자민을 핑계 대어 황궁을 찾은 게 의미 없어지긴 했지만, 공적이 가려지지 않았음에 아스티나도 그럭저럭 만족했다.

"부인껜 이제 정말 두 손 두 발 다 들었습니다."

늦은 오후 눈을 뜬 테리오드는 완전히 넋이 나간 표정이었다. 귀족들의 모임이란 보통 저녁부터 시작되기 마련이라 그의 생활 주기도 늦은 시간에 맞춰진 참이었다. 테리오드가 깨어난 것은 아탈렌타가 황가의 더없는 충신으로 변모한 이후였다.

부지불식간에 얻은 영광에 테리오드가 황당한 표정으로 소파에 앉았다. 그가 책상 너머로 아스티나를 넘겨보며 물었다.

"벤자민 황자에게 다녀온다고 하지 않으셨습니까?"

"예, 벤자민도 만났습니다."

벤자민의 방을 벗어나는 데 얼마나 걸렸던가. 아스티나는 서류에서 시선을 떼어 내고는 곰곰이 그 시간을 추론해 보았다. 그녀가 짧게 덧붙였다.

"한 삼십 분 정도는요."

테리오드의 얼굴에 미묘한 화색이 돌았다. 그는 아스티나가 상의 없이 벌인 행동보다는, 벤자민과 오래 어울리지 않았다는 사실이 더 기꺼워 보였다. 뒤늦게 표정 관리를 하긴 했으나 아스티나로서는 그 변화를 뻔히 다 지켜본 후였다.

테리오드가 뒤늦게 의문을 제시했다.

"지난번 프리모 황자의 행동을 불쾌해하셨던 걸로 기억하는데요."

"어머, 카라벨라의 국민으로서 어찌 지엄하신 황자 전하께 반기를 품는단 말씀입니까."

'어머'라는 도통 어울리지 않는 추임새는 그녀가 거짓말을 하고 있다는 방증이다. 아스티나는 말투에 섞인 조롱을 숨길 생각도 없어 보였다. 어차피 집무실엔 그들 외의 다른 사람도 없었지만.

"저는 도무지 부인이 무슨 생각을 하고 계신지 모르겠습니다."

테리오드는 아스티나가 기상천외한 방식으로 프리모를 골리기라도 할 줄 알았다. 그도 그럴 것이 연회에서 보인 냉랭한 기색엔 분명한 적의가 담겨 있었으니까. 한데 그를 견제하기는커녕 후계자의 잔을 찾아 주는 선의까지 베풀다니, 도통 그 이유를 이해할 수 없었다.

"하기야, 밉보여서 득이 될 사람은 아니죠."

테리오드가 어깨를 으쓱이며 말했다. 그는 그녀가 감정보다는 실리를 택했다고 판단했다. 과로가 싫다는 이유로 본인을 내쫓으려 한 가신들도 품었던 여자니까. 그러나 아스티나는 긍정하는 대신 피식 웃어 보였을 뿐이었다.

"이미 대공께서는 꽤나 밉보이신 모양이던데요."

"전 비위 맞추기에 실패했지만, 부인께서 이번 일로 충분히 만회해 주셨지 않습니까."

"그게 주목적은 아니었지만요."

아스티나가 들고 있던 서류를 내려놓으며 자리에서 일어섰다. 대공 부부가 둘 다 집무실로 향했음에 잠시 쉬시라며 하녀가 차를 내온 참이었다. 아스티나는 테리오드의 맞은편에 자리를 잡고 앉았다.

차는 딱 마시기 좋은 온도로 식어 있었다. 아스티나가 향을 음미하며 만족스러운 음성으로 말했다.

"그래도 대공께는 오후에 참석하실 자리에서 꽤나 괜찮은 무용담이 되어 주겠지요."

"제가 따로 할 말이 있겠습니까. 자고 일어나니 부인께서 모든 걸 해치우고 오신 이후였던 것을."

"하지만 모두가 대공을 치하하겠지요. 저는 전하의 부인이니까요."

아스티나의 덤덤한 대답에는 뼈가 담겨 있었다. 그녀의 공적은 아스티나의 것이 아닌 대공비의 것으로 남았다. 잔을 내어 주었을 때에도 황제가 가장 성의를 들여 치하한 건 그녀와 결혼한 대공의 안목이었다.

아스티나는 그것을 가만히 듣고만 있던 이시스의 표정을 떠올렸다. 그 이치를 뼈저리게 느끼다 못해 이용하기로 결심했을 영리한 황녀를.

"그렇다면 제가 더 얼간이처럼 굴어야겠군요. 저는 아무것도 한 게 없으니 말입니다."

아스티나의 말을 이해한 테리오드가 쓴웃음을 흘렸다. 아스티나는 잠시간 대답하지 않았다. 이윽고 그녀가 찻잔을 내려놓으며 말했다.

"만약 제가 프리모 황자에게 도움을 주는 대신 짓궂은 짓을 저질렀다면 어쩌시겠습니까? 이를테면 그에게 굴욕을 안겨 주거나, 대놓고 비웃었다면요."

"그것참……."

"그것참?"

"고소했겠군요."

테리오드와 아스티나가 마주 보며 동시에 미소 지었다. 아스티나가 방금과 비교해 확연히 즐거운 기색으로 물었다.

"새로운 후계자를 원하시나요?"

"글쎄요, 바라 마지않는 일이지만 아무래도 힘들겠지요. 모두 프리모의 휘하로 들어간 데다 황제께서 새로 입적하신 황자마저 계승권을 포기하지 않았습니까.”

테리오드가 입가를 문지르며 대답했다. 맞는 말이었다. 황궁에 더 이상 그와 대적할 수 있는 황자는 없었다.

그러니까, 황자에 한정한다면.

“프리모와 같은 조건에 설 수 있는 사람이 있긴 있지요.”

아스티나가 내색하지 않고 운을 떼었다. 테리오드는 그녀가 누구를 말하는지 곧바로 알아차렸다.

황제의 자식들은 태생 자체로 고귀한 핏줄로 불리지만 그들 사이에서도 우열은 존재한다. 어미가 황제의 총애를 받거나, 혹은 대단한 가문의 출신인 경우 자식들도 완전히 다른 대접을 받았으니까. 그리고 프리모와 동복에서 난 이는 하나였다.

“이시스 황녀를 말씀하시는 겁니까?”

“그녀도 황후의 자식이니까요.”

“이시스 황녀는 프리모의 훌륭한 수족인걸요.”

테리오드가 가당치도 않다는 듯 대답했다. 그것이 이시스가 듣는 정치판에서의 대체적인 평가였다. 아스티나 역시 벤자민의 조언이 아니었다면 이시스의 속내를 알아채지 못했을 것이다. 황녀는 그만큼이나 스스로의 존재를 잘 지워 내고 있었다.

아스티나는 궁금해졌다. 이시스가 마침내 자신을 드러내기로 결심할 때, 그녀는 과연 목표를 이룰 수 있을까.

“물론 이시스 황녀가 대단한 인물인 건 사실이지요.”

테리오드가 그리 말하며 아스티나의 빈 찻잔에 차를 따라 주었다. 옅은 노란색의 액체가 잔잔히 차올랐다. 찻잔 속 소용돌이에 시선을 주던 아스티나가 불쑥 물었다.

"대공, 제가 어디까지 대공의 권한을 빌려도 되겠습니까?"

두루뭉술한 질문에 테리오드는 고개를 들어 아스티나를 응시했다. 그는 그 뜻을 파악하려 잠시간 그녀의 얼굴을 살피다가, 이내 그만두었다. 그런 탐색이 필요 없다는 생각이 든 탓이다. 테리오드가 망설임 없이 대답했다.

"이상한 말씀을 하십니다. 부인께서 임시직을 자처하셨을 뿐, 원래대로라면 그대는 엄연한 아탈렌타의 주인인 걸요."

"원래대로라……."

"예, 부인께서 저를 떠나시지 않는다면요."

그가 말하는 '부인'이라는 단어에선 은근한 소유욕이 느껴졌다. 확답할 수 없는 문제에 아스티나는 입을 다물었다. 요즈음 그녀는 계속해서 그를 떠날 계산만 하고 있었으니까. 수도에 온 이후 그녀가 온갖 고서적을 헤집고 있는 이유를, 테리오드도 모르지 않을 것이다.

상대의 침묵에 테리오드는 자연히 애가 탔다. 테리오드가 조급히 그녀의 이름을 불렀다.

"아스티나, 나의 부인."

테리오드는 그 호칭에서 안정을 얻었다. 평생토록 그녀의 녹색 눈을 보며 하염없이 이름을 부르고픈 심정이다. 그녀는 요즈음의 자신이 차라리 저주받은 몸을 달가워하고 있다는 사실을 알까. 병증을 해결하기 전까지 대공가를 떠나지 않겠다던, 그녀의 말뿐인 약속 단 하나 때문에.

테리오드는 아스티나가 자신의 심정을 이해하지 못하리라 생각했다. 그도 스스로가 정상은 아니라고 여겼으니까. 그는 이 감정을 잘 다듬고 벼려 내, 가장 아름다운 부분만을 그녀에게 보여야 했다.

테리오드는 팔을 뻗어 찻잔을 쥔 그녀의 손을 겹쳐 쥐었다. 데워진 향기의 온기만큼이나 그녀의 손도 따듯했다. 테리오드의 눈에 한정 없는 애정이 담겼다. 테리오드가 진심을 담아 신실한 음성으로 고백했다.

"약속드립니다. 그대가 바라는 것, 원하는 것, 갖고 싶은 것. 그것이 무엇이 되든 그대에게 가져다 바치겠습니다."

그녀만을 향한 신뢰 넘치는 눈빛, 다정한 미소, 그리고 겹쳐진 손의 미세한 떨림.

"그것이 내게도 기쁨이 될 것입니다."

아스티나는 본능적으로 직감했다. 다음 순간 이어질 말을 결코 들어서는 안 된다는 사실을.

아스티나가 짧은 숨을 들이켜며 입을 열었을 때였다. 문 너머에서 노크 소리가 들려왔다. 아스티나의 어깨가 굳었다. 그녀는 테리오드에게 잡힌 손을 다소 매정하게 빼어 냈다. 다행히 들어오라 전하는 목소리는 그럭저럭 들어 줄 만했다.

테리오드가 머쓱한 기색으로 입가를 문질렀다. 아스티나는 아쉬움이 담긴 그의 표정을 보지 않기 위해 애썼다.

"대공비 전하. 황제 폐하께서 내리신 서적이 도착했습니다."

집무실로 들어온 하녀가 공손히 고개를 숙였다. 자리를 피할 확실한 변명이 생겼음에 아스티나는 내심 안도했다.

"생각보다 일찍 도착했군."

"해석에 진전이 없어 벨라체 아카데미에 자문을 얻고자 마침 수도로 이송된 상태였다고 합니다."

"잘됐군, 지금 가지. 대공, 그럼 저녁에 다시 뵙겠습니다."

아스티나가 자리에서 일어섰다. 그녀는 테리오드가 붙잡기도 전에 서둘러 집무실을 나왔다. 아스티나가 하녀에게 딱딱한 목소리로 물었다.

"물건은 어디 있지?"

"전달하러 오신 분이 응접실에서 기다리고 계십니다. 안내해 드릴까요?"

"아니, 됐어. 혼자 가지."

평소 온화했던 주인이 내보이는 낯선 냉기에 하녀가 주춤했다. 아스티나는 하녀를 뒤로하고 빠르게 복도를 가로질렀다. 피가 배어 나올 정도로 입술을 짓씹었다. 아우성치는 속내를 혀 아래에 가둬야 했으니까.

'뭐라고 대답하려고 했지?'

말해 봐, 아스티나. 아니, 마티나인가?

'대답을 돌려주려고 한 건 어느 쪽이야?'

그 순간 자신이 보고 있었던 건 정말 테리오드가 맞았나.

응접실 앞에 다다라 아스티나는 걸음을 멈춰 세웠다. 커다란 문을 밀고 들어가기 전 길게 숨을 들이켰다. 다행히도 두방망이질 치던 심장은 머지않아 가라앉았다.

아스티나는 차가워진 손끝으로 눈가를 눌렀다. 그녀가 스스로에게 되새기듯 중얼거렸다.

"다 끝난 일이야."

반복된 다짐은 효과가 있었다. 응접실 문을 열고 들어선 것은 평소와 같은 얼굴의 아스티나였다. 소파에 앉아 있던 상대가 그녀를 맞으려 자리에서 일어섰다.

황궁의 시종처럼 보이지는 않았다. 물건이 벨라체로 옮겨졌었다고 하니 아카데미에서 나온 사람일까. 그가 정중히 모자를 벗으며 스스로를 소개했다.

"처음 뵙겠습니다, 대공비 전하. 벨라체 아카데미에서 나왔습니다. 앨리쉬 발디입니다."

"먼 길 찾아오시느라 고생하셨소. 내 바쁘신 학자님들을 귀찮게 한 건 아닌가 모르겠군."

"아닙니다, 전해 드릴 물건과 함께 아주 극진한 대우를 받으며 이동한 참이랍니다."

아스티나가 자리에 앉자 그가 호감 어린 미소를 지으며 들고 온 물건을 꺼내 들었다. 꽤나 조심히 보관한 듯 포장은 여러 겹으로 이루어져 있었다. 그가 겉 매듭을 풀며 활달한 음성으로 말을 붙였다.

"사실 황궁 측에서는 물건을 직접 전달하기를 원하셨는데, 오래된 종이란 게 워낙 섬세한 보관을 요하는 물건이지 않습니까."

"그렇지."

아스티나가 성의 없이 대꾸했다. 그가 문서를 옮기는 데 들인 노력이 애석하게도, 아스티나는 이것을 그리 소중히 대우해 주지는 않을 생각이었다. 그녀의 시큰둥한 기색에 남자는 다소 머쓱해졌다.

대공비가 무려 후계자의 잔을 찾은 포상으로 요구했다는 책이다. 그렇게까지 대단한 물건은 아니니 대단한 건 연구를 향한 대공비의 열의 쪽이리라. 그리 짐작하며 대공저를 찾았거늘 막상 마주한 대공비의 표정은 딱딱하기 그지없었다. 분위기를 띄우려 몇 마디를 주워섬기던 그가 싸늘한 반응에 결국 풀 죽은 얼굴로 일어섰다.

"그럼 저는 이만 돌아가 보겠습니다."

"귀한 물건을 전하느라 고생이 많았소. 그럼 살펴 가시오."

아스티나는 딱 지켜야 할 만큼의 예의만을 내보였다. 차를 한 잔 내어 줄 수도 있었겠지만, 아스티나로서는 내용물을 확인하는 게 먼저였다.

마침내 남자가 떠나고 아스티나 혼자 남았다. 그녀는 앞에 놓인 작은 함을 열고는 책을 꺼내 들었다. 기실 책이 아닌 기록이었고, 문서보다는 수기에 가까운 물건이었다.

앞면에는 앤서린이 말했던 대로 '차르'라는 글자가 새겨져 있었다. 아스티나는 천천히 이름이 적힌 부근을 쓸었다.

"차르라."

과연 물건의 주인은 예상대로였다.

왈도는 어렸을 적부터 왕이 될 인재라 추앙받으며 자랐다. 그의 어미가 아들에게 지어 부른 무엄한 애칭만 봐도 알 수 있는 사실이다. 왕을 뜻하는 이국의 단어는 곧 왈도의 정체성으로 자리 잡았다. 장난스럽게 그를 차르라고 칭하던 오랜 수하들의 목소리가 귓가에 울리는 듯했다.

짙은 붉은빛이었던 겉표지는 이제 갈색에 가깝게 변색되어 있었지만, 그녀가 기억하는 과거의 외관과 완벽히 일치했다. 앤서린에게 소식을 들었을 때부터 확신했다. 이것이 원수의 물건이라는 사실을.

왈도의 소지품을 기억하는 건 마티나가 머문 것이 다름 아닌 그의 침실이었기 때문이다. 끊이지 않는 불면에 졸린 눈을 들던 늦은 밤, 마티나는 종종 깃펜을 든 왈도를 발견하곤 했다. 알 수 없는 글자였지만 하루의 끝에 적어 나가는 것을 보아 일기가 아닌가 짐작했을 따름이었다.

그 선연한 과거의 흔적은 잠깐의 꿈결 같은 감상에서 그녀를 일깨웠다. 싸늘한 물속으로 뛰어들기라도 한 기분이었다.

“이게 이제야 발견되다니.”

아스티나가 쓰게 웃으며 책장을 펴 들었다. 마티나는 여러 나라의 글자를 익혔지만 어디까지나 권력을 얻은 다음의 일이었다. 왈도의 침실에서 기회를 보던 때만 해도 그녀의 켈튼어 실력은 인사말을 건네는 수준에 그쳤다. 당시 알아보지 못했던 글자가 이제는 속속들이 읽혔다.

‘독수리, 날개, 소젖, 울고 꽃 뽑기. 이런 식의 말도 안 되는 내용이 적혀 있다고 하더군요. 연구자 친구의 앓는 소리를 들어 주느라 저도 아주 정신이 없었습니다.’

내용은 앤서린이 말했던 대로였다. 그러나 아스티나는 두서없는 단어들 사이의 행간을 읽을 줄 알았다. 맥락 모를 말들이 적혀 있는 건 그것이 본 내용이 아니기 때문이다.

아스티나는 왈도의 일기가 군사 기밀을 남기는 방식의 일종으로 쓰여 있음을 금방 알아차렸다. 전쟁학과 사장된 언어를 익히는 이들이 분리된 시대다. 언어학만을 공부한 자라면 해석하지 못할 법도 했다.

양쪽 모두에 박학한 그녀는 어렵지 않게 내용을 해독해 냈다. 아스티나는 글자 위로 손을 짚으며 한 문단을 읽어 내렸다.

[야만족 계집이 곡기를 끊었다. 이대로 죽어 나갈 셈인가? 찢어 죽이겠다고 협박할 동포가 없는 게 안타까울 지경이다. 잠자리에 들었다가 내게 토악질을…….]

아스티나는 큰 소리가 나게 책을 덮어 버렸다. 팔이 벌벌 떨렸다. 하필 이런 문단을 고른 불운을 탓해야 할지, 아니면 차라리 빠른 파악을 달가워해야 할지 알 수 없었다. 예상대로 이건 왈도의 일기였고, 아스티나가 염려한 문제가 바로 그것이었다.

이건 치욕의 기록이다.

만약 그녀 아닌 누군가가 이 책을 해독했다면 이후 벌어질 일은 뻔했다. 종이 속의 여제는 오로지 자랑스러운 연구 결과로서 학회에 발표됐을 것이다. 마티나가 얼마나 끔찍한 일을 당했고 왈도가 어떻게 그녀를 조롱해 왔는지를, 가해자 본인이 묘사하는 더없이 구체적인 방식으로.

아스티나는 이 일기를 아무도 해석해 내지 못했음에 깊은 안도를 느꼈다. 그녀는 자신의 굴욕을 그 누구도 보지 않았으면 했다. 왈도가 저질렀던 일은 이미 모두가 알고 있는 바나 그 불행의 방식까지 세세히 전시하고 싶지는 않았다.

아스티나는 책을 도로 함에 넣고는 응접실 바깥으로 나왔다. 모두 태워 버리고 싶은 심정이었지만 황제가 선물한 물건의 행방이 묘연해져서는 곤란했다. 그녀는 책을 개인 금고에 보관해 두고 다시는 펼치지 않을 생각이었다.

마침 복도를 지나던 하녀가 대공비를 발견하고는 놀란 걸음을 멈춰 세웠다.

"대공비 전하, 안색이……."

하녀가 저도 모르게 입을 막았다. 주제넘은 참견이었다는 데 생각이 미친 탓이다. 하지만 무심코 알은체를 해 버렸을 정도로 대공비의 얼굴은 파리하게 질려 있었다. 아스티나가 부스러질 듯한 미소를 보이며 말했다.

“침실에 간단히 술상을 내어 주겠니? 폐하께서 포상을 내리신 기쁜 날이니 취하고 싶구나.”

테리오드는 어색하게 거울을 살폈다. 머리칼에 내려앉은 낯선 빛깔이 영 익숙해지지 않았던 탓이다. 평생 물들인 적 없는 머리라도통 이질감이 가시질 않았다.

테리오드는 이마를 가린 검은 머리카락을 쓸어 넘기고는, 그대로 떨어지지 않는 걸음을 옮겼다. 더 이상 지체할 수 없을 만큼 약속시간이 가까워져 있었다.

테리오드가 불안한 기색으로 넌지시 물었다.

“정말 괜찮은가?”

“물론입니다, 미남은 어떻게 꾸며 놓든 미남인 법이라지요.”

올리버가 근엄하게 답했다. 주인을 향한 콩깍지 섞인 시각을 제하고서라도 흑발은 테리오드에게 썩 잘 어울렸다. 원래부터 그랬다고 해도 믿을 성싶은 자연스러운 모습이었다. 테리오드의 때아닌 멋부림에는 집사의 부지런함이 팔 할 정도 기여했다.

‘……내 머리카락 말일세, 검은색으로 물들여 보면 어떨 것 같나?’

긴 탐문 끝에 테리오드가 부인의 흑발 취향을 알게 된 날, 올리버에게 남겼던 질문은 의외의 순간 더없이 성실한 답변으로 돌아왔다. 외출 준비를 시작하려는 테리오드에게 집사가 불쑥 이렇게 물어 왔던 것이다.

'참, 전에 말씀하셨던 염색약을 구비해 두었는데요, 한번 해 보시렵니까?'

말만 해 보았을 뿐, 정말 머리를 물들일 생각은 아니었던 테리오드는 당황했다. 그러나 그는 곧 생각을 고쳐먹었다.

아까 분위기를 타 시도했던 고백은 하녀의 방해 탓에 실패로 돌아간 상황이었다. 충동적인 결심이었던지라 뒤늦게 아차 싶었으나, 동시에 조금은 아쉽기도 했다. 그가 마음을 자각한 뒤로도 꽤나 많은 시간이 흐른 후였다. 그리고 안타깝게도 그들 부부 사이의 진도는 0에 수렴했다.

본래 테리오드는 느긋하게 여유를 가지고 아스티나에게 접근할 생각이었다. 그 여유엔 그녀의 남편은 결국 자신이라는 약간의 자만이 섞여 있었다.

그리고 테리오드의 안이함은 수도에 온 이후 그야말로 산산이 부서졌다. 벤자민이라는 라이벌의 등장은 테리오드에게 있어 큰 자극이었다. 친구라던 놈조차 저돌적으로 고백하는 상황에 남편인 대공이 물러설 수는 없었다.

'그리 낙관적인 상황은 아니지만.'

테리오드는 자신의 고백이 받아들여질 가능성이 몹시 낮다고 판단했다. 그의 부인은 도통 사람 간의 정을 모르는 사람이었으니까. 그러나 거절당할지라도, 그녀가 그의 마음을 인지하고 있는 것과 아닌 것에는 크나큰 차이가 있을 터다.

테리오드는 적어도 아스티나가 자신을 이성적으로 인식하게 되길 바랐다. 그러기 위해선 그녀에게 선택받을 이유를 조금이라도 늘려야 했다. 그녀의 머리 색 취향까지 기억하고 있다는 정성을 내보이면 그녀도 감동받지 않을까. 테리오드는 새로 단장한 머리보다는 아내의 반응 쪽을 더 기대했다.

다행히도 결과는 안정적인 성공이었다. 기실 올리버는 주인이 반짝이는 분홍색 머리칼을 가지고 있더라도 전혀 위화감이 없으리라 생각했다.

"한데 참으로 감쪽같군. 어떤 재료가 쓰인 거지?"

테리오드의 치하에 올리버가 기다렸다는 듯 온갖 해괴한 재료들을 읊기 시작했다.

"기름에 데운 새끼 사슴의 뿔과 게의 담즙, 말린 올챙이나 고양이의 자궁 등등의……."

"진심인가?"

"……재료가 사용되었던 것은 꽤 옛일이지요. 안심하시고 외출하십시오."

이어진 해명에 테리오드의 굳은 얼굴이 안도로 풀어졌다. 피식 웃은 그가 성큼 걸음을 디뎌 마차에 올랐다.

"언제 귀가하실 예정이십니까?"

"자정을 넘기진 않을 거야, 부인께서 저녁에 다시 보자 하셨으니."

테리오드가 꽤나 즐거운 음성으로 대답했다. 올리버 역시 흐뭇한 표정으로 마차 문을 닫아 주었다. 부디 대공의 정성을 대공비도 알아주길 바랄 뿐이었다.

염색 탓에 시간이 지체되긴 했지만 눈에 띄는 지각은 아니었다.

그럼에도 실내로 들어선 테리오드에겐 다수의 시선이 쏠렸다. 유행의 선도주자를 자처하는 몇몇 귀족들은 잠깐의 여흥으로 머리를 물들이곤 했다. 대부분은 테리오드의 변화도 그러한 의도로 이해했다. 대공이 아내의 말 한마디에 머리 색을 바꾸었다는 사실을 짐작하는 이는, 당연히 아무도 없었다.

가장 먼저 대공에게 다가온 남자가 재빠른 아부를 남겼다.

"아이고, 이제 이 말 빠른 수도에서 또 흑발이 유행하겠군요."

말뿐인 아첨은 아니었다. 대공은 온갖 미사여구가 아깝지 않은 외모의 소유자였으니까.

그를 기점으로 테리오드에게 다가온 모두가 칭찬을 던지기 시작했다. 이번 모임의 화제는 단연코 테리오드의 흑발이었다. 개중 예술품 감정에 관심이 있는 귀족 하나는 이렇게 감탄했다.

"이렇게 보니 마치 테오도르 왕의 현신 같으십니다."

그가 입에 담은 건 역사적으로도 유명한 인물이었다. 테리오드는 곧바로 눈썹을 들어 올렸다.

"테오도르? 블란체의 마지막 왕 말인가?"

"예, 미술에 조예가 있어 일전에 한 번 그의 초상을 본 적이 있지요."

"패국의 마지막 왕이라니, 저주 같은 말이 아닌가."

테리오드가 꺼림칙한 목소리로 대꾸했다. 테리오드의 낯에 자연히 탐탁잖은 기색이 떠올랐다. 테오도르 왕이라면 충신 마티나를 오해하여 반역도로 몰았던 얼간이가 아니던가. 심지어 그의 말년은 비참하기 그지없었다. 아등바등 지키려 했던 왕좌 위에서 결국 참혹한 죽음을 맞았으니까.

테리오드의 말에 상대가 당황한 듯 허둥거렸다.

"아이고, 무척 아름다운 초상이었습니다. 칭찬일 따름이지요."

"되었네, 못 들은 것으로 하겠어."

테리오드가 떨떠름한 기색으로 말을 돌렸다. 상대는 쓸데없는 알은체를 한 자신의 입을 저주했다. 앞선 이들이 별별 감언이설을 다 쏟아 놓고 갔던 통에 새로 꺼낼 주제가 마땅치 않았던 것이다. 분위기 파악을 하지 못한 죄로 남자는 모임 내내 테리오드의 기분을 살펴야 했다. 정작 테리오드는 앞선 일을 금방 잊어버린 후였지만.

간단한 사교 모임이었으므로 테리오드는 자정이 되기 전 밖으로 나왔다. 자택으로 돌아가는 밤길, 바닥의 요철에 따라 마차가 느리게 진동했다. 테리오드는 말없이 창밖을 내다보았다. 아름다운 달빛이 묘하게 그의 가슴을 어질렀다. 아내의 얼굴을 볼 것을 생각하니 괜스레 설레 왔던 탓이다.

'잘 어울린다 칭찬할까.'

모임에서 많은 칭찬을 얻어 들었던 관계로 그는 어느 정도 자신감을 얻은 상태였다. 하지만 가장 궁금한 건 아무래도 아스티나의 반응이었다.

'웬 멋부림이느냐 웃을 수도 있지.'

그럼 자신은 멋쩍게 웃으며 말하는 것이다. 부인 취향에 맞춰 보려 힘을 좀 썼지요.

밤의 저택은 조용했다. 테리오드는 침실을 향해 서둘러 계단을 올랐다. 다만 안으로 들어가기 전, 그는 얼간이처럼 복도에 걸린 거울에 몇 번 얼굴을 비춰 보았다. 권유를 피하지 못해 마셨던 술 때문에 뺨이 불콰해져 있는 걸 빼면 그럭저럭 봐 줄만 했다. 가볍게 숨을 들이쉰 그가 문고리를 잡았다.

문을 열고 들어가자 알코올 냄새가 물씬 풍겼다. 빈 포도주 병이 바닥을 굴렀으며 탁상 위엔 손도 대지 않은 치즈가 늘어져 있었다. 테리오드는 의외의 광경에 멈칫했다가, 이내 그 모든 걸 뒤로하고 황급히 테라스로 다가섰다. 난간 위에 올라서 비틀거리고 있던 인영을 발견했기 때문이다.

아스티나는 얇은 슬립만 걸치고 머리를 풀어헤친 채였다. 붉은 얼굴이나 젖은 눈가엔 취기가 여실했다. 흰 맨발이 디디고 있던 나무 판자 위를 느리게 쓸었다. 때마침 불어온 바람에 얇은 치맛자락이 휘날렸다. 밤하늘을 배경으로 선 그녀는 신비스럽고, 동시에 몹시 위태롭게 보였다.

테리오드가 놀란 음성으로 말했다.

"지금 뭐 하는 겁니까? 위험하게. 내려와요."

테리오드의 말에 아스티나가 고개를 돌렸다. 테리오드를 발견한 그녀의 얼굴이 놀람으로 굳어졌다. 그녀가 두어번 입술을 벙긋였다. 이윽고 미세하게 갈라진 목소리가 들려왔다.

"테오?"

그녀가 한 번도 사람인 자신에겐 불러 준 적이 없는 애칭이다. 테리오드는 잠시 당황했으나, 급히 고개를 끄덕였다. 그녀를 내려오게 하는 게 먼저였기 때문이다.

"그래요, 납니다."

그녀가 꿈인가……. 하고 들릴 듯 말 듯 하게 중얼거렸다. 위태로운 모양새에 테리오드가 재차 내려오기를 재촉했다.

"얼른 내려와요."

그에 아스티나가 부스스한 웃음을 터트렸다.

"이러면 기분이 좋잖아."

"……취했습니까?"

"바보."

그녀는 혀로 사탕을 굴리듯 장난스러운 발음을 내었다. 결국 테리오드는 아스티나의 손목을 쥐고 확 잡아당겼다. 중심을 잃은 아스티나가 그에게로 쏟아졌다. 테리오드는 자신에게 안겨 든 그녀를 잠시간 놓지 않았다. 붉은 머리카락에선 그 짙은 색만큼이나 달콤한 포도주 냄새가 났다.

아스티나는 테리오드를 밀쳐 내는 대신 그를 마주 끌어안아 주었다. 예상치 못한 행동에 테리오드의 등이 당황으로 굳어졌다.

아스티나가 다정하게 속삭였다.

"기다렸어, 나의 주군."

처음 듣는 친절하고 상냥한 목소리였다. 테리오드는 그녀가 되도록 밖에선 만취하는 일이 없게 막아야겠다고 생각했다. 황실을 코앞에 두고 대공을 주군이라고 칭하다니, 타인이 들었다면 황실 모독죄로 취급했을 법한 일이다. 테리오드가 당황을 숨기며 지적했다.

"불충합니다."

"싫지 않으면서."

아스티나가 테리오드의 목덜미에 코를 묻으며 말했다. 살갗에 닿는 그녀의 숨결은 테리오드에게 너무도 자극적이었다.

테리오드는 뛰는 심장을 진정시키기 위해 애썼다. 느리게 움직이는 손끝이나 묘하게 휘청이는 움직임은 분명 취한 자의 것이었다. 술이 부린 마법을 기회로 여겨서야 되겠는가.

테리오드는 조심스럽게 손을 뻗어 그녀를 제게서 떨어뜨렸다. 잠자코 멀어지는 듯하던 그녀가 짝 소리를 내며 두 손으로 테리오드의 뺨을 감쌌다. 예상치 못한 공격에 테리오드는 굼뜨게 두 눈만 깜빡였다. 그에 허리를 숙이며 웃던 아스티나가 고개를 들고는 그의 입술을 삼켰다. 당연히도 테리오드는 피하지 못했다.

가볍게 맞닿고 떠날 줄 알았던 입술은 의외로 오래 그의 숨결 위에 머물렀다. 테리오드는 엉거주춤하게 몸을 숙인 자세를 유지했다. 그의 입술을 가볍게 빨아들인 아스티나가 이어 진득하게 혀를 얽었다. 음, 음, 음. 입 안 여린 살 어느 한 부분을 건드릴 때마다 각기 다른 음계가 울렸다.

마침내 서로의 숨이 떨어져 나갔을 때, 테리오드의 얼굴은 완전히 붉어져 있었다. 아스티나는 의심 어린 시선으로 그의 눈을 들여다보았다. 그녀가 어딘지 석연치 않은 음성으로 중얼거렸다.

"꿈이라기엔 감촉이 있는데……."

"꿈 아닙니다."

테리오드가 조금은 볼멘 음성으로 답했다. 아스티나가 눈을 크게 뜨더니 곧 미소 지었다.

"진짜 같네, 정말."

테리오드는 그녀를 이해시키기를 포기했다. 그는 테라스 바닥에 나동그라졌던 신발을 줍고는 무릎을 굽혔다. 아스티나는 의외로 그에게 순순히 발을 내밀었다. 신발을 다 신겨 준 그가 몸을 일으켰다.

"이만 침대로 가서 누워요."

"왜 존대를 하고 그러지? 안 어울리게."

확실히 부부 관계에선 남편이 아내에게 하대하는 경우가 태반이었다. 그러나 테리오드는 아스티나를 낮춰 부르고 싶은 생각이 전혀 없었다. 그는 아스티나의 말을 무시하고 테라스의 문을 닫았다. 찬 밤바람을 맞았다가 감기에 들 것을 염려한 탓이었다.

테리오드는 아스티나를 침대로 이끌었다. 잠자코 시키는 대로 눕는가 싶더니, 아스티나는 침구를 정리하는 테리오드를 빤히 올려다보았다. 테리오드는 그녀의 시선을 피하며 이불을 발끝까지 덮어 주었다. 사실, 아스티나만을 위한 일은 아니었다.

그대로 몸을 물리려는 테리오드에게 아스티나가 손을 뻗었다. 테리오드가 의아한 눈으로 붙잡힌 팔을 쳐다보았다. 아스티나가 약간 쉰 듯한 목소리로 속삭였다.

"고개 숙여요, 테오."

테리오드는 엉겁결에 그녀의 입가에 귀를 가져다 댔다. 무언가를 속삭이기라도 할 줄 알았던 탓이다. 그러나 아스티나는 그의 귓가에 밀어를 흘리는 대신 보다 직접적인 온기를 전했다. 귓불이 깨물린 테리오드가 놀라 몸을 굳혔다.

아스티나가 스치듯 웃으며 그를 잡아당겼다. 테리오드가 아까 난간 위에 있던 아스티나를 끌어안았던 것처럼, 이번엔 테리오드가 그녀에게로 쏟아졌다. 그를 침대로 끌어들인 아스티나가 자연스럽게 그의 위로 올라탔다. 영문 모를 상황에 테리오드가 눈을 크게 떴다. 그가 곤혹스러운 음성으로 말했다.

"지금, 이게 무슨……."

"뭐긴 뭐겠어."

아스티나가 그의 말을 자르며 슬립을 벗어 던졌다. 테리오드는 기겁하여 눈을 질끈 감았다.

"잠시만, 잠깐만요. 대체 이게 무슨 짓입니까."

"왜?"

"이, 이 이러면 안 됩니다."

"우리 사이에?"

아스티나가 별 재미있는 말을 다 들었다는 듯 코웃음 쳤다. 그러고는 고개를 숙여 그의 목덜미에 입을 맞추었다. 가슴팍을 가로지르는 부드러운 입술에 테리오드는 거의 죽을 맛이었다.

물론 그녀의 말이 틀리지는 않았다. 그들은 부부 사이였고, 어찌 보면 잠자리는 너무도 당연한 일이었다. 그러나 테리오드가 꿈꿔왔던 그녀와의 초야는 이런 게 아니었다. 무엇보다 그들은 마음이 통한 적도 없지 않았나. 첫날밤을 이런 식으로 취중에 날림으로 보내게 될 줄, 그는 꿈에도 예상하지 못했다.

테리오드는 그녀가 완전히 만취한 건 아닌가 의심했다. 그러나 그녀는 그녀의 남편을 몹시도 잘 알아보고 있었던 데다, 건장한 사내를 쓰러트렸을 정도로 몸도 제대로 가누고 있었다. 테리오드는 어쩌면 자신이 그녀보다 더 취해 있을지도 모른다고 생각했다. 도통 머리가 평소처럼 굴러가질 않았으니까. 생각이 온통 어지러웠다.

하지만 그렇다고, 이런 식으로 초야를…….

"사랑해."

때마침 아스티나가 속삭였다. 테리오드는 헐떡이던 숨을 들이켰다. 그 말이 마침내 테리오드를 함락시켰다. 항복이었다. 테리오드는 숨이 멎을 듯한 기분으로 고백했다.

"제가 더 사랑할 겁니다, 분명."

테리오드가 계획했던 분위기 있는 고백도, 만개한 꽃다발과 귀를 간지럽게 하는 음악도 없었다. 그럼에도 아스티나는 더없이 행복한 얼굴로 환히 웃었다. 그녀를 올려다보던 테리오드가 곤혹스러움에 그대로 몸을 굳혔을 정도로. 아스티나는 허리를 숙여 남자에게 사랑의 키스를 남겼다.

그 밤……

아스티나는 그와 잤다.

✣ ✣ ✣

"왕이여."

마티나의 부름에 테오도르가 고개를 들었다. 그는 깃펜을 끼적이는 손을 멈추지 않고 되물었다.

"왜 그러지?"

마티나는 그 무성의한 응대에 다소 실망했다. 하지만 기껏 했던 결심을 무르고 싶지는 않았다. 며칠 밤을 고민하고 그의 얼굴을 훔쳐보고, 말도 안 되는 서류의 결재를 부탁하며 집무실을 찾길 여러 번, 마침내 그녀가 고백했다.

"제가 주군을 사랑하는 것 같습니다."

테오도르는 대답하지 않았다. 잠시 멍하니 마티나를 쳐다보던 그가 "그렇군." 하고 들릴 듯 말 듯 하게 중얼거렸다. 동시에 테오도르는 생각했다.

'꿈인가?'

테오도르는 깃펜을 내려놓고는 책상 가장자리에 두었던 찻잔을 들었다. 그가 느리게 차를 삼켰다.

뜨거웠다.

"쿨럭, 쿨럭!"

테오도르의 목에서 기침이 터져 나왔다. 눈을 크게 뜬 그가 자리에서 벌떡 일어났다. 그 무서운 기세에 마티나가 놀라 저도 모르게 걸음을 물렸을 정도였다. 테오도르가 마티나를 다그치듯 물었다.

"지금 뭐라고 했나?"

"제가 주군을…… 사랑하는 것 같다고 했습니다."

마티나는 당황했지만, 방금 했던 고백을 다시금 친절히 읊어 주었다. 테오도르가 흉흉하게 되물었다.

"신하로서?"

"연심으로."

마티나가 짧게 대답했다. 무슨 말도 안 되는 질문을 하냐는 듯한 눈빛으로 테오도르를 응시한 채였다. 테오도르는 황당한 표정을 지었다. 그가 오른손을 들어 느릿하게 제 뺨을 문질렀다.

"아니, 대체 언제부터……."

"저도 잘 모르겠습니다. 다만—"

"다만?"

마티나는 입을 다물었다. 테오도르의 반응은 아무리 봐도 기쁨이나 설렘과는 거리가 멀었다. 그녀는 연심을 해명하고 있는 스스로의 처지가 퍽 한심하다고 생각했다. 어쩌다 저 남자를 사랑하게 되었을까. 마티나는 결국 한 발짝 뒤로 물러섰다.

"무리한 답을 요구하는 게 아닙니다. 제 충정은 다른 문제이니 괘념치 마십시오."

테오도르는 황급히 무언가를 말하려다 말고 재차 기침을 터트렸다. 사레라도 들린 듯했다. 마티나의 표정은 점점 더 오묘해졌다.

"곤란한 말씀을 드렸나 봅니다."

그녀가 자조하듯 말했다. 적어도 거절만이라도 상냥했다면 좋았을 것을, 그녀의 마음을 전혀 상상하지 못했다는 듯한 태도에 마티나도 상처를 받았다. 마티나는 허리 굽혀 인사하고는 문가로 향했다. 오늘은 자택에 둔 가장 비싼 술이라도 개시해야 할 듯했다.

"잠깐, 잠깐!"

테오도르가 책상을 뛰어넘다시피 하여 마티나에게 다가왔다. 마티나는 문을 열려다 말고 당황하여 멈춰 섰다. 테오도르는 그녀가 나가지 못하게 아예 문 앞을 막아섰다. 그가 다급하게 물었다.

"왜 도망가지?"

"……모르겠습니다."

테오도르는 아예 팔짱을 끼고 벽에 기대어 섰다. 어느새 평온을 되찾은 표정이었다. 그가 평소처럼 여유로운 투로 물었다.

"짐의 어디가 좋은지 말해 보시오, 명령이니."

그 장난스러운 태도에 마티나가 눈썹을 들어 올렸다.

"월권이십니다."

"왕에게 속내를 숨기다니, 이도 넓게 보면 반역이 아닌가?"

테오도르가 짐짓 그녀를 꾸짖듯 대꾸했다. 어쩐지 장난 없이 넘어간다고 했다. 결국 마티나는 그를 노려보기 시작했다. 그녀가 가시 돋힌 목소리로 쏘아붙였다.

"솔직히 간언하자면 저도 잘 이해가 안 갑니다."

"짐이 사랑받을 만한 사람이 아니라는 뜻인가?"

테오도르가 은은히 웃으며 되물었다. 마티나의 뺨이 민망함으로 붉어졌다. 저치는 분명 지금 자신을 놀리고 있는 것이리라. 마티나는 그에게 마음을 고백한 것을 후회했다. 그녀가 감정을 숨기려 고개를 돌렸다.

"됐습니다, 제 착각이니 잊어 주십시오."

"무엄하오."

테오도르가 팔을 뻗어 부드럽게 마티나에게로 손가락을 얽었다. 그가 지극히 유혹적인 어조로 속삭였다.

"되는대로 고백을 던져 놓고 수습한다고 하는 말이 부정이라니, 너무도 무엄하여 견딜 수가 없는 지경이야."

마티나는 절망적인 기분이었다. 고작 손가락 마디 사이가 닿았을 뿐인데도 몸에 열이 올랐다. 고백을 놀림받고 있는 와중에도 그가 좋다니 기막힌 일이었다.

마티나는 이를 앙다물었다. 그녀가 불분명한 발음으로 되물었다.

"제게 왜 이러십니까."

"짐이 왜 이럴까."

짐짓 장난스럽게 되묻던 테오도르의 눈이 가라앉았다. 그가 낮은 목소리로 재차 읊조렸다.

"이 남자가 왜 이럴까."

마티나는 대답하지 못했다. 그녀도 알 수 없는 사실이었으니까. 퇴로를 찾는 그녀를 보며 테오도르가 가는 눈을 떴다.

"날 사랑하는 게 확실한가?"

"……충정과 사랑을 헷갈릴 정도로 천치는 아닙니다."

"나 역시 신의와 욕정을 헷갈릴 변태는 아니지."

"그게 무슨……."

그리고 테오도르가 마티나에게 고개를 기울였다. 조심스럽게 그녀에게 입을 맞추는 행동은 사뭇 경건하기까지 했다. 점점 깊어지는 키스에 마티나는 크게 뜨였던 눈을 감았다. 허공을 배회하던 손이 테오도르의 어깨 위로 내려앉았다. 얽힌 혀에서 젖은 소리가 울렸다. 마티나는 신음하며 아예 그의 목을 끌어안았다. 어느새 벽면에 닿은 등이 서늘했다.

마침내 테오도르가 입술을 떼어 냈다. 그가 다정한 눈으로 마티나를 내려다보며 말했다.

"내가 이런다고 난잡꾼으로 보지 말아 달란 말이야."

"이해가…… 안 갑니다."

마티나가 가쁜 숨을 내쉬며 겨우 말했다. 그의 타액으로 젖은 입술이 낯설었다. 주고받는 시선은 마냥 떨렸다.

"어려울 건 없지."

테오도르가 조심스럽게 마티나의 뺨을 어루어 만졌다. 그가 만면에 행복을 가득 드러낸 채 속삭였다.

"짝사랑을 이룬 남자가 꿈인가 싶어 저지른 장난이라네."

그리고 그녀는 꿈에서 깼다.

부정하고 싶은 현실이었지만 기억은 그저 선명했다. 제 옆에서 곤히 잠든 테리오드를 내려다본 아스티나의 낯이 희게 질렸다. 그녀가 다 죽어 가는 음성으로 중얼거렸다.

"꿈이라고 말해……. 제발……."

✣ ✣ ✣

발밑이 꺼지는 느낌에 테리오드는 다급히 몸을 일으켰다. 그러나 꿈에서 보았던 높은 절벽은 온데간데없이, 그의 몸은 시트 위에 너무도 얌전하게 눕혀져 있었다.

시야로 스민 밝은 빛이 따가웠다. 테리오드는 눈부시게 들이닥친 빛의 근원을 찾아 눈을 돌렸다. 저택은 층고가 높은 편이었고, 창은 바닥부터 천장까지 이어지는 너비였다. 덕분에 해가 그리 힘 있지 않은데도 창틀 그림자가 침대 위까지 길게 늘어져 있었다.

무심코 시린 눈을 가린 테리오드는 시간을 가늠해 보았다. 사람으로 눈을 뜬 것을 보아 이미 점심때를 한참 지난 듯했다. 아니나 다를까 해는 벌써 중천을 넘어가고 있었다.

가쁘게 뛰던 심장은 진정되었으나 대신 머리가 깨질 듯이 아파 왔다. 주량을 넘어서게 마시진 않았으니 아무래도 숙취보다는 깊은 잠 쪽이 문제인 듯했다. 부인과 밤을 보내고 곯아떨어졌던 새벽녘을 기점으로 기억이 끊겨 있었다.

정신을 차리기 힘든 와중에도 테리오드는 옆자리부터 살폈다. 그의 아내는 보이지 않았다. 일과 시간이니 그녀의 부재는 어찌 보면 당연한 일이었다. 그럼에도 테리오드는 약간의 아쉬움을 느꼈다. 괴물 되는 몸이라 하여 아내와 밤을 지낸 다음 날 같이 일어나는 것조차 불가능하다니, 다소 억울하기도 한 일이었다.

테리오드는 대충 보기 싫은 몰골을 정리하고는 옷을 주워 입었다. 잔뜩 구겨진 이부자리엔 지난밤의 흔적이 여실했다. 무심코 떠오른 순간순간에 테리오드의 낯이 붉게 달아올랐다. 제 뺨을 감싸며 다정하게 웃던 그녀의 얼굴과 달뜬 목소리, 그리고 손에 감기었던 부드러운 감촉까지 차례로 머리를 스쳐 지나갔다.

감당할 수 없는 기억의 홍수에 현기증이 일었다. 테리오드는 침대에 도로 걸터앉았다. 그가 두 손에 얼굴을 묻으며 신음했다.

'얼굴을 보면…… 대체 무슨 말을 해야 하지.'

첫 경험이었다. 같이 밤을 보낸 남녀가 다음 날 어떤 식으로 대화하는지, 당연히 테리오드로서는 알 턱이 없었다. 어젯밤이 어땠느냐고 물으면 지나치게 호색한 같아 보일까, 날이 좋다며 말을 걸었다가 모자란 사람 취급을 당하지는 않겠나. 멋지게 보이는 것은 둘째 치고 과연 평균치나 할 수 있을지 의문이었다.

테리오드는 한참 후에야 준비를 마치고 밖으로 나왔다. 그녀를 보고 싶으면서도 막상 얼굴을 마주하기가 두렵기도 했다. 테리오드는 미적미적 걸음을 옮겨 집무실로 향했다. 그의 아내라면 필히 그곳에서 업무를 보고 있으리라 생각했기 때문이었다.

그러나 문을 연 테리오드를 맞은 것은 책상을 정리 중인 하녀였다. 테리오드가 약간의 당황이 섞인 목소리로 물었다.

"오늘 대공비가 집무실에 나오지 않았나?"

"아니요, 업무를 보시다 식당으로 이동하셨습니다."

하녀가 공손히 두 손을 모으며 이어 질문했다.

"시장하실 듯한데, 주방에 식사를 준비하라 이를까요?"

빈속이긴 했으나 긴장 탓에 배가 고프지 않았다. 테리오드는 고개만 내저었다.

"됐어. 마저 일 보도록."

"예."

"참, 혹시 대공비를 발견하면 내게 전하러 와 주면 좋겠군."

"그리하겠습니다."

테리오드는 별 소득 없이 집무실을 나섰다. 하녀가 흘린 단서대로 그는 식당으로 향했다. 그러나 이번에도 아스티나는 없었다.

"후원으로 가셨다고 알고 있습니다."

테이블을 정리하던 하인에게서 돌아온 답이었다. 테리오드는 잠자코 후원으로 향했다. 수도의 사저는 근방에서 손에 꼽는 거대한 규모였으나, 대공령에 있는 본가만큼은 아니었다. 테리오드는 인내심을 가지고 정원 안을 모두 꼼꼼히 살폈다. 그러나 수풀을 아무리 헤집어도 부인의 붉은 머리칼은 찾아볼 수 없었다.

테리오드는 후원의 초입에서 마주친 기사에게 다시 아내의 행방을 물었다. 잠시 고개를 갸웃이던 기사가 손뼉을 치며 대답했다.

"아! 아까 연무장으로 들어가시는 걸 보았습니다."

그리고 그곳에도 그녀는 없었다. 땀 냄새 나는 연무장엔 수련 중인 장정들만 가득했을 따름이었다. 테리오드는 결국 이마를 짚었다. 이쯤 되자 그도 깨닫지 않을 수 없었다.

그녀는 자신을 피하고 있었다.

"정말 안 나올 작정인가 본데."

테리오드의 얼굴에 혼란스러운 빛이 떠올랐다. 그녀가 왜 숨어든 건지 도통 이유를 알 수 없었던 탓이다.

'설마…… 어젯밤이 그렇게나 끔찍했나?'

테리오드의 낯빛이 삽시간에 하얗게 질렸다. 그의 기억대로라면 그녀의 반응이 그리 나쁘진 않았다. 아니, 적어도 테리오드는 그렇다고 생각했다.

혹 그것이 그의 착각이었다면?

테리오드로서는 여자 쪽에서 좋은 척 연기를 하는 것인지, 아니면 정말 좋아하는 것인지 분간이 불가능했다. 그에겐 마땅한 비교군조차 없었으니까.

테리오드는 믿고 싶지 않다는 듯 고개를 내저었다.

"하지만 분명……."

'사랑해.'

그렇게 말했다. 사랑한다고, 사실은 너무도 외로웠다고 테리오드를 향해 몇 번이고 속삭였다. 다정하게 애칭을 부르며 머리칼을 쓸어 넘겨 주던 손의 감촉이 아직도 생생했다.

애정에 목말랐던 남자는 마치 신을 숭배하듯 그녀의 팔꿈치부터 손끝까지 연이어 입 맞췄다. 그녀는 고개를 숙여 그런 테리오드의 마른 혀끝을 핥아 주었다. 하룻밤의 장난이라고는 생각할 수 없을 만큼, 애틋하고도 열렬했던 행위였다.

테리오드는 불길한 생각을 애써 치워 버렸다. 우선은 그녀를 만나는 게 먼저였다. 무엇이 되든 직접 그녀의 입으로 듣지 않고서는 확신할 수 없었다. 테리오드는 다시 바쁜 걸음을 옮기기 시작했다.

"사라진 아내와 그녀를 찾는 남편이라."

테리오드가 한숨이 섞인 어조로 중얼거렸다. 이전에도 테리오드는 비슷한 경험을 한 적이 있었다. 그의 입에서 그만 허탈한 웃음이 새어 나왔다.

"처음 만났던 날이 다 생각나는군."

✣ ✣ ✣

끝내 아내의 도망까지 의심해야 했던 테리오드에겐 희소식으로, 아스티나는 여전히 대공저 내에 있었다.

그녀는 가능한 한 이 상황을 합리적으로 타개하고 싶었다. 가출이라는 유아적인 선택지를 택하지 않을 정도의 이성은 남아 있었다는 뜻이다. 따라서 그녀의 은신처는 담벼락 안으로 한정되었다. 다행히도 저택은 끝없는 술래잡기를 할 수 있을 정도로 넓었다.

테리오드의 인기척이 들릴 때마다 쏜살같이 자리를 피하며 버티기를 한나절, 바침내 해가 지고 어둠이 찾아들었다. 대공이 짐승으로 변할 때가 가까워지고서야 아스티나는 본관으로 돌아갔다.

사실 이런 도망 자체가 바보 같은 일이기는 했다. 그를 평생 피할 수는 없는 노릇이었으니까. 그럼에도 아스티나는 도통 그의 얼굴을 마주 볼 자신이 없었다.

그녀는 어젯밤 자신이 그에게 무슨 말을 속삭였는지 낱낱이 기억했다. 그리고 테리오드는 그야말로 충만하게 행복해 보였다. 그런 남자의 면전에 대고 어찌 실수였다고, 착각이었다고 말하란 말인가. 차라리 그가 자신을 좋아하는 걸 몰랐다면 하룻밤 불장난으로 넘길 수라도 있었을 것을.

아스티나는 깊이 신음하며 복도로 들어섰다. 저주의 시간이 가까워지면 테리오드는 침실에 들어가 나오지 않았다. 아스티나는 문밖에서 기다리고 있다가 그가 변하고 나면 안으로 들어갈 생각이었다. 그리하면 적어도 오늘은 무사히 지날 수 있으리라.

그러나 아스티나는 곧 의외의 복병을 마주했다. 집사 올리버였다.

"대공 전하와는 같이 들어오지 않으십니까?"

아스티나를 발견한 올리버가 눈을 휘둥그레 뜨며 물었다. 아스티나는 그를 지나치려다 말고 자리에 멈춰 섰다. 그녀가 의아한 표정을 짓자 집사의 얼굴이 따라 사색이 되었다.

"아까 대공비 전하를 찾으러 후원으로 나가신 후로 아직 돌아오시지 않으셨는데요."

아스티나는 몹시 당황했다. 이 미련한 남자가 아직도 자신을 찾고 있단 말인가. 그가 짐승으로 돌아간 모습을 누군가 보기라도 한다면 그것이야말로 큰일인 것을.

아스티나는 다급히 자리를 박찼다. 당황하여 자신을 부르는 올리버의 목소리가 뒤편으로 멀어졌다. 이리 빠르게 뛴 것이 얼마 만이었는지 기억도 나지 않았다. 아스티나는 단숨에 후원까지 다다랐다.

해가 지고 한참 지난 시간이었지만, 달빛이 유독 밝아 사위를 분간하는 것은 어렵지 않았다. 아스티나는 숨을 헐떡이며 후원의 외곽부터 더듬어 나아갔다.

'시간이 얼마나 남았지?'

시계를 확인할 정신도 없이 뛰쳐나왔다. 테리오드도 시간을 제대로 가늠하지 못해 여직 수풀을 헤매고 있는 것인지도 모른다. 아니면 이미 짐승으로 돌아간 상태일 수도.

아스티나는 이마에 땀이 배어 나오는 것을 느꼈다. 그녀가 크게 소리쳤다.

"테리오드, 테리오드!"

어쩌면 당연히도, 답은 들려오지 않았다. 정말로 늑대로 변한 상태인 걸까. 아스티나가 초조한 음성으로 재차 외쳤다.

"테오!"

"부인?"

휙 몸을 돌렸다. 그리고 아스티나는 굳은 듯이 멈춰 섰다. 그였다. 아침나절에는 정신없이 도망 나오느라 알아차리지 못했었는데 여전히 머리카락 색이 어두웠다. 덕분에 아스티나는 자신이 여전히 꿈속에 있다고 착각할 뻔했다.

그러나 그가 말한 호칭이 곧 그녀를 일깨웠다. 자신은 테오도르의 '부인'인 적이 없었으니까.

"머리가……."

아스티나가 천천히 눈을 깜빡였다. 벌써 물이 빠진 듯 지금 그의 머리칼은 짙은 회색빛에 가까웠다. 어쨌든 원래의 찬란한 은발과는 거리가 먼 색이었다.

기가 막혀 말도 잘 나오지 않았다. 기억이 잘못된 게 아니라 그가 정말 머리칼을 물들인 것이 맞았다. 왜 갑자기 염색을 결심한 걸까. 그것도 하필이면 흑발로. 그를 원망할 일은 아니었지만 억울한 기분이 드는 건 어쩔 수 없었다. 테오도르와 테리오드를 구별하던 가장 큰 특징이 하룻밤 사이 사라져 있었으니까.

"아, 기분 전환으로……."

머쓱한 기색으로 답하던 테리오드가 말끝을 흐렸다. 그러다가는 이내 정정했다.

"아닙니다. 실은 부인의 반응을 보고 싶어서 그랬습니다."

"제 반응이요?"

아스티나가 당황한 음성으로 되물었다. 그가 어색하게 제 머리칼을 잡아당기며 말했다.

"예, 흑발을 좋아한다고 하셨었으니까요."

"그건……."

아스티나는 입만 벙긋였다. 그때 무심코 내뱉은 말이 이런 결과로 돌아올 줄은 몰랐다. 아스티나는 결국 어떤 말도 내뱉지 못하고 입술을 깨물었다. 그녀가 피곤한 기색으로 머리칼을 쓸어 넘겼다.

"……일단 안으로 들어가시지요. 밖에서 변하면 어쩌려고 이리 나와 계셨습니까."

"그대가 나를 찾아왔지 않습니까."

아스티나는 이번에야말로 말문이 막혔다. 그러니까 그를 피해 도망간 그녀를 불러내고자 부러 밖에서 버티었다는 뜻이다. 그녀를 향한 미소에는 어떠한 악의도 없었지만, 아스티나는 그가 마치 자신을 비난하고 있는 듯한 느낌을 받았다. 뒤이어 나온 말들은 더더욱 그러했다.

"어젯밤 일은, 기억하십니까?"

아스티나는 주먹을 쥐었다. 시선을 피하는 것 외에 더 할 수 있는 일이 없었다. 기억하지 못한다고 말하고 싶었으나 도무지 정황이 맞지 않았다. 오늘의 도피를 더 무어라 변명할 수 있겠는가. 아스티나가 애써 말을 돌렸다.

"일단 사용인들을 다 물려야겠습니다. 돌아가는 길에 변하실지도 모르니까요."

"티나."

"시간이 얼마 남지 않았습니다."

"티나, 날 봐요."

그의 종용에도 고집스럽게 고개를 돌리지 않았다.

아스티나는 그의 얼굴을 보면 약해졌다. 어젯밤의 실수처럼. 그녀는 무서웠다. 잊고 싶은 기억을 자꾸 헤집게 만드는 저 얼굴이 두려웠다. 그가 혹 자신에게 사랑을 말하기라도 한다면 견딜 수 없을 것 같았다.

테리오드가 들고 있던 등을 그녀와 제 발 사이에 내려놓았다. 그러고는 조심스레 그녀의 빰으로 손을 뻗었다. 아스티나는 결국 다정한 힘에 끌려 그의 얼굴을 마주했다.

"솔직히 말해 주세요, 오늘은 일부러 피하신 겁니까?"

"……."

"제가 너무 서툴러 싫어지셨을까요, 아니면 술에 취해 실수했다고 생각하셨을까요."

아스티나는 자신의 모른 척이 마침내 효용을 다했음을 깨달았다. 그는 제 사랑을 숨길 생각도 없어 보였다. 그의 마음에 답을 돌려줄 시간이 다가왔다는 뜻이었다. 그렇다면 자신은 그에게 무슨 말을 해야 할까. 테리오드는 솔직히 대답해 달라고 말했지만, 진실은 그를 상처 입힐 뿐이었다.

벌어진 입술이 미세하게 떨렸다. 그녀가 말했다.

"실수…… 였습니다."

귀밑을 간질여 주던 손의 움직임이 멎었다. 아스티나는 그저 견뎠다. 그 외에 이 침묵을 지날 방법이 또 없었으니까. 이윽고 그녀에게서 손을 떼어 낸 테리오드가 작은 음성으로 말했다.

"그랬군요."

예상하지 못한 상황은 아니었다. 홀로 그녀를 찾아 헤매는 동안 테리오드는 자연히 설렘보다는 불안을 키웠다. 낮이 저녁이 되고 다시 저녁이 밤이 되기까지, 저문 해는 하늘과 함께 그의 희망도 밤의 색으로 물들였다.

테리오드는 끝내 생각했다. 만일 그녀가 어젯밤을 없던 일로 하고 싶어 한다면 자신은 어떻게 해야 할까. 미리 상상해 둔 상황이었음에도 좀처럼 적합한 대답을 찾아 낼 수 없었다. 테리오드가 긴 망설임 끝에 다시금 물었다.

"그렇다면…… 사랑한다고 하셨던 것도, 실수입니까?"

아스티나가 멈칫했다. 적어도 하룻밤 상대를 꾀기 위한 가벼운 말은 아니었다. 상대는 바뀌었을지언정 그보다 더한 진심이 또 없었으니까.

"그건……."

아스티나는 저도 모르게 내뱉으려던 반박을 겨우 힘겹게 주워 담았다. 그녀는 떨리는 눈으로 테리오드를 응시했다. 그의 입꼬리에 스민 체념과 실망으로 얼룩진 눈동자를 보았다.

아스티나의 주먹 쥔 손에 힘이 들어갔다. 좀처럼 대답하지 못하는 그녀를 향해 테리오드가 억지로 웃어 보였다.

"곤란하게 해 드렸다면 죄송했습니다. 둘 다 술에 취해…… 그래요, 그래서 벌어졌던 사건으로 하지요."

"대공 전하."

"제가 그만 착각을 했나 봅니다."

조금만 덜 진심같이 말씀하셨다면 좋았을 텐데요, 그가 이어 농처럼 덧붙였다.

찬바람이 둘 사이를 스쳐 지나며 램프 속 불빛이 일렁였다. 아스티나는 저것을 들고 자신이 찾아오기를 기다렸을 그의 모습을 상상했다. 사랑하는 여자와 보낸 밤에 더없이 설렜을, 그 측은하고도 서투른 연심을. 그래서 어리석게도 상처 입기를 피하지 않는.

"부인께선 싫어하실지 모르겠지만, 그래도 이것 하나만 말씀드려도 될까요."

"……제가 할 대답을 아시지 않습니까. 상처받으실 겁니다."

"그래도 한 번 더 고백하지요. 저는 정말 행복했습니다. 적어도 제 마음은 진심이었어요."

거절당할 것을 알면서도 감히 말한다. 사랑한다고.

"티나, 사랑합니다. 그대가 허락한다면 몇 번이고 그대에게 속삭이고 싶은 말입니다. 언제나요."

그가 뱉는 말 마디마디엔 온통 애정이 서려 있었다. 보통의 사람이라면 마음이 없어도 혹했을 농도의 진심이다. 그러나 사랑의 열병에 끙끙대는 남자를 앞에 두고 아스티나는 쭉 떠날 계산을 해 왔다.

이번에도 그녀의 속내는 다르지 않았다. 아스티나는 그를 버리고 먼 곳으로 향할 자신을 상상했다.

낯선 타지에서 모든 걸 기억하지 못하는 척 웃으면 전부가 속을 것이다. 만나는 사람들에게 정을 붙이지 않으면 잃는 슬픔도 없을 것이다. 고독을 친구로 삼았던 지난날들처럼, 그저 홀로 어떻게든 살아간다면…….

'그래서, 그러고는?'

아스티나는 숨을 들이켰다. 자신은 옛 연인의 흔적조차 두려워 이렇게 도망치는 걸까. 언제고 나아가지 못하고 매번 그 자리에 멈춰서 괴로워하는가.

“제가…… 얼마나 소중하십니까?”

아스티나가 입술을 달싹였다. 질문의 의미를 깨닫지 못한 테리오드가 의아한 표정을 지었다. 아스티나는 발치의 불빛에 시선을 고정한 채 더듬더듬 말을 이었다.

“대공께선 영지민들을 아주 소중하게 여기셨었지요. 처음 깨어나셨을 적 그들부터 살피셨을 정도로요.”

“그랬지요.”

“그들을 버리라 하면, 저를 택하실 수 있으십니까? 그럴 정도의 감정이신가요?”

테리오드는 당황한 표정이었다. 그가 아스티나의 얼굴을 한번 살피더니, 제 입가를 문지르며 싱겁게 웃었다.

“이건 시험이십니까?”

“그런 건 아닙니다.”

“하지만 부인께서 기꺼워하시는 대답을 해야 제게 기회가 생기겠죠.”

테리오드가 그리 말하고는 애매하게 미간을 찌푸렸다. 보통의 상대라면 다수보다는 그 본인을 택하길 원할 것이다. 그것을 곧 사랑의 증명으로 받아들일 테니까.

그러나 그의 앞에 선 것은 아스티나였다. 언제나 공정하고 흔들림 없는 모습을 보여 왔던 그녀 말이다. 그녀가 영지민을 선택하는 쪽을 더 흡족하게 여기지 않으리란 보장이 없었다.

테리오드는 한숨을 내쉬었다. 어느 쪽도 헷갈린다면 그가 내놓을 수 있는 대답은 하나였다.

"솔직히 말씀드리겠습니다. 부인, 저는 그다지 의미 없는 인생을 살아왔습니다. 부모조차도 소중하지 않았으니 괴물이라 불려도 이상하지 않지요."

"그건 대공 때문이 아니지 않습니까."

"부인, 부디 제가 그대를 더 사랑하게 만들진 마세요."

굳은 분위기를 풀려는 듯 테리오드가 가볍게 지적했다. 그 농담은 아스티나를 못내 수그리게 만들고 말 뿐이었지만.

"제가 특히나 영지민들을 위했던 이유는, 글쎄요. 저도 잘 모르겠습니다. 받지 못한 애정을 다수의 존경으로 채우려 했던 걸 수도 있고…… 사실 아마, 저는 거기서 의미를 찾고 싶었을 겁니다."

"의미요?"

"예, 영지민들을 향한 희생은 한껏 멋을 낸 송별사에 가까웠지요. 어차피 죽을 목숨이라면 더 좋게 기억되고 싶었으니까."

테리오드가 자조하듯 말을 맺었다. 그는 고개를 젖혀 잠시간 하늘을 올려다보았다. 푸른 눈에 별의 반짝임이 담겼다. 비극을 말하기엔 어울리지 않는 아름다운 밤이었다.

"저는 언제나 살고 싶었지만, 기억도 나지 않는 옛날부터 모두가 제 죽음을 말해 왔습니다. 제가 계속해서 살 수 있다고 확언해 준 건 오직 부인뿐이었어요."

테리오드는 살아 있는 게 특이한 사람이었다. 모두가 죽음 따윈 영원히 오지 않을 것처럼 삶을 악착같이 영위하는 것과 달리, 테리오드는 언제나 지척에서 망자의 냄새를 맡았다. 모두가 내일을 말하는데 오직 그만이 오늘을 기꺼워하며 살았다.

"그대는 저를 구했고, 그날로 저는 그대에게 삶을 내주었지요.

그토록 원했던 미래를 쥐고 있는 사람에게 제가 감히 저항할 수나 있었겠습니까."

"의미가 없습니다. 저주를 푼다면 그 미래도 오롯이 대공의 것이 되실 테니까요."

"부인, 저는 이제 차라리 바랍니다. 그대가 그 의식 같은 입맞춤을 위해서라도 제 곁에 머물기를요."

"……."

"부인께서 말씀하셨었지요. 중요한 것이 있다면 이기적으로 부탁하라고. 그리하겠습니다. 이제는 목적이 완전히 뒤바뀌어 버린 데다 제게 그들의 생사를 거머쥘 자격이 있는지는 모르겠지만, 그럼에도 선택을 내릴 순간이 온다면……."

테리오드가 확신 가득한 눈으로 아스티나를 응시했다.

"저는 그대를 택할 겁니다."

아스티나는 그만 눈을 감았다. 울고 싶은 기분이었다. 그녀가 웃는 것 같기도, 또 우는 것 같기도 한 기묘한 목소리를 내었다.

"대공을 사랑한다면 저는 행복하겠지요."

언뜻 듣기엔 좋은 평가였지만, 테리오드는 자신이 정답을 말한 것인지 알 수 없었다. 그녀는 그다지 기뻐 보이지 않았으니까.

아니, 아무래도 상관없는 일이다. 그가 진실로 하고 싶은 말은 따로 있었다.

테리오드는 팔을 뻗어 아스티나의 손을 끌어갔다. 하얗게 질린 주먹을 펴자 과연 손톱 모양대로 난 자국이 보였다. 테리오드가 그 위에 조용히 제 손을 덮으며 말했다.

"그럼 노력해 보지 않겠습니까."

"노력…… 이요?"

"예. 저는 그대의 남편이고, 시간은 넘칠 만큼 많이 가지고 있으니. 그대가 망설이는 것이 무엇이든 신경 쓰지 말아요. 제가 그대를 더 좋아하는 건 저도 잘 알고 있습니다."

책하는 기색은 찾아볼 수 없이, 끝맺는 말은 그저 장난스러웠다. 그가 상냥한 목소리로 그녀를 얼렀다.

"그대의 속도에 맞춰 천천히, 느리게. 그렇게 발맞춰 걸어요."

감동스러울 정도로 친절한 기회였지만 대답은 쉽게 나오지 않았다.

아스티나는 사랑을 불신했다. 그녀가 겪었던 유일한 실패가 바로 그것이었다. 아픔밖에 얻을 게 없는 감정이라면 차라리 품지 않음이 옳았다. 잠깐의 달콤한 행복은 곧 들이닥칠 불행에 대한 전조였다.

사람을 겁쟁이로 만드는, 연륜이란 것은 삶에 있어 진정 득이 되는 걸까.

"예?"

테리오드의 채근에 아스티나가 고개를 들었다. 그녀가 알 수 없는 눈으로 테리오드를 응시하며 물었다.

"……기다려 주실 수 있으십니까? 대공과 같은 마음이 되기까지 평생이 걸린다고 해도?"

어울리지 않는 어리광이라 생각하며 테리오드가 미소 지었다. 겁쟁이처럼 내놓은 여지였지만 테리오드는 그마저도 흡족했다. 그가 확신하듯 말했다.

"십 년이 가도 백 년이 가도 천 년이 가도, 예. 그대를 아프게 했던 사람이 누구든 제가 잊게 해 드리겠습니다."

"힘드실 겁니다. 후회하실지도 몰라요."

"그대가 주는 아픔이라면 그조차 기쁨으로 맞아들이지요."

그가 경건히 아스티나의 손등 위로 입술을 내리눌렀다. 그의 단언에 아스티나가 설핏 웃었다.

"다정하시군요."

"부인께 잘 보이고 싶어 애가 달아 그렇습니다."

"사실…… 저도 대공을 꽤 좋아합니다."

실제로 테리오드는 싫어하기가 더 힘든 이였다. 아스티나가 테리오드를 거절하기로 했던 것도 오로지 그라는 사람 밖의 이유 때문이었다. 그에 테리오드가 의외란 듯 눈을 크게 떴다.

"그것참 다행이군요. 생각보다는 평가가 후해서요."

"제가 그리 정 없어 보이셨습니까."

"조금은요?"

"……방금 한 결정은 아무래도 무르는 게—"

이어지는 아스티나의 말에 테리오드가 무언가 깨달은 표정을 지었다. 그가 아스티나가 말을 끝맺지 못하도록 황급히 제지했다.

"잠깐, 잠깐만요."

테리오드가 진정하란 듯 그녀를 끌어안았다. 그 가슴팍이 꽤나 따듯했던 탓에 아스티나는 무심코 그에게로 코를 묻었다. 테리오드의 옷깃에선 그와 어울리는 옅은 바람 냄새가 났다. 머리 위에서 온통 그의 목소리가 울렸다.

"이런 긍정적인 대답을 들을 줄은 몰랐어서요, 짝사랑을 이룬 걸 믿을 수 없어 저지른 장난입니다."

그 다급한 정정에는 온갖 흥분과 설렘이 묻어났다. 아스티나는 조심스럽게 그를 마주 끌어안았다. 바깥바람에 싸늘히 식었던 팔이 온기로 덮혀졌다. 아스티나는 가만히 그의 심장이 뛰는 소리를 들었다. 그것은 의외로 나쁘지 않은 기분이었다.

"사랑합니다, 티나."

사랑하고, 사랑해서, 사랑이 전부인 것처럼. 테리오드가 반복해서 진심을 속삭였다. 놓으면 어디 도망이라도 갈 것 같았는지 그녀를 안은 팔을 풀지 않은 채였다.

아스티나는 그의 품에 얼굴을 묻은 채 생각했다. 이것은 어쩌면 새로운 기회가 아닐까. 네가 겪어야 했던 마지막 패배를 만회해 보라는.

테리오드의 말대로 그는 그녀의 남편이었고, 그들은 평생이라는 아주 긴 여유를 가지고 있었다. 그리고 아스티나는 감정에 다치고 싶지 않은 지친 사람이었다. 어차피 다시 누군가를 사랑할 자신이 없는 삶이라면, 이 바람직한 구애자에게 충분히 바쳐 볼 만하지 않은가.

아스티나가 스스로를 기만하듯 말했다.

"사랑해."

상대에게 제대로 가닿았을지도 알 수 없는 미세한 음성이었다. 그러나 마치 주문이라도 되는 것처럼, 그 말을 막상 입 밖으로 내뱉고 나니 정말 그를 사랑하기라도 하는 것 같은 기묘한 감각에 사로잡혔다. 그를 마주 끌어안은 팔에 힘이 들어갔다. 혀끝이 둔하게 움직였다.

아스티나가 반복해 말했다.

"그대를 사랑할게, 테리오드."

결국 마티나가 아스티나의 삶에 익숙해졌듯, 자신은 테오도르 아닌 테리오드를 사랑할 수 있을까.

"고마워요, 그렇게 말해 줘서."

테리오드가 벅찬 음성으로 말했다. 분명 고백을 받아 준 것은 아스티나가 맞았지만, 고마워해야 할 쪽은 오히려 그가 아닌 아스티나인지도 몰랐다.

아스티나는 자신을 위해 살아 달라 말했던 테리오드의 고백을 기억했다. 그는 그 말을 지켰다. 새로운 희망을 가진 것은 아스티나에게 있어서도 참으로 오랜만의 일이었다. 그 따뜻한 포옹을 아스티나는 오래도록 놓지 못했다.

"잠시만요."

곧이어 그녀의 눈이 번쩍 뜨였다. 방금의 결정을 취소하는 것인가 싶어 테리오드는 긴장으로 몸을 굳혔다.

그러나 아스티나가 지적하려는 건 다른 사실이었다. 테리오드를 찾아 나온 후로 꽤 오랜 시간이 흘렀다. 짐승으로 변하고도 남을 시간인데 그가 여전히 사람의 몸을 하고 있는 게 이상했다. 상체를 물린 아스티나가 그의 몸 곳곳을 살피며 말했다.

"분명 제가 저택으로 돌아갔을 때도 아슬아슬한 시간이었습니다. 왜 아직까지 변하시지 않는 건지—"

아스티나가 말하다 말고 미간을 찌푸렸다. 아침나절의 일이 떠올랐던 탓이었다. 수도에 온 이후 테리오드는 늦은 오후에 사람으로 변해 새벽 무렵 다시 짐승이 되는 일과를 유지하고 있었다. 미처 인식하지 못하고 있었는데, 아스티나가 오늘 아침 햇빛과 함께 마주한 건 분명 털이 덮이지 않은 맨 어깨였다.

아스티나가 급히 고개를 들며 물었다.

"그러고 보니 아침에도 변하신 걸 보지 못했었어요. 대공께선 언제 깨어나셨습니까?"

"저야 기억나는 것이 그다지…… 일어나 보니 오후였던 것을요."

지난밤 좀 술을 마셨던 데다, 술버릇이 잠이긴 하지만……. 그리 대답하던 테리오드가 천천히 입을 벌렸다.

아스티나의 말대로라면 테리오드는 지난 새벽 이후 쭉 사람으로 있었던 셈이었다. 술과 잠 때문에 온전치 않은 아침의 기억을 제쳐 두고서라도, 마땅히 변해야 할 지금조차 테리오드는 제정신을 유지하고 있었다. 저주가 제대로 기능치 못하도록 한 원인은 무엇인가. 키스 외에, 그들이 따로 한 일이라고 하면…….

테리오드와 아스티나의 시선이 마주쳤다. 부부는 닮는다고 했던가, 간밤에 진짜 부부가 됐다는 사실을 시사하듯 입 밖으로 내놓은 말도 똑같았다.

"설마, 정말 잠자리가……?"

✣ ✣ ✣

이시스는 그녀의 어린 자매를 기억한다.

지금에 와선 전체적인 모습보다는 부분 부분이 더욱 선명했다. 이를테면 웃을 때마다 깊이 파였던 보조개와 밝고 투명한 금발, 장난기 어린 푸른 눈 같은 것들.

황손들은 대부분이 같은 머리 색을 하고 있었지만 베스에게 깃든 색은 유독 홀로 반짝였다. 이시스는 그것이 일종의 백일몽 같은 것은 아니었을까 생각했다. 생존을 위해 소름 끼치도록 날카롭게 벼려 낸 보호색 같은 외모, 잠시 화단을 장식했다 사라질 계절 꽃이 바로 그 애였다.

첫 기억의 시작부터 황궁은 비정한 공간이었다. 이시스는 제 나이에도 맞지 않는 예법과 교육에 매몰되어 자랐다. 그리고 힘없는 외가를 가진 황녀에겐 그런 기회조차 주어지지 않았다. 베스는 그 중에서도 가장 별 볼 일 없는 아이였다.

돌봐 줄 사람이 마땅치 않은 황녀는 보호자도 없이 온갖 곳을 헤집곤 했다. 머무는 궁이 가깝다는 이유로 이시스는 종종 흙으로 엉망이 된 베스와 마주쳤다. 다른 이들은 무엇을 배우는지 궁금했던 베스가 곧잘 이시스의 교실에 숨어들었던 탓이다.

'나와, 에일베스.'

손끝을 온통 더럽힌 베스를 보며 이시스가 눈을 흘겼다. 에일베스, 지저분한 뺨과는 어울리지 않게 인형 같은 이름이었다. 그 애가 통통한 양 검지를 모아 두드리며 조그맣게 말했다.

'베스예요.'

'에일베스, 네 애칭 따위엔 관심 없으니 당장 여기서 나가.'

'언니랑 같이 있으면 안 돼요?'

'날 언니라고 생각하는 멍청한 머리라면 당최 수업이 무슨 쓸모가 있을지 모르겠구나.'

이시스의 싸늘한 말에 베스가 결국 몸을 일으켰다. 축 처진 어깨가 퍽 안쓰러워 보였지만 이시스는 눈썹만 들어 올렸다. 베스가 나가고 문이 닫혔다. 이시스가 책상에 앉으며 투덜거렸다.

'모두가 멍청이로군.'

벌써부터 세상에 실망한 소녀의 푸념에 교사가 미소 지었다. 그녀가 시계를 확인하며 말했다.

'프리모 황자님은 오늘도 지각이시군요.'

'베스 저 계집애는 프리모가 없을 때만 귀신같이 온단 말이야.'

이시스가 코웃음을 쳤다. 프리모는 이곳저곳을 쏘다니며 시종들을 괴롭히느라 언제나 바빴다. 덕분에 안 그래도 느렸던 진도마저 두 살 차이의 여동생에게 완전히 따라잡힌 상태였다. 조금만 지나면 추월까지 가능할지도 모르겠다.

이시스는 단언했다.

'프리모 같은 멍청이가 황제가 된다면 이 나라는 망할 거야.'

'그래도 후계자가 될 가능성이 가장 큰 분이시죠.'

교사는 곤란한 표정으로 프리모의 편을 들었다. 이시스가 곧바로 신랄하게 비꼬았다.

'그러니까 이 무슨 멍청한 제도가 다 있어? 처를 여럿 들여 자식을 많이 봤으면 가장 우월한 놈을 뽑기라도 해야지.'

마티나가 대륙을 통일하기 전 대다수의 국가는 일처일부제였다. 그것은 왕족들에게도 통용되는 관념으로, 카라벨라가 건국된 당시만 해도 황제의 다혼은 파격적인 행보였다. 윗자리를 차지한 인물들 대부분이 블란체 소생으로 처첩 제도에 거부감이 없기도 했지만, 속을 파고들면 여러 지방의 입김이 섞여 벌어진 결과였다.

거대한 영토가 한 나라로 합쳐지며 카라벨라에는 자연히 이런저런 크고 작은 문제가 발생했다. 얼마 전까지만 해도 치고받던 옆나라 사람들을 동포로 맞아들였음에 사람들은 꽤나 당황해야 했다. 기존의 지주들이 새 나라에서도 한자리를 차지하려 눈을 붉혔음은 물론이다.

세력 싸움에 혈안이 된 각 지역을 화합시키기 위해 엘시어는 정치적인 혼인을 결심했다. 문제는 대륙의 규모만큼이나 신부의 수가 조금 많았다. 열 몇이 넘는 여인들을 모두 국모로 받아들일 수는 없으니 자연히 나머지는 후비가 되었다.

피델리오 황가는 건국 세대를 끝으로 그 제도를 마무리 짓지 않았고, 이어진 결과는 참혹했다. 서로 죽고 죽이는 유례 깊은 황궁의 후계 전쟁이 바로 그것이다.

이시스가 냉소적으로 말했다.

'하기야 황좌의 주인에겐 제도의 합리성보다는 합법적으로 배우자를 여럿 들일 수 있는 권한 자체가 더 중했겠지.'

'악습이라도 전통을 바꾸는 데는 큰 힘이 든답니다. 많은 이해와 책임이 얽힌 자리이니까요.'

'그런 중요한 자리에 프리모 같은 얼간이가 앉는다고?'

'황녀님, 누누이 말씀드리지만 프리모 황자님께서 모자라신 게 아니라 황녀님께서 영민하신 겁니다.'

교사가 곤혹스럽게 웃었다. 그녀가 책을 펴고 읊기 시작하자 이시스는 투덜대면서도 수업을 따라왔다. 늘 딴지를 걸긴 해도 이시스는 스승을 꽤나 좋아했다.

그엔 벨라체 아카데미를 최연소로 졸업했다는 그녀의 파격적인 이력이 크게 한몫했다. 가문의 도움없이 스스로의 힘만으로 황궁 교사 자리를 꿰찬 여자였다. 윗선에게 예를 갖추면서도 고상한 스승의 태도를 이시스는 못내 흠모했다. 스승 역시 자신을 잘 따르는 이시스를 알뜰히 챙겼다.

그리고 얼마 지나지 않아 가문의 압력으로 그녀의 혼사가 결정되었다. 표면적으로는 혼기가 다 찼다는 이유였지만 황궁에서 해임된 탓이 컸다.

딱히 그녀의 잘못으로 벌어진 일은 아니었다. 단순히 운이 없었다. 프리모의 게으름을 알아챈 황제가 크게 노하는 사건이 벌어진 것이다. 그 일로 프리모는 두 장 분량의 반성문을 썼고, 교사는 일자리를 잃었다.

황궁을 떠나기 전 마지막 날, 그녀는 못내 눈에 밟혔던 황녀에게 한 가지 당부를 남겼다. 그녀는 이시스의 영특함을 인정했지만, 동시에 자신이 가르친 게 아직 어린아이라는 사실을 잊지 않았다.

'황녀님을 위해 조언을 하나 해 드리지요. 황녀님, 당신은 참으로 대단한 재목을 가지고 있습니다. 그러나 당신이 무엇을 이해하며 배우고 깨닫는지를 결코 아무에게도 발설하지 마세요. 어머니인 황후 폐하께도 알려선 안 됩니다. 당신의 형제와 자매 같은 시녀, 그리고 낮의 새와 밤의 쥐에게도 마찬가지입니다. 황녀님께선 숨어들어야 살아남으실 수 있을 겁니다.'

이유는 말하지 않았다. 어린 이시스는 그 함의보다는 자신을 향한 지적에 날을 세웠다.

'나는 나 잘났다고 동네방네 떠들고 다닐 사람은 아니야.'

'예, 알아서 잘하실 것으로 믿습니다.'

그 애정 어린 미소를 끝으로 이시스의 스승은 궁을 떠났다. 서쪽 끝 지방으로 향한 그녀를 수도에서 다시 만나는 일은 없었다.

위험에 처한 개체는 생존을 위해 본능적인 감각을 일깨우게 되는 법이다. 스승의 가르침은 이시스의 무의식 깊은 곳에 남았고, 이시스는 프리모를 자극하는 일 없이 무사히 매 새해를 맞았다.

이시스가 스승의 마지막 가르침을 완전히 이해했을 때쯤, 본격적인 세력 싸움이 벌어졌다. 황후는 이른 때부터 자신의 아들을 위협할 싹을 잘라 냈다. 그리고 머지않아 자식을 잃은 한 후궁이 황후궁으로 쳐들어오는 사건이 벌어졌다.

'저주를, 사람 목숨을 벌레만도 못하게 여기는 악독한 너희에게 저주를 남길 것이다! 내 아들이 무얼 잘못했는데, 내 아들이 대체 무엇을 잘못했기에, 아아악!'

이시스는 그 핏발 선 눈을 아직도 잊지 못한다. 손끝만 움직여 여자를 치우던 어머니와 그 눈꼬리에 선연히 배어 있던 비웃음까지도.

이후 황좌를 향한 도전이 무엇인지 깨달은 겁쟁이들의 기세가 급격히 수그러들었다. 베스의 어미도 그중 하나였다. 누구에게 죽임당했는지 모를 아들의 실종을 끝으로 그 어미가 궁에 처박혀 나오지 않는다는 소문이 번졌다.

이시스 또한 오래도록 베스를 만나지 못했다. 계절이 바뀔 즈음, 봄의 초입에 다다르고서야 이시스는 베스의 얼굴을 다시 볼 수 있었다. 별다른 대화가 있었던 건 아니었다. 다만 이시스는 정원을 거니는 베스를 여러 번 목격했다. 버려진 이복동생을 지나치며 이시스는 심드렁히 생각했다.

'어쨌든 죽지는 않았군.'

그날도 그런 하루 중 하나였다. 한 가지 차이가 있다면 이시스가 황제의 부름을 받아 예의 길목을 유난히 여러 번 지나쳤다는 점이다. 방으로 돌아가던 도중 이시스는 후원을 산책하는 베스를 발견했다.

'이 시간까지 왜 궁에 돌아가지 않고?'

짧은 의문을 뒤로하고 이시스는 베스를 지나쳤다. 평소처럼 우아한 걸음걸이였다. 그러나 이내 이시스의 발이 조용히 멎었다.

이시스가 홱 돌아섰다. 성큼성큼 베스의 앞에 다다라 손을 잡아챘다. 그리 센 힘은 아니었음에도 베스의 몸은 크게 휘청였다.

'너…… 뭐 하는 거니, 대체?'

이시스가 떨리는 목소리로 물었다. 허공을 응시하던 베스의 눈동자에 초점이 돌아왔다.

못 본 사이 이시스의 어린 자매는 많이 자라 있었다. 이전엔 마냥 아이 같았는데 이제 제법 어른스러운 얼굴을 할 줄 알았다. 더 이상 더럽지 않은 옷과 몸은 신분에 걸맞게 느껴지기까지 했다. 그러나 이전에 보였던 말간 미소는 자취를 감춘 채였다.

베스는 대답하지 않고 잠시간 우물쭈물거렸다. 이시스가 베스를 다그쳤다.

'여기서 뭐 하는 거냐고 묻잖아!'

베스의 어깨가 움츠러들었다. 이시스의 눈치를 보며 베스가 조심스럽게 말했다.

'산책이요.'

이시스가 이를 맞부딪쳤다. 아니, 이건 산책이 아니었다. 이른 오전과 점심 무렵, 그리고 해가 질 때까지 같은 자리를 배회하는 일을 그런 명칭으로 부를 수는 없었다.

이시스가 낮고 갈라진 음성으로 물었다.

'언제 여기 나왔니.'

'네?'

'대체 언제 나와서 언제쯤 네 방으로 돌아가는 건지 말해.'

'언니, 그게…….'

'하루 이틀이야 일주일이야, 한 달이야 아니면 이번 겨울 내내였니. 여기서 대체 얼마나 미련하게 버티고 있었는지 말하라잖아!'

이시스의 외침에 베스가 눈을 크게 떴다. 숨을 진정시키는 이시스를 앞에 두고 베스가 옅은 미소를 지어 보였다.

'이렇게 스무 바퀴를 돌면 해가 져요. 그럼 또 하루가 지나니까요, 언니.'

이시스는 말문이 막혔다. 베스는 원래도 변변찮은 가르침 하나 없이 방치되었던 아이였다. 어미도 형제도 사라진 지금 그녀가 더 무엇을 할 수 있었을까. 끈 떨어진 황녀이니 시녀들도 좋은 대접을 해 주진 않았을 것이다.

이시스는 한참 입을 벙긋이기만 했다. 주먹 쥔 손에 힘이 들어갔다. 결국 이시스가 이마를 짚으며 돌아섰다.

'따라와.'

'네?'

'시간을 죽이고 싶거든 나한테 오렴, 차라면 넘치도록 따라 줄 테니.'

그렇게 베스의 정처 없는 산책은 이시스와 함께하는 티타임으로 이어졌다. 이시스는 대체로 바빴지만 그 외의 시간은 성실히 베스에게 할애했다.

이시스를 추종하는 시녀들은 그런 베스를 마땅치 않게 여겼다. 황제의 관심 밖으로 밀려난 황녀는 권세가의 여식들보다 못한 처지였다. 베스가 이시스의 친구 자리를 차지했음에 고귀한 레이디들은 잔뜩 약이 올랐다. 그들의 심술은 결코 노골적으로 드러나지 않았다. 실수처럼 이어지는 악의들에 베스는 곧 풀이 죽었다.

방해는 비단 시녀들 선에서 끝나지도 않았다. 이시스는 황녀들 중에서 가장 높은 위치였다. 황후 쪽 세력은 영민한 이시스가 오라비인 프리모에게 큰 도움이 되리라 믿어 의심치 않았다. 이런저런 배움으로 바빠야 할 시기인데 쓸모없는 동생과 차만 마시고 있으니 그들로서도 답답한 노릇이었다.

한 날은 베스가 풀 죽은 기색으로 물었다.

'제가 여기 있어도 되는 걸까요?'

이시스는 눈썹을 들어 올렸다. 어디서 뒷말이라도 들은 모양이었다. 아니나 다를까 베스는 자신이 언니에 비해 얼마나 모자란지를 길게 열거하기 시작했다. 어찌나 열성적이었는지 말을 끝마쳤을 때쯤엔 목이 타 남은 차를 한꺼번에 들이켰을 정도였다.

이시스가 등받이에 등을 기대며 코웃음을 쳤다.

'베스, 너는 너와 내가 그리도 다른 것 같니?'

'아니라고는 못하겠어요.'

'아니야. 너와 내 처지는 본질적으로 같단다. 이 황궁은 황제가 될 수 있는 자들을 중심으로 굴러가고 있거든.'

'잘 모르겠어요. 그래도 언니는 저보다 다섯 배는 넓은 방에 사시는걸요.'

베스는 눈에 보이는 차별을 지적했다. 이시스는 침묵했다. 사실이었으므로 할 말이 없었다.

이시스는 자신이 어린 동생을 앞에 두고 너무 현학적으로 접근했다는 걸 깨달았다. 베스는 막 열일곱이 된 이시스보다 두 살이 어렸다. 십 대에겐 한두 살도 거대한 차이이다.

이시스는 다른 방향으로 베스를 달래기로 했다. 그녀가 오만하게 턱을 까딱였다.

'베스, 네가 나랑 차라도 마실 수 있는 이유가 뭔지 아니?'

'뭔데요?'

'네가 버려져서 그렇다, 이 모질아.'

이시스의 샐쭉한 대답에 베스가 배시시 웃었다.

'알아요, 언니.'

모두의 바람과 다르게 베스와 이시스의 친분은 단발성에 그치지 않았다. 이복 자매와 나누는 웃음소리가 커질수록 이시스는 주류에서 멀어졌다.

이시스는 매사에 적당히 행동했고 프리모와 함께일 때는 늘 한발 뒤로 물러섰다. 프리모가 두어 문제를 틀릴 시험에 부러 다섯 문제를 틀리는 식이었다. 묘하게 건성인 태도는 프리모를 짜증스럽게 했으나 대놓고 책할 수준은 아니었다.

꾸준히 나빠지는 성적에 외척들은 아쉽다며 혀를 찼지만 의문을 갖는 이는 없었다. 영재가 나이가 들며 둔재가 되는 건 흔하디흔한 일이었으니까. 프리모의 뒤로 숨어든 이시스의 존재감은 나날이 옅어졌다.

자연히 늘어난 여유에 이시스와 베스는 종종 함께 낮잠을 잤다. 장미가 흐드러지게 핀 정원으로 나들이를 나갔고 호수에 조각배를 띄워 뱃놀이를 했다. 한가하고 부유한 이들의 사치는 퍽 즐거운 것이었다. 늘어난 허리 사이즈에 개탄하는 재봉사의 한숨만 제외하면, 참으로 평화로운 날들이었다.

그렇게 그 해 여름이 지나고 가을이 왔다. 황후와 담소를 나누고 돌아오는 길, 이시스는 참으로 의외의 조합을 마주했다. 프리모와 베스였다. 아무래도 베스가 이시스의 방으로 향하던 중 프리모의 눈에 띈 듯했다. 베스는 당황하여 어쩔 줄 몰라 떨고만 있었다. 베스는 어렸을 적부터 프리모를 무서워해 그의 앞에서는 입도 제대로 떼지 못했다.

둘의 앞으로 다다른 이시스가 점잖게 말했다.

'오라버니, 그만하시지요.'

프리모가 고개를 돌려 이시스를 보았다. 그가 과장스럽게 동복누이를 반겼다.

'이게 누구야, 내 여여쁜 누이가 아닌가.'

이시스는 흘긋 베스를 붙잡고 있는 프리모의 손을 살폈다. 아무래도 그는 베스를 궁에 드나드는 귀족가의 여식으로 착각한 듯했다.

확실히 베스의 생김새는 어렸을 때와 비교해 많이 달라져 있었다. 못나다고만 생각했던 얼굴이 자랄수록 나날이 어여뻐졌던 탓이다. 그러고 보면 베스의 어미는 오직 미모만으로 후궁이 되었던 여자였다. 아버지를 닮은 줄 알았는데 그게 아니라 다행이라며 자매는 남몰래 키득였었다.

'예, 그리고 지금 희롱하고 계신 그 아이도 오라버니의 배다른 동생이랍니다.'

이시스가 담담하게 대꾸했다. 그 말에 프리모가 미간을 찌푸렸다. 그가 얼떨떨한 기색으로 베스를 붙잡고 있던 손을 놓았다.

'내 동생이라고?'

프리모가 베스의 턱을 쥐고는 거친 태도로 얼굴 곳곳을 살폈다.

그가 눈을 가늘게 뜨며 말했다.

'그리 닮진 않았는데.'

'7황녀 에일베스입니다. 기억하실 텐데요.'

'아, 내 하나뿐인 동복누이와 놀아났다던.'

프리모가 그리 말하며 베스를 놓아주었다. 이시스와 베스의 친분은 궁에서 제법 유명한 이야깃거리였다. 도통 조건이 맞지 않는 사이인데 틀어지지도 않고 친하게 지내는 것이 남들 보기엔 영 이상했던 탓이다.

'워낙 형 동생들이 많으니 일일이 기억할 수야 있나.'

프리모가 피식 웃으며 제 뒷머리를 긁었다. 그의 입꼬리에 노골적인 비웃음이 걸렸다.

'하기야 혹시 모르지. 궁에 가득 찬 것이 온통 황제의 씨니 그중 하나는 가짜일지도.'

베스가 몸을 움찔하며 걸음을 뒤로 물리려 했다. 그러나 프리모가 그녀의 손목을 잡아채는 것이 더 빨랐다. 프리모가 속삭이듯, 그러나 모두에게 들릴 만한 크기로 말했다.

'얘, 누이야. 네 어미의 방에 눈 가린 사내가 드나들지는 않던?'

그의 눈이 노골적으로 베스의 몸을 훑었다. 베스의 얼굴이 희게 질렸다. 베스의 시선이 순간적으로 이시스를 향했다.

이시스가 입술을 깨물며 둘 사이에 끼어들었다. 밀쳐 내는 힘이 세지는 않았으나, 워낙 생각지도 못했던 일인지라 프리모는 얼결에 베스를 놓쳤다. 그가 눈을 크게 뜨며 어이없다는 듯 헛웃음을 지었다. 한쪽 다리에 중심을 둔 불량한 자세에서 불만이 엿보였다.

'이시스, 지금 뭐 하는 거지?'

'그만하세요.'

이시스가 딱딱한 목소리로 대꾸했다. 프리모가 눈썹을 들어 올렸다.

'숫기 없는 동생을 좀 놀렸기로서니 네가 내 앞을 막아서는 거냐?'

'오라버니께서 방금 하신 말씀은 황실에 대한 모욕이기도 합니다.'

'내 직접 천박한 핏줄을 가려내겠다는데 무어 불만이라도 있니?'

프리모의 기세가 점점 험악해졌다. 이시스의 무표정한 얼굴에 마침내 조롱이 떠올랐다.

'글쎄요, 그게 오라버니께서 하실 말씀은 아닌 것 같아서요.'

'뭐라고?'

'저도 의심스러울 지경입니다. 분명 누구보다 고귀한 혈통을 타고났을 오라버니께 왜 황족의 기품이라고는 찾아볼 수가 없는지—'

짝—!

말을 끝맺기도 전에 이시스의 뺨이 돌아갔다. 언쟁만으로도 긴장해야 했던 이시스와 다르게 프리모는 망설임 없이 손을 들었다.

이시스의 분노에 불이 붙었다. 그녀가 씹어 먹을 듯한 눈으로 프리모를 노려보았다. 아릿한 통증은 이시스를 굴복시키지 못했다. 그녀의 입에서 선연한 비웃음이 터져 나왔다.

'제 감정조차 못 다스리는 모자란 종자가 어찌 제국을 통치한다는 것인지!'

프리모가 다시 손을 들었다. 이번엔 이시스도 버티지 못했다. 이시스가 휘청이며 바닥으로 넘어졌다. 핏줄이 터진 듯 투명하던 뺨이 붉게 달아올랐다. 눈앞에서 벌어진 폭력에 베스가 신음하며 제 입을 틀어막았다.

그런 베스를 뒤로한 채 프리모가 이시스에게로 다가섰다. 그가 천천히 몸을 낮춰 앉더니, 이시스의 머리칼을 틀어쥐고는 억지로 고개를 들게 했다. 이시스는 지지 않고 프리모를 쏘아보았다. 그에 프리모의 입꼬리가 비틀렸다.

'네가 진정 미쳤구나.'

'이것 놔.'

'그 빳빳한 고개를 내가 어떻게 교육시켜야겠니. 아예 목뼈를 비틀어 줄까?'

프리모가 사납게 으르렁거렸다. 그와 동시에 뒤편에서 울음 섞인 비명이 터져 나왔다.

'그만하세요!'

이번엔 베스가 이시스의 앞을 막아섰다. 이시스를 끌어안은 베스의 몸이 무섭도록 떨렸다. 겁 많은 베스로서는 참으로 대단한 용기를 낸 것이었다. 프리모 앞에서 변변찮은 대꾸도 못 하던 그녀가 아예 그를 가로막고 섰으니.

베스는 자신을 밀어내려는 이시스를 꽉 붙들고 놓지 않았다. 뺨 위로 떨어지는 눈물의 양을 헤아릴 수 없었다. 누가 보든 더없이 안쓰럽게 여길 광경이었다.

때 아닌 소란은 지나가던 이들의 발길을 잡아챘다. 모여드는 시선에 프리모가 헛웃음을 터트렸다.

'이것들이 작당해서 나를 악당으로 만드는구나.'

그가 싸늘한 눈으로 둘을 흘겼다. 뒤편에 서 있던 시종이 눈을 질끈 감고는 앞으로 나섰다. 분풀이가 자신에게도 돌아올 것을 알았지만, 이를 막지 않는다면 황후에게 더 모진 질책을 당할 것이었다.

'황자 전하, 보는 눈이 많습니다.'

프리모가 힘주어 주먹을 쥐었다 폈다. 그가 성난 걸음으로 돌아서며 명령했다.

'오늘 밤은 이시스를 궁 안에 들이지 말아라. 모포든 먹을 것이든 필요한 물건을 내주는 자가 있다면 내 직접 매우 칠 것이다.'

'저, 전하, 밖에 비가 오는데요.'

'그래서?'

프리모가 싸늘히 되물었다. 시종은 이것이 프리모의 마지막 양보임을 깨달았다. 자비 없는 명령이었지만 적어도 동복누이를 대놓고 폭행하는 것보다는 나았다.

시종은 잠자코 포악한 황자에게 허리를 숙였다.

'명 받들겠습니다.'

가을로 접어드는 시점이었다. 떨어진 밤 기온과 마침 내리는 비는 독한 이시스도 견디기 힘들 정도로 찼다. 그러나 이시스는 프리모를 찾아가 무릎 꿇고 사과하는 대신 야외에서 밤을 보냈다. 베스는 우산을 쓴 채 그런 이시스의 옆에 앉아 엉엉 울었다. 이시스는 부러 짜증을 내어 베스를 실내로 들였다.

빗속에서 밤을 지샌 후 이시스는 몹시 앓았다. 독한 감기였다. 베스는 이시스가 아픈 것이 자신 때문이라 여겼다. 이시스는 프리모의 비위를 맞추지 않은 제 쪽이 더 문제였다고 생각했지만, 굳이 베스의 죄책감을 덜어 주지는 않았다. 베스가 안달복달하며 떠는 모습을 구경하는 게 꽤 즐거웠기 때문이다. 잠시 성질을 죽이고 살긴 했지만 본디 이시스는 성격이 나빴다.

떨어지지 않는 열에 이시스는 일주일 정도 침대 신세를 졌다. 마음이 여린 베스는 언니의 곁을 떠나지 못했다. 척척한 물수건이 이마에 닿는 게 불쾌했지만, 이시스는 잠자코 동생의 병간호를 받았다.

베스가 이시스의 머리칼을 베개 위로 넘겨 주다 말고 불쑥 말했다.

'저는 언니가 있어서 좋아요.'

'왜, 네 형제 대신으로?'

'대신은 아니잖아요. 저흰 자매니까.'

'우리를 자매로 생각하니까 네가 이상한 애라는 거다.'

이시스가 퉁명스럽게 대꾸했다. 같은 어미와 아비를 둔 프리모도 형제 같지 않은데 하물며 베스라면야. 둘은 닮은 점이 없었고 이시스와 비교해 베스는 다분히 격이 떨어지기까지 했다.

베스가 실실 웃으며 말했다.

'그래도 언니는 저만 애칭으로 부르잖아요.'

이시스가 어이없다는 듯 입을 벌렸다. 그것은 지독한 세뇌의 결과일 뿐이었다. 매번 만날 때마다 본명 대신 애칭을 부르라고 말하는데 귀찮게 그걸 계속 듣고 있으란 말인가. 베스는 아닌 듯하면서도 간이 컸다. 이시스에게 베스라고 불리기 시작한 이후 건방지게도 이시스의 애칭을 지어 부르는 일까지 욕심냈으니까.

'네 죽은 동생이 궁금할 지경이구나. 그놈도 너처럼 막무가내였을지.'

이시스의 말에 베스가 고개를 갸웃였다.

'제 동생은 안 죽었는데요?'

살아남았을 리가 있겠는가. 베스의 남동생은 어렸을 때부터 재능이 걸출했다. 어린 이시스가 들어 알고 있을 정도이니 이미 모두의 눈엣가시였으리라. 손톱을 숨길 줄도 모르는 어미가 제 아들을 죽인 것이다. 그러나 이시스는 반박하는 대신 잠자코 수긍했다.

'그래, 그렇겠지.'

아들을 잃은 충격을 이기지 못한 여자는 딸까지 내팽개쳤다. 베스는 그런 어머니를 원망한 적조차 없었다. 어머니의 사랑을 독차지한 남동생 역시 아끼고 사랑했다.

이시스는 새삼스러운 눈으로 베스를 응시했다. 자신의 불행보다 남의 상처를 먼저 헤아리는, 이시스의 자매는 고작 열다섯이었다. 이제 곧 데뷔탕트를 치러야 할 텐데 누구도 그 중한 일을 신경 써 주지 않는다.

이시스는 도통 베스의 행복한 미래를 상상할 수 없었다. 얼굴은 모난 데 없이 예쁘니 어느 혼처에 팔려 가기야 할 텐데, 그것이 분명 제대로 된 가문은 아닐 터였다. 젊고 잘생기고 돈까지 많은 남자는 더 훌륭한 조건의 레이디를 결혼 상대로 점찍을 테니까.

이시스가 천장을 보며 한숨 쉬었다.

'나는 네가 참 걱정이다.'

'왜요?'

이시스는 굳이 자신의 염려를 입 밖으로 내진 않았다. 베스도 이유를 모르진 않을 테니까. 베스는 고뇌에 잠긴 이시스를 내려다보며 말없이 웃어 보였다. 아무 걱정 말라는 듯이.

그리고 그런 이시스의 고민이 참으로 쓸모없게도, 베스는 그해 가을이 끝나기 전에 죽었다.

범인은 프리모였다. 사람을 살해한 동기라 말하기가 우스울 만큼, 그 이유는 어이없으리만치 간단했다.

이시스가 프리모에게 앞선 일을 사과하지 않았기 때문에.

수확제의 마무리인 사냥 대회가 열린 날, 베스는 생전 참석해 본 적도 없는 그곳에서 화살을 맞았다. 프리모는 참관석에 앉아 있던 이시스를 불러내 억지로 숲까지 데려갔다. 프리모의 강압적인 태도에 인상을 쓴 것도 잠시, 수풀 위에 쓰러진 인영을 발견한 이시스의 얼굴이 딱딱하게 굳었다.

프리모가 말했다.

'이것 기억하렴, 누이야, 난 네가 소중히 여기는 것이 어떤 것이든 모두 망가뜨려 줄 수 있단다. 그러니 그 건방진 목을 굽히는 법을 좀 배우렴.'

살인마의 미소가 너무도 섬뜩했다.

이시스는 더듬더듬 바닥을 기어가 시체의 어깨를 당겼다. 다행인지 불행인지 한 발의 화살로 사망한 듯 시신의 상태는 너무도 온전했다. 차게 식은 몸에서 베스의 얼굴을 발견한 이시스는 그대로 혼절했다.

이후 이시스는 한 달간 자신의 방에 틀어박혔다. 사흘 동안 아예 음식을 입에 대지 않았더니 유모가 울며 잠긴 문을 두드렸다. 주변의 타박이 귀찮아 띄엄띄엄 식사를 거르는 정도로 타협했다. 남는 시간은 죽은 듯이 잤다.

사실, 이시스가 아끼던 이를 잃은 게 처음 있는 일은 아니었다. 이시스는 오랜만에 프리모의 게으름을 대신 책임져 궁을 떠났던 스승을 떠올렸다. 그녀는 이시스에게 꾸준히 편지하겠다고 약속했지만, 돌아온 답신은 다섯 손가락 안에 꼽혔다. 연락이 끊긴 후 머지않아 이시스는 그녀가 의처증이 있는 남편에 의해 반쯤 갇혀 살고 있다는 소식을 들었다.

이시스는 감았던 눈을 떴다. 생기 없던 눈동자에 형형한 빛이 감돌았다.

다음 날 이시스는 프리모를 찾아가 무릎을 꿇고 사과했다. 자신이 어리석어 오라비에게 무례를 저질렀다 고하며 몸을 떨었다. 다시는 그런 일이 없을 거라는 약속의 증표로 이마를 바닥에 붙인 후, 이시스는 프리모의 둘도 없는 수족이 되었다. 프리모는 드디어 이시스의 버릇을 들였다며 크게 기뻐했다.

베스는 그대로 잊혀졌다. 더 이상 궁에서 그녀의 이름을 입 밖에 내는 이는 없었다. 당연한 일이었다. 애초에 베스와 대화를 나누던 사람은 오직 이시스 하나였다. 베스의 어미는 딸이 죽었다는데도 바깥에 얼굴을 비치지 않았다.

이시스는 같이 추억을 곱씹을 사람 대신 베스가 자주 머물렀던 장소를 찾았다. 해가 뉘엿뉘엿 질 때까지 후원을 걷고 또 걸었다. 어미와 동생을 잃은 아이가 시간을 버리던 그곳, 나는 듯이 걸음을 옮기던 이시스는 자신을 부르는 목소리에 곧 멈춰 섰다. 그러나 뒤돌아본 자리는 비어 있었다.

모두가 잊은, 그녀는 이시스의 유일한 자매였다.

아무도 기억하지 않았다. 그녀가 얼마나 즐겁고 낭랑한 목소리로 웃었으며 그것이 얼마나 사람을 안정되게 만들었는지, 그녀가 무슨 색을 좋아하고 미래에는 무엇을 꿈꾸었는지, 그녀가 사랑하는 이들이 누구였고 또 그들에게 얼마나 제멋대로인 애칭을 지어 불렀는지. 그 이름들을 말할 때 입천장에 길게 닿았다 떨어지던 혀의 몽롱한 발음까지도.

모든 것들을 전부, 그 누구도.

'무슨 일이에요, 언니?'

"무슨 일입니까, 누님?"

이시스는 충혈된 눈을 들었다. 베스와 닮은 얼굴이 눈앞에 있었다. 어느 잠든 밤, 꿈에서 누이가 나타나 믿어도 될 사람을 일러 주기라도 했을까. 이시스는 인정했다. 제 앞에 선 남자는 참으로 안전한 줄을 잡았다. 그는 이시스가 절대로 해칠 수 없는 유일한 형제였다.

베스의 남동생, 그녀가 사랑했던 가족이자 그녀의 죽음을 기억해 줄 몇 안 되는 사람.

"너는 네 죽은 누이에게 감사해야 해."

벤자민을 노려보며 이시스가 입술을 달싹였다.

"무슨……."

"당장에 네놈을 잡아다가 매우 치지 않은 건 모두 그 알량한 남매애 덕분이니까."

이시스가 몸을 일으켜 벤자민에게로 성큼 다가갔다. 벤자민의 목깃을 잡아채며 이시스가 섬뜩하게 속삭였다.

"네가 말했니?"

"무슨 말을 하시는 겁니까, 대체?"

벤자민이 몹시 당황한 얼굴로 되물었다. 갑작스러운 이시스의 등장과 그녀가 하는 말까지, 전부 이해할 수 없는 것들투성이였다. 불 꺼진 방에서 기다리고 있던 이복 누이를 발견하고 얼마나 놀랐던가. 언질 없는 방문만도 예의가 아닐진대 이어진 추궁은 황당하기까지 했다.

"어디도 정보를 얻을 만한 곳이 없어. 이제 막 수도에서 안면을 트기 시작한 애송이인 데다 벨라체에선 정말 공부만 했더군."

이시스가 벤자민을 노려보며 속사포처럼 말을 쏟아 냈다. 여전히 이해가 안 되기는 마찬가지였다. 벤자민이 표정을 구기며 물었다.

"대체 무슨 소리를 하시는 겁니까?"

"대공비 말이다."

이시스의 짧은 대답에 벤자민의 얼굴이 딱딱하게 굳었다. 그가 힘을 주어 이시스의 손을 쳐 냈다. 구겨진 옷깃을 정리할 정신도 없었다. 벤자민이 한 자 한 자 끊어 물었다.

"아스티나가, 그녀가 대체 왜요."

험악한 대답에 이시스가 코웃음을 쳤다. 그녀는 이성을 잃은 벤자민을 노골적으로 비웃었다.

"이름을 부를 정도면 꽤 친밀했나 보지? 왜, 남편 있는 여자에게 눈독이라도 들였나?"

"뭐가 어쨌든 당신이 알 바는 아니잖습니까. 왜 아스티나를 입에 담는지부터 말해요!"

"정보를 팔아먹은 배신자 주제에 어디서 큰소리야!"

이시스의 일갈에 벤자민이 황당하단 듯 얼굴을 일그러뜨렸다.

"배신자?"

이시스는 벤자민의 연기력에 감탄하고 싶을 지경이었다. 벤자민이 궁에 돌아온 이유만 몰랐더라도 깜빡 속아 넘어갔을 것이다. 이시스는 제 감정에 눈 멀어 큰일을 그르치게 만든 사내를 경멸의 눈으로 보았다.

대공비가 후계자의 잔의 행방을 알고 있다 말한 이후, 이시스는 대공비의 뒤를 캐내기 시작했다. 그리고 이시스가 알아낸 것은 그야말로 '아무것도' 없었다.

대공비는 아직 사교계 내에 정보를 교류할 만한 마땅한 지인이 없었고, 그렇다고 특정한 모임에 꾸준히 참가하는 것도 아니었다. 그리고 만일 그렇다 할지라도 이시스의 속내를 읽어 내는 건 말이 되지 않았다. 이시스는 황제 다음의 세를 모은 프리모조차 속이고 있었으니까.

대공비가 이시스의 계획을 알게 될 유일한 경로는 딱 하나, 벤자민뿐이었다. 황제와 알현하기 전 먼저 찾아갔던 게 벤자민이라 하니 그때 이런저런 이야기를 얻어들은 것이 틀림없었다.

"무슨 오해를 한 건지 모르겠지만 난 아스티나에게 아무 말도 하지 않았어요."

겨우 침착함을 되찾은 벤자민이 대답했다. 벤자민은 아스티나의 비범함을 익히 알았지만 이번 일은 그도 몹시 놀라웠다. 이시스가 찾아오고 난 오후, 후계자의 잔을 되찾았다는 소식을 듣고 얼마나 기가 막혔던가.

황제는 벤자민을 불러 새로 얻은 잔을 자랑하며 아쉽게 입맛까지 다셨었다. 아스티나를 구하기 위해 아탈렌타에 간다고 했을 때는 시큰둥했던 아버지였다. 이번 일로 황제는 벤자민의 안목을 칭찬함과 동시, 대공비를 벤자민의 짝으로 들이지 못했음을 퍽 아쉬워했다.

그것으로 끝인 줄 알았더니 더한 소동이 남아 있었다니. 이시스는 벤자민이 쌍둥이 잔에 관한 정보를 줬다고 오인한 게 틀림없었다.

벤자민이 한숨을 쉬며 대답했다.

"쌍둥이 잔에 관한 건 저도 몰랐던 사실입니다."

"발뺌하지 마라, 잔에 관해 말하는 게 아니라는 걸 알 텐데. 말해, 대공비에게 뭘 믿고 우리의 계획을 알렸지?"

"그날 아스티나와 이야기했던 건 채 30분도 되지 않습니다. 어떻게 제가—"

신경질적으로 대답하던 벤자민의 낯이 희게 질렸다. 그가 굳은 목소리로 물었다.

"아스티나가…… 계획을 알고 있다니, 그게 무슨 말입니까?"

생소한 벤자민의 반응에 이시스가 미간을 좁혔다.

"네가 말한 게 아니라고?"

"당연히 말하지 않았어요. 좋아하는 여자를 싸움판으로 이끄는 미친놈이 어디 있답니까? 아스티나가 뭐라고 했는데요, 대체 그녀와 무슨 이야기를 나눈 겁니까?"

벤자민이 이시스의 앞으로 성큼 다가섰다. 그에 그치지 않고 그가 경고하듯 억눌린 음성을 내었다.

"그녀를 건드리지 마세요. 나라는 지원군까지 잃고 싶지 않다면."

위협적인 말투였으나 이시스는 그보다 불안을 띤 눈동자에 더욱 주목했다. 주먹 쥔 손에선 강인한 척하려는 티가 났지만, 그럼에도 얕은 떨림은 잦아들지 않은 채였다. 좋아하는 여자가 위험에 처할지도 모른다는 사실에 잔뜩 겁을 집어먹은 모습이었다.

이시스는 벤자민이 사실을 말하고 있음을 깨닫고는 무심코 반걸음 뒤로 물러섰다. 벤자민이 말한 게 아니라면 대체 어디서 정보가 샌 것인가. 그녀는 손으로 입 주변을 감싼 채 생각에 잠겼다.

'정말 대공비 혼자 알아낸 것이라고? 대체 어떻게?'

이시스의 얼굴에 혼란스러운 빛이 감돌았다. 알 수 없는 건 정보의 출처뿐만이 아니었다. 이시스는 도무지 대공비의 의도를 짐작해 낼 수 없었다.

대공비는 분명 이시스가 가진 것이 승리자의 잔이며, 프리모에게 내준 것이 패배자의 잔이라 알렸다. 대공비가 늘어놓은 이야기가 사실이라면 그녀는 이시스에 대한 지지를 우회적으로 드러낸 셈이었다. 무엇보다 정말 프리모에게 가 붙을 생각이었다면, 진작 잔을 훔친 범인이 이시스임을 밝혔을 것이다.

모든 정황이 한 가지 결론을 내리고 있음에도 이시스는 좀처럼 이 기막힌 행운을 신뢰할 수 없었다. 이시스가 입술을 깨물었다.

"거짓을 말한 거라면 용서치 않을 거다, 벤자민."

"누님이야말로 아스티나를 함부로 이용할 생각은 말아요. 당신이 무엇을 원하든, 그녀가 원하지 않는다면 아무것도 얻을 수 없을 겁니다."

벤자민이 사납게 으르렁거렸다. 벤자민의 눈을 들여다보던 이시스는 이내 맥이 빠졌다.

하기야 진짜 거짓을 말한 것이라고 쳐도 무슨 벌을 또 내리겠는가. 동생의 건방진 대거리에도 질책할 생각이 들지 않았다. 이시스는 벤자민이 제 사람을 지키기 위해 드러낸 손톱을 뽑아낼 생각이 없었다. 그건 이시스가 베스에게 그토록 주고 싶었던 힘이었다.

이시스가 쓰게 웃으며 중얼거렸다.

"버려진 모질이 주제에 성질만 대단하구나."

모두가 타인에게서 과거에 사랑했던 얼굴을 찾아내기 위해 애쓴다. 어리석다 비웃을 것인가 아니면 가엾다며 동정할 것인가.

✣ ✥ ✣

아스티나가 이시스의 부름을 전해 들은 건 다음 날 오후였다. 아마 그간의 유예 동안 이시스 황녀는 대공비의 뒷조사에 임했으리라. 오라비를 속이고 야심을 품은 황녀는 과연 조심성 있는 인물이었다.

상대가 자신의 뒤를 캐리라는 것을 예상했음에도 아스티나는 별다른 생각이 없었다. 머릿속을 들여다보기라도 하지 않는 이상, 아카데미에서 부지런히 수학해 왔을 뿐인 아스티나의 과거에서 특이점을 발견하지는 못할 테니까.

"정말 혼자 가셔도 되겠습니까?"

테리오드가 염려가 섞인 음성으로 물었다. 정문 앞까지 나와 배웅하는 남편을 보고 아스티나가 가볍게 미소 지었다.

"예, 염려 놓으세요."

가문의 정치적 입장을 정할지도 모르는 중요한 자리다. 아스티나도 웬만해선 테리오드와 함께 입궁하고 싶었지만, 그의 특이 체질은 번번이 약점이 되었다. 아니, 어쩌면 더 이상 그 약점이 존재하지 않는지도 모르지만 아직 확신은 불가능한 상태였다.

아스티나와 동침한 이후 테리오드는 다시 짐승으로 변하는 일이 없었다. 저주가 완전히 풀렸다고 기뻐하기엔 이어진 병력이 길었고, 확신은 이른 감이 있었다, 대공 부부는 신중하게 조금 더 추이를 두고 보기로 결정했다.

만일 동침이 입맞춤보다 사람으로 머물 시간을 더 길게 한 것이라면, 우선적으로 파악해야 하는 건 그 주기였다. 하루의 반이라는 확실한 표본이 있는 후자와 다르게 전자는 마땅한 선례가 없었다. 그도 그럴 것이 테리오드는 이번이 처음이었으니까.

언제 짐승으로 돌아갈지 모르는 상황이라 테리오드는 가급적 오랜 외출을 삼가고 있었다. 이번 이시스와의 만남도 마찬가지였다. 얼결에 가문의 향방을 홀로 결정짓게 되었음에 아스티나는 다소 곤란해졌다.

가주 대리라니, 결혼한 지 일 년도 지나지 않은 배우자가 맡기에는 꽤나 부담스러운 자리였다. 정작 그녀의 남편은 아내에게 무엇이든 가져다 바칠 태세였지만.

“일찍 귀가하겠습니다.”

아스티나가 안심시키듯 덧붙였다.

지켜보던 올리버가 흐뭇한 미소를 지었다. 하루를 꼬박 이어진 술래잡기에 불화를 걱정했었는데, 무슨 바람이 불었는지 그들 부부는 급격히 사이가 좋아져 있었다. 올리버는 아내에게서 도통 떨어지지 않는 대공을 밀어내고는 마저 마차 문을 닫았다.

“그럼 안녕히 다녀오십시오.”

“그래, 이만 다녀오지.”

올리버는 허리를 숙이다 말고 멈칫했다. 그가 퍼뜩 고개를 들었다.

“전하……? 방금 제게 말씀을…….”

낮추셨는데.

올리버는 그 뒷말을 내뱉진 못했다. 자신이 그 일에 불만을 가진 것처럼 내비칠까 염려한 탓이었다.

대공비는 대공과 혼인한 이래 ‘자신보다 나이가 많은 사람에겐 말을 놓지 않는다'는 황당한 이유로 쭉 올리버에게 존칭을 사용해 왔다. 거의 쉰이 다 되어 가는 주방장에게 당당히 하대했던 걸 생각하면 다소 의문스러운 핑계다. 올리버는 아스티나의 기행을 가문에 평생을 바친 집사에 대한 존중으로 합리화했었다.

대체 무슨 일이 있었기에 하루아침에 마음이 뒤바뀌신 것인가.

올리버의 심정을 어렵지 않게 이해한 듯 아스티나는 입가에 미소를 떠올렸다. 그녀가 짧게 덧붙였다.

"이제 진짜 대공비니까."

"예?"

올리버를 더욱더 혼란스럽게 하는 답변이었다. 그렇다면 이전엔 가짜 대공비라도 됐다는 말인가. 올리버는 이것이 세대 차이로 이해할 수 없는 농담은 아닌가 심각한 고민에 빠졌다.

아스티나는 말없이 웃으며 마차를 출발시켰다. 거대한 저택이 빠르게 저 너머로 멀어졌다. 그녀는 이제야 온전히 제 공간이 된 건물을 잠시간 눈에 담았다.

대공과 한 혼인이 본연의 의미를 얻은 건 정확히 어젯밤 이후의 일이었다. 이혼을 생각하고 있던 때에 아스티나는 대공비라는 직위가 온전히 제 것이라 여긴 적이 없었다. 하지만 지금의 그녀는 테리오드를 받아들이기로 마음을 정한 상태였다. 그 동화 같은 결말은 묘한 감상을 자아냈다.

아스티나는 눈을 감고 그녀의 남편이 전한 배려 넘치는 고백을 떠올려 보았다.

'그대의 속도에 맞춰 천천히, 느리게. 그렇게 발맞춰 걸어요.'

테리오드는 본인의 마음을 강요하는 대신 그녀에게 제안했다. 함께 노력해 보지 않겠느냐고. 그 상냥한 제안은 그들의 첫 만남을 상기시켰다. 그때도 테리오드는 팔려 온 신부를 겁박하는 대신, 제 곁에 남아 달라는 부탁을 전했었다. 스며드는 다정함은 아스티나에게 기대를 안겨 주었다. 언젠가는 그와 함께 행복해질 수 있으리란.

'평화로운 신혼을 위해선 일단 벌여 놓은 일부터 해치워야겠지만.'

아스티나는 피식 웃으며 밖으로 내려섰다. 마차에서 머문 시간이 그리 길진 않았다. 황궁은 대공가의 사저에서 멀지 않은 거리였고, 이시스가 머무는 궁까지 가기 위해선 얼마간 걸어야 했으니까.

아스티나는 시녀의 안내를 받아 이시스의 방 앞까지 다다랐다. 여기까지 오며 눈에 담은 오후의 궁은 몹시도 한갓진 정경을 내보이고 있었다. 오늘의 목적이 될 위험한 대화와는 도통 어울리지 않는 평화로움이다.

"들어와."

허락이 떨어짐과 동시에 시녀가 문을 열었다. 아스티나는 천천히 안으로 걸어 들어갔다. 황제의 것만큼 호화롭진 않았지만 이곳도 권세에 걸맞은 화려함이 있었다. 대화를 나누면 소리가 크게 울릴까 걱정될 정도로 층고가 높은 방이었다.

이시스는 먼저 앉아 아스티나를 기다리고 있었다. 아스티나는 천천히 걸음을 옮겨 황녀의 앞에 다다랐다. 이시스가 앉으란 듯 건너편 자리를 향해 손을 펴 보였다.

"반갑소, 대공비. 급히 불러들였는데도 이리 먼 길 마다하지 않고 와 주어 고맙군."

"저야말로 귀한 자리에 초대해 주셔서 감사합니다."

아스티나가 자리에 앉으며 점잖게 대답했다. 이시스의 낯에 온화함이 담겼다.

"그대 덕분에 불명예스러운 잡음을 치워 낼 수 있게 되어 폐하께서 몹시 기꺼워하셨소. 오늘은 그대의 공로를 치하하고자 부른 것이오."

"분에 맞지 않는 과찬을 하시니 부끄러울 뿐입니다."

아스티나가 매끄러이 웃으며 답했다. 우스운 희극 같은 상황이었다. 이 자리에 앉은 두 사람 다 아스티나가 황제에게 내어 준 것이 패배자의 잔이라는 사실을 알고 있었으므로.

이시스의 입가에 맺힌 미소가 짙어졌다.

"그대는 황가의 은인이니, 마땅히 나를 친우처럼 생각하고 오늘은 편히 즐기다 가게나."

"당연한 일을 했을 뿐인 것을요. 잔은 본디 황실의 물건이 아닙니까."

"겸손하군, 본래 자리에 돌려놓은 것뿐이라 이 뜻인가?"

"예, 마땅히 있어야 할 곳에요."

이시스는 잠시 차의 향을 음미했다. 한 모금을 삼키고는, 소리가 나지 않게 잔을 내려놓았다. 먼저 항복하고 물러선 것은 이시스 쪽이었다.

"모르겠군."

곧 죽어도 불리한 패는 내보이지 않는 것이 싸움의 원칙이나, 이시스는 이번만은 의미 없는 허세를 내버리기로 했다. 상대는 이시스의 속내를 모두 알고 있는데 반해 이시스는 지나치게 정보가 없었다. 이시스의 생각대로 상대가 제게 품고 있는 것이 호감이라면, 강압적인 추궁으로 굳이 얼굴을 붉힐 필요는 없을 것이다.

"무엇이 말씀이십니까."

"솔직히 전혀 짐작하지 못하겠어. 그대가 내게 이런 말을 하는 이유가 무엇인지."

이시스가 한결 허심탄회한 어조로 말을 맺었다. 아스티나는 잠시 침묵했다. 그러고는 이시스와 눈을 마주하며 천천히 운을 떼었다.

"황녀님, 저는 황녀님 같은 눈을 아주 잘 압니다."

아스티나의 말에 이시스가 눈썹을 들어 올렸다. 이시스가 재미있다는 목소리를 내었다.

"눈이라?"

"욕망하는 사람의 눈 말입니다. 하지만 모두가 황녀님에게서 그것을 발견하고도 의미 없이 지나쳤을 테지요."

"계속 말해 보시오."

"황녀님께서 지금까지 들키지 않을 수 있으셨던 이유는 하나입니다. 아무도 황녀님이 그런 야망을 품으리라고 생각지 않았기 때문이지요. 아무 욕심이 없는 벤자민에게 더한 견제가 돌아가는 것이 작금의 실정이니 참으로 우스운 일이 아닙니까."

이시스는 등받이에 등을 기대며 조용히 제 턱을 쓸었다. 이시스가 눈을 깜빡이며 물었다.

"하지만 그대는 다르게 생각했다 이 말인가?"

"실제로도 사실이 맞았고요."

"내가 새어 나간 비밀을 막기 위해 그대를 해치리라는 생각은 안 했나 보지."

"그 전에 먼저 벤자민에게 의견을 구하시지 않겠습니까. 그리고 그는 도통 저에 대해 나쁜 말을 할 줄 모르는 남자지요."

이시스는 입을 다물었다. 실제로도 그것은 사실이 맞았다. 이시스는 대공비를 입에 담자마자 몹시 흥분했던 벤자민을 떠올렸다. 사랑하는 여자를 건드리지 말라며 성을 내는 모습은 언뜻 간절해 보이기까지 했다.

생각해 보면 어이가 없는 일이다. 벤자민이 대공비를 보호할 상대라고만 생각하는 것과 다르게, 먼저 이시스에게 접근한 것은 오히려 대공비 쪽이었으니까.

이시스가 신중하게 말의 마디마디를 짚어 가며 질문했다.

"그대가 이런 대화를 청한 이유를, 나와 뜻이 맞아서라고 판단해도 되겠는가?"

"글쎄요."

당연히 알셌나는 대답이 돌아올 줄 알았던 이시스는 내심 당황했다. 대공비의 저의를 의심하긴 했으나, 내심 이 대단한 기회에 대한 욕심을 키워 왔던 것도 사실이었다.

실제로도 상황은 마냥 긍정적이었다. 지금껏 대공비가 이시스에게 내보인 것은 온통 같은 편에 서겠다는 여지였으니까. 그리고 대공가의 협조를 손에 넣으면 이시스는 그야말로 천군만마를 얻게 되는 셈이었다.

그러나 아스티나는 말끔하게 웃으며 제의했다.

"저는 황녀님께서 그 이유를 만들어 주시기를 바랍니다."

자신을 설득해 보라고.

이시스는 무심코 헛웃음을 흘릴 뻔했다. 그녀는 이 만남에서 상대의 쓸모를 판단하는 자는 자신이 되리라고 생각했다. 그러나 되레 시험을 걸어 온 건 상대 쪽이었다. 이시스는 제 앞에 앉은 여인이 건방지다고 여겼으나, 자신이 그 시험을 통과해야만 하는 입장인 것도 사실이었다.

아탈렌타는 프리모조차 얻지 못한 대단한 가문이었다. 애석하게도 대공비에게는 이시스의 자질을 평가할 자격이 있었다. 실제로 대공이 내건 기준을 충족하지 못했던 프리모는 아탈렌타가와 데면데면한 사이를 유지하고 있었으니까.

그럼에도 불편한 심기를 전혀 내비치지 않고 넘어가는 것은 자존심이 허락하지 않았다. 이시스가 다리를 꼬며 등받이에 등을 기댔다.

"무례하기 그지없군. 먼저 내게 접근한 것은 그대가 아니던가?"

"예, 덕분에 황녀님께서는 아주 대단한 기회를 손에 넣으셨지요."

"간이 크다고 해야 할지 행동력이 뛰어나다고 해야 할지 모르겠어. 그대에게 선택의 여지가 있었던 것은 내 계획을 안다는 사실을 입 밖으로 내기 전의 일이야."

"하지만 겉으로만 봐서는 황녀님께서 황제의 재목이실지, 그저 그런 야망가이신지는 제가 아직 분별할 수 없는 바이니까요."

아스티나의 대답은 짐짓 도발적이기까지 했다. 이시스가 피식 웃으며 대답했다.

"그렇다면 나는 존재만으로 내 능력을 증명할 수 있겠군. 이 황궁에서 그 많은 황손들을 치워 버린 이가 누구라고 생각하는 거지?"

"형제를 죽인 것은 자랑이 될 수 없습니다."

"그건 그들이 진짜 형제일 때 그렇겠지. 잠들기 전 오늘 밤은 어떤 암살자를 들일까 걱정하게 만드는 상대를 어찌 핏줄로 생각할 수 있겠나?"

이시스의 목소리가 결국 불쾌한 기색을 띠었다. 아스티나는 제도를 뒤엎으려는 황녀를 앞에 두고도 판에 박힌 말을 읊었다.

"그들을 형제라 생각지 않으셨다고 해도 달라지는 건 없습니다. 사람 목숨을 벌레처럼 취급하는 이가 어찌 백성을 다스리겠습니까."

"그 말이 우습구나. 대륙을 통일한 존엄한 여제 마티나가 사람을 몇이나 죽인 줄 아는가? 셀 수 없이 많은 사람을 베면 우리는 그를 위인이라고 부른다네."

"황녀님, 그게 그녀가 엘시어에게 제위를 물려주어야 했던 이유입니다."

아스티나가 쓰게 웃으며 대답했다.

역사는 초대 황제를 위엄 있게 기록했지만 당시엔 반발이 거셌다. 부모 자식을 잃은 과거의 권위자들이 시시각각 황성을 향해 불충을 드러냈다. 무력으로는 상대가 되지 않는 자들일지라도, 증오로 얼룩진 권좌가 오래갈 리 없다.

마티나는 원망의 구심점이 된 제가 사라져야 할 때임을 어렵지 않게 깨달았다. 그녀가 엘시어에게 제위를 넘기고 평화 정치를 하도록 도운 데는 그러한 맥락이 있었다.

계속해서 돌아오는 반박에 이시스의 눈초리가 싸늘해졌다. 이시스가 이전보다 감정적인 어조로 되물었다.

"그대는 같은 조건을 나의 오라비인 프리모에게도 요구할 텐가?"

안하무인인 프리모의 성정을 지적하는 말이었다. 재미로 사람을 죽이는 살인마다. 프리모의 살인엔 대의를 위한다는 미명조차 없었다. 대공비의 말대로 생명을 중히 여기지 않는 자는 제왕이 될 수 없다면, 프리모는 이시스보다 더 대단한 결격 사유를 가지고 있는 셈이었다.

이시스는 아스티나가 그대로 입을 다물거나, 혹은 프리모를 옹호하는 말을 전하리라고 생각했다. 그러나 아스티나는 망설이지 않고 고개를 저었다.

“아니요.”

이시스가 멈칫했다. 그녀의 눈이 다소 얼떨떨한 빛을 띠었다. 이시스가 약간의 당황이 섞인 어조로 말했다.

“……그렇다면 왜—”

“이와 같은 반응이 평생 황녀님을 괴롭힐 것입니다. 괜찮으시겠습니까?”

아스티나가 차게 식은 눈으로 이시스를 보며 말했다. 이시스의 눈가가 일순 움찔했다. 이시스는 아스티나가 자신에게 무엇을 말하고 있었는지를 완벽하게 알아차렸다.

도성의 귀족들은 프리모의 살인을 패악이 아닌 야망으로 이해한다. 그를 흠집 내지 못하는 잔인함은 두려움의 대상이 될 뿐이다.

그렇다면 야망을 이해받지 못하는 자의 계책은 무엇으로 불리는가.

이시스의 입가에서 감탄과 같은 비틀린 웃음이 새어 나왔다. 이시스는 훌륭한 정치인답게 한순간에 흥분을 사그라트렸다. 그녀가 턱을 들며 말했다.

“대공비, 나는 그대의 소문을 익히 들었소.”

“영광입니다.”

“그대는 아주 매력적이고도 거추장스러운 인물이었지. 그대를 내 편으로 만들기 위해 나는 아주 많은 것들을 대가로 내밀 수 있었을 것이오. 대단한 재산, 명예, 황제 바로 밑의 권력……. 그렇지만 어느 하나 그대 눈에 찰 것 같지 않았지.”

이시스가 눈을 감고 자신이 내어 줄 수 있는 것을 하나씩 짚어 냈다. 아직은 불완전한 그녀조차 제국의 가장 높은 자들 중 하나였다. 이시스가 눈을 떴다. 그녀는 아스티나를 보며 자신감에 찬 미소를 지었다.

“그렇다면 두 번째 마티나를 만드는 업적은 어떻소?”

아스티나가 이시스에게서 보고자 한 것은 의지였다. 그리고 이시스는 그 쓸모없는 염려를 비웃기라도 하는 것마냥 당당한 대답을 돌려주었다.

이시스가 자신 있게 말을 맺었다.

“비웃음, 경시, 두려움, 혹은 공포, 또는 비난. 나는 기꺼이 그것을 감당하겠어.”

두 번째 마티나라. 본인에게 마티나의 재림을 만들어 내자고 청하다니.

절묘한 대답에 아스티나는 그만 헛웃음을 터트릴 뻔했다. 이시스를 도울 계산을 하고 이 자리를 찾은 것은 맞았으나, 황녀는 어디까지나 수단에 불과했다. 아스티나는 본래 프리모의 자리를 위협하는 약간의 장난을 쳐 볼 생각이었다. 마티나가 받은 모욕을 대갚음해야 한다고 여겼으니까. 하지만 이젠 이시스라는 인물 자체에 대한 흥미가 생겼다.

이시스는 아스티나의 전생을 몰랐으므로 방금의 말은 우연의 일치에 불과했다. 아마 그는 역사적으로 성공한 여성 중 대표적인 인물인 마티나를 예로 들어 여자들 간의 동지애를 꾸리고 싶었던 건지도 모른다. 사람들의 관심을 끌지 못할 포부였고, 세상 물정 모르는 애송이의 자신감이라고 볼 수도 있었다.

하지만 아스티나는 그 대답이 꽤 마음에 들었다.

"진짜 잔을 내어 드린 보람이 있는 야심이십니다."

아스티나가 흡족한 음성으로 말했다. 입가엔 만족스러운 미소를 띤 채였다. 이시스가 가는 눈으로 아스티나의 시선을 되받아쳤다.

"그 말은?"

"대공께는 이미 말씀을 드리고 온 참입니다. 지원에 있어서는 염려를 놓으셔도 좋을 것 같습니다. 기실 황녀님께선 음지에서의 도움을 더 기꺼워하실 듯하지만요. 저희의 사정과도 꽤나 잘 맞아 드는 동맹이 되겠군요."

너무 쉽게 돌아오는 수긍에 이시스는 다소 당황했다. 이미 대공과는 이야기가 된 사안이라니, 대공비는 애초부터 답이 정해져 있다고 말하고 있었다.

반쯤 입을 벌렸던 이시스는 그만 헛웃음을 짓고 말았다.

"그대에게 놀림이라도 당한 기분이군."

"익숙해져야 하실 겁니다. 새로 얻으신 수하는 농담을 좋아하니까요."

아스티나는 그리 대답하고는 잠시간 저와 같으면서도 다른 고결한 황녀를 눈에 담았다.

마티나는 약점이 많았다. 성별과 신분, 그리고 왈도의 전적까지도 모두 그녀의 흠이 되었다. 그녀는 종종 상상했다. 날 때부터 고귀했던 자신이, 그야말로 적법한 수순을 거쳐 황위를 얻었다면 어떻게 되었을까.

출신을 부끄러워한 건 아니었지만 당연한 것을 얻는 기분은 어떨까 못내 궁금했던 것도 사실이었다. 그리고 이제야 그 질문에 답을 해 줄 사람이 나타났다. 100여 년이 지나고 나서야, 우습게도 다시 그녀의 앞에.

아스티나는 처음으로 신의를 담아 이시스를 응시했다.

"앞으로 황녀님께서 저희에게 보여 주실 일들에 아주 기대가 큽니다."

"내 필히 그 믿음에 보답을 해 주어야겠군."

"저는 그것이 아주 즐거운 협력이 되리라 기대하고 있습니다."

"그대가 부디 낡은 성을 가진 우아한 돼지들과의 대화도 즐거이 여기길 바라겠어. 사냥 대회가 끝나면 곧 그대를 위한 축하의 자리가 열릴 예정이거든."

미처 전해 듣지 못한 일이었기에 아스티나는 의아한 기색으로 되물었다.

"축하의 자리라면요?"

"황제 폐하께서 그대라는 패를 놓치지 않으려 벌이신 계획이지. 황궁에 충성을 바친 대공비를 위한 연회! 프리모는 거기서 잔을 전해 받게 될 예정이야."

이시스의 입꼬리가 비틀어졌다. 찻잔을 거칠게 내려놓은 것도 잠시, 이시스는 곧 자신의 말이 대공비를 향한 비난처럼 들릴 수 있겠다는 데 생각이 미쳤다. 이시스가 고개를 들며 이어 부드러운 음성을 내었다.

"프리모가 잔을 돌려받게 된 걸 불쾌히 여기는 건 아니야. 사실 나는 이 잔을 완전히 소유할 생각은 없었네. 꼬리가 길면 밟히는 법이니까."

"프리모 전하의 명성에 적당한 흠을 낸 뒤 돌려놓을 계산이셨겠지요."

"그래, 원래 잔을 찾는 건 나의 몫이었지. 그리하면 프리모가 나를 더 신뢰할 수 있으리라 생각했거든."

하지만 대공비의 도움으로 이시스는 진짜 잔을 돌려주지 않을 수 있게 되었다.

나쁜 기분은 아니었다. 진정한 제왕의 잔을 가진 건 자신이고, 프리모는 한낱 가짜를 손에 쥐고 있다는 것은. 심지어 자신은 프리모가 내내 군침을 흘리고 있던 아탈렌타의 지원조차 얻어 내지 않았던가.

이시스는 잠시간 자신에게 벌어진 이 기막힌 행운의 맛을 음미했다. 약간의 뜸을 들인 후 이시스가 말했다.

"그대 덕분이야."

그에 아스티나는 조용히 고개를 저었다.

"아니요, 진정 전하께서 소유하실 만한 물건이었습니다."

이시스가 프리모를 상대하기 위해 들인 노력을 몰랐다면 아스티나도 이와 같은 결정을 내리진 않았다. 어찌 보면 아스티나는 합당한 상대에게 합당한 도움을 주고 있는 셈이었다.

이시스는 오래도록 프리모의 뒤에 숨어 때를 노렸다. 기회는 준비된 자의 것이었으므로, 아스티나는 지친 황녀에게 망설임 없이 이렇게 말할 수 있었다.

"그러니 기꺼이 당신의 것을 가지십시오."

아스티나가 이시스의 방을 나선 것은 꽤 오랜 시간이 지나고 나서였다. 아스티나는 복도로 걸음을 내디디고 머지않아 초조한 얼굴로 기다리고 있던 벤자민을 발견했다. 벤자민은 이 상황이 몹시 불만스러운 듯 벽에 비뚜름한 자세로 기대서 있었다.

아스티나는 눈썹을 한 번 들었다 내리고는 벤자민을 그대로 지나쳤다. 벤자민이 당황한 얼굴로 황급히 아스티나를 쫓아왔다.

"아스티나!"

"목소리가 커."

"내가 언성을 안 높이게 생겼어?"

벤자민이 그리 말하고는 아스티나의 앞을 막아섰다. 그가 불안한 음성으로 아스티나를 다그쳤다.

"누님과 무슨 이야기를 했지?"

아스티나는 잠시 주변을 살폈다. 아스티나의 걱정이 무엇인지 알아챈 듯 벤자민이 한숨과 함께 설명했다.

"이미 이 근방에 있는 모든 사람들을 물렸어. 그러니 안심하고 대답해도 돼."

과연 주변은 고요하기 그지없었다. 인기척에 민감한 숙달된 검사가 무려 둘이나 있으니 굳이 밀실을 찾을 필요는 없으리라. 아스티나가 선선히 대답했다.

"그녀가 원하는 대답을 해 주고 왔지."

"원하는 대답? 잔에 관한 것 말이야, 아니면 누님의…… 제길. 아니, 이런 건 다 됐어. 아스티나, 이시스를 돕겠다는 건가?"

벤자민이 초조한 음성으로 물었다. 그의 걱정과는 맞지 않는 무게로, 아스티나는 짧은 긍정을 돌려주었다.

"그래."

벤자민의 얼굴이 황당하다는 듯 일그러졌다. 그는 도저히 갈피를 잡을 수 없다는 표정이었다. 아스티나는 그 반응을 충분히 이해할 수 있었다. 아탈렌타는 군이 다음 대 황제의 신의를 얻을 필요가 없는 대단한 가문이었다. 성공이 확실하지도 않은 세력 싸움보다는, 당연히 중립 쪽이 더 좋은 선택지다. 제정신이라면 이시스를 돕겠다는 답을 내놓을 리 없었다.

아스티나는 그대로 이시스의 야망을 모른 척 지나칠 수도 있었다. 계획을 알아챘음을 드러낸 건 종잡을 수 없는 변덕이었다. 적어도 벤자민이 보기에는.

"그래서 네가 얻는 게 뭐가 있지?"

아니나 다를까 벤자민은 답답하다는 듯 제 얼굴을 쓸어내렸다. 아스티나가 희미하게 웃으며 대답했다.

"아마 황자인 너는 절대 이해할 수 없는 것을."

"뭐?"

"벤자민, 나는 그녀가 얻을 황좌가 아주 고귀하고 깨끗하길 바라."

벤자민은 여전히 갈피를 잡지 못한 표정이었다. 마티나였던 아스티나의 과거를 듣는다면 조금쯤은 이해해 줄까. 아스티나는 뒷짐을 지며 느릿하게 흰 복도를 밟아 나갔다.

"예로부터 나는 황제의 절친한 친구로 남길 좋아했지."

"뭐?"

"황제는 할 일이 너무도 많은 데 반해 친구는 의무 없이 그의 권속을 빌릴 수 있거든."

"아스티나, 대체…… 네가 선택한 게 그 희망 사항을 이룰 가능성이 더 낮은 쪽이라는 것을 알긴 아는 거야?"

"글쎄, 이시스 황녀는 황제가 될 거다. 내가 그리 정했으니까."

아스티나가 응당 그래야 한다는 듯 당연한 목소리를 내었다.

황위를 물려줄 자를 정하는 일은 엘시어 때도 그러했듯 이번에도 자신의 몫이 될 모양이었다. 그도 그럴 것이 제 손으로 직접 세운 제국이다. 그 위대한 공적을 후대의 얼간이가 망치게 둘 수는 없었다. 프리모의 다혈질적인 성격은 나라를 통치하는 대업에 맞지 않았다. 친우의 후손을 정리해야 한다는 사실이 다소 안타깝기는 했으나 딱 그뿐인 감상이었다.

누구 하나가 죽어야 하는 싸움이고 이를 말릴 수 없다면, 더 나은 쪽을 골라내는 게 현실적인 방책이었다. 이시스 역시 엘시어의 핏줄인 것은 마찬가지였으므로.

"아스티나, 다시 생각해 봐. 이건 그렇게 간단하게 결정 내릴 일이 아니야."

벤자민이 다분히 인내심을 끌어 올린 투로 아스티나를 제지했다. 아스티나는 잠시 그런 친우의 얼굴을 빤히 들여다보았다. 그녀가 덤덤히 되물었다.

"그렇다면 넌 왜 이시스의 편에 가 섰지?"

"뭐? 그건……."

"너는 너의 선택을 했지, 그리고 이건 내 선택이다. 너는 그걸 알아야 해."

벤자민은 기사도를 아는 남자였기에 아스티나를 지키고 싶어 했다. 그게 아스티나가 그의 레이디가 되지 않기로 한 이유였다.

벤자민이 무어라 반박하기도 전, 아스티나는 그들 사이를 정리하는 결론을 내놓았다.

"벤자민, 넌 내 보호자가 아니야."

아스티나는 딱히 벤자민이 나쁜 사람이라서 그녀를 구속하려 드는 게 아니라는 사실을 알았다. 친구일 적의 벤자민은 신실하고 믿음직했다. 다만 우정을 말하는 남자와 사랑을 말하는 남자는 전혀 다른 사람이다.

너무도 다른 방식의 구애가 깊이 마음에 남았던가. 아스티나는 문득 테리오드가 보고 싶다는 생각이 들었다. 우스운 일이었다. 애초에 저택까지는 그리 멀지 않은 거리인 데다, 마차에 타기만 한다면 금방 그에게로 달려갈 수 있을 텐데.

고개를 내젓고는 그대로 벤자민을 지나쳤다. 그녀의 단언이 선을 긋기 위해서라고 생각한 듯 벤자민은 머뭇거릴 뿐 더 이상 따라붙지 않았다. 곧 뒤편에서 벤자민의 발걸음이 멀어지는 소리가 들려왔다. 아무래도 이번 일에 대한 설명은 이시스에게서 캐내기로 결정한 모양이었다.

아스티나는 문득 제자리에 멈춰 섰다. 재고를 권하던 벤자민의 말이 기억 속 누군가와 겹쳐진 탓이었다. 뒤를 돌아보았지만, 복도 저편으로 사라진 벤자민은 더 이상 자리에 없었다.

아스티나는 고개를 돌려 오른편으로 이어진 장엄한 후원을 눈에 담았다. 황성은 그녀의 본질만큼이나 이전과 크게 달라진 점이 없었다. 그 위로 펼쳐진 천공도 과거를 떠올리게 하기는 마찬가지였다. 몇백 년, 혹은 몇천 년간 내내 그 자리에 있었을 하늘이다. 덕분에 아스티나는 어렵지 않게 옛 목소리를 상기해 냈다.

'제게 황위를 주어도 되겠습니까? 폐하, 다시 한번 생각해 보십시오. 오롯이 당신의 힘으로 얻은 것입니다.'

마티나가 고향으로 내려갈 무렵, 엘시어가 전했던 만류의 말이었다. 엘시어의 걱정 어린 눈빛이 선연히 눈앞에 떠오르는 듯했다.

아스티나는 과거와 현재를 분리해 내듯이 눈을 감았다. 그녀는 지금 이 순간 필요한 대답을 이미 알고 있었다. 아스티나가 머물던 자리를 지나치며 읊조렸다.

"나의 시대는 이미 끝났다, 엘시어."

14. 남자의 여자

14. 남자의 여자

"부군과 함께 오실 줄 알았는데요."

머리 위에서 들려온 말에 아스티나는 고개를 들어 상대의 얼굴을 확인했다. 자연히 활을 정리하던 손끝이 멎었다. 말을 걸어온 이가 낯선 사람이라서는 아니었다. 아스티나는 상대의 이름을 알았다. 지금의 대화가 의외라고 느낀 것은 바로 그 탓이었다.

"앤서린 후작님."

아스티나가 놀란 음성을 숨기지 않으며 대답했다. 앤서린이 옆의 빈자리를 가리키며 앉아도 되겠느냐고 물어왔다. 아스티나는 흔쾌히 허락했다.

의자에 앉은 앤서린은 자연스럽게 아스티나가 쥐고 있던 활을 가져갔다. 앤서린이 마저 시위를 걸어 주며 말했다.

"사냥 대회 참가는 처음이신 것 같네요."

"예, 혼인 전엔 벨라체에 재학 중이었으니까요, 이번이 처음입니다."
"하기야 지금이 딱 시험 기간과 맞아떨어지죠."
앤서린이 휘파람을 불며 아스티나에게 활을 돌려주었다. 과연 깔끔한 솜씨였다.
아스티나는 내심 이번 사냥 대회의 우승은 포기해야겠다고 생각했다. 아스티나의 주 분야는 궁술이 아니었다. 그리고 사냥은 아무래도 근접전으로는 한계가 있는 분야다.
앤서린이 만면에 친절한 미소를 띠우며 말했다.
"다행히 대공께서 부재하신 통에 이리 대화할 기회를 얻게 되었군요."
"예, 몸 상태가 좋지 않아 이번 사냥 대회엔 불참하기로 하셨거든요."
"저런, 어디가 아프시다던가요."
걱정하는 말과는 다르게 어쩐지 즐거워 보이는 목소리였다. 아스티나에게 퍽 살갑게 말을 붙이고 있긴 하나 그녀도 어디까지나 트리스탄이다. 아스티나의 입가에 애매한 웃음이 스쳤다.
앤서린의 말대로 사냥 대회에 참석한 건 대공 부부 모두가 아닌 아스티나 혼자였다. 아스티나가 이시스를 혼자 만나러 갔던 것과 정확히 동일한 이유로, 이번에도 테리오드는 쓸쓸히 집을 지키게 되었다. 사람으로 머문 지 나흘이 지났음에도 아직 이렇다 할 변화가 없었던 탓이다. 그것은 곧 외출 금지의 기간이 더 늘어났다는 사실을 뜻했다.
아닌 게 아니라 다른 자리면 몰라, 사냥터 한가운데에서 짐승이 되었다간 그대로 사냥당할 수도 있었다. 제국의 온갖 대단한 무예가들이 모두 참석한 대회였다. 애석하게도 늑대가 된 대공은 그들에게 우승을 안겨 줄 훈장 그 이상도 이하도 아닐 것이다.

"몸에…… 열이 많으셔서요."

아침나절의 일을 떠올린 아스티나가 애매하게 미간을 좁혔다. 외출 준비를 하는 자신을 지켜보던 집요한 눈길이 떠올랐던 탓이다. 테리오드는 어쩐지 마음에 들지 않는다는 듯한 말투로 이렇게 말했다.

'자꾸 부인을 혼자 보내게 되어 걱정입니다.'

밖으로 나갈 일이 없는 테리오드는 품이 넉넉한 실내복을 입고 있었다. 눈을 가늘게 뜨고 팔짱을 끼고 선 그는 어딘지 나른해 보이는 인상이었다.

한시적 감금으로 인해 요 며칠 대공은 번잡한 사교 생활에서 벗어난 상태였다. 본디 입맞춤이 테리오드에게 선물했던 건 고작 하루의 반이었다. 온전한 인간으로 산 것이 오래된 일이라 갑작스레 두 배가 된 여유는 어색하게 느껴지기까지 했다.

애석하게도 그 휴가를 같이 보내고 싶은 부인과는 아예 성적인 접촉이 불가능한 상태였다. 그들은 잠자리의 효과가 언제까지 이어지는지 확인해야 했다. 그것도 최대한 변수를 제한해서.

마음도 통했고 몸도 혈기왕성한데 눈만 말똥말똥 뜨고 수절하는 밤이 이어졌다. 아예 경험하지 못했으면 몰라, 이젠 슬슬 한계에 가까웠다. 베개에 뒤통수를 댈 때마다 테리오드의 머릿속에선 '그날'의 일이 반복해서 떠올랐다.

마침내 어젯밤, 테리오드는 참지 못하고 이불 속에서 슬그머니 손을 뻗었다. 아스티나는 그가 한 뼘도 채 이동하기 전에 그의 접근을 알아챘다. 제게로 꾸물꾸물 기어 오는 음험한 손길을 아스티나는 매정한 태도로 쳐 내었다. 반사적인 저지였다.

아스티나가 뒤늦게 고개를 돌려 확인하자 테리오드는 충격받은 눈으로 제 빨개진 손등을 쳐다보고 있었다. 그땐 아스티나도 조금 죄책감을 느꼈다. 둘은 잘 자라는 어색한 인사를 나누고는 그대로 뜬눈으로 밤을 지샜다.

아스티나가 애써 테리오드의 눈길을 피하며 말했다.

'걱정하실 만한 일은 없으실 겁니다. 사냥이 오랜만이긴 하지만, 남들 눈도 있으니 그리 무리하진 않을 예정이라서요.'

'그런 걱정을 하는 것은 아닌데요.'

아스티나가 소맷단을 정리하다 말고 눈을 들었다. 테리오드가 천천히 그녀의 앞으로 다가왔다. 그는 손을 뻗어 단추를 대신 여며 주었다. 테리오드가 흥얼거리듯이 말을 이었다.

'워낙 무예가 대단하시니까요. 우승하겠다고 무리만 마세요.'

'하면 무엇이 걱정이십니까?'

'부인께서 혼자 가시면, 이때다 싶어 접근하는 사내들이 있을 수도 있으니까요.'

'…….'

'방금 질투란 걸 한 참입니다.'

테리오드가 그렇게 말하고는 슬며시 눈을 내리깔아 아스티나를 내려다보았다.

아스티나는 그제야 그들 사이가 지나치게 가깝다는 사실을 자각했다. 테리오드의 손이 자연스럽게 그녀의 허리에 감겼다. 두 입술 사이엔 꼭 손가락 두 마디 정도의 간격이 있었다. 숨이 닿는 거리에서 테리오드가 속삭였다.

'입 맞춰 주세요.'

여기서 대뜸 입술을 부딪치지 않은 건 아스티나로서도 대단한 인내심을 발휘한 것이었다. 아스티나가 시선을 피하며 대답했다.

'……안 됩니다. 잘못하면 효과가 섞일 수가 있으니까요.'

'지난번 제가 말하지 않았던가요, 저희에겐 아주 시간이 많다고.'

표본을 모을 시간은 넉넉하니 이번엔 이쯤하고 넘어가자는 소리였다. 모닝 키스 한 번에 테리오드는 지난번의 고백까지 끌어왔다.

테리오드가 천천히 고개를 기울였다. 아스티나는 미세하게 떨리는 그의 속눈썹을 들여다보았다. 그녀만을 담고 있는 애타는 시선까지도.

농밀한 분위기의 공격에도 다행히 아스티나는 이성을 잃지 않았다. 아스티나가 손을 들어 제 입가를 덮었다. 테리오드는 예상이라도 했다는 듯 눈웃음을 지었다. 그러고는 그들 사이를 가로막은 손등 위에 그대로 입술을 내리눌렀다. 그가 아스티나의 손에 입을 맞춘 채 당부했다.

'일찍 돌아오세요.'

그때의 숨결이 아직까지도 손등을 덥히고 있는 기분이었다.

아스티나는 잠시 제 손을 내려다보았다. 이어 그녀가 반복해 말했다.

"예, 열이 좀 있으십니다."

"쾌차하셨으면 좋겠군요."

"그 인사를 대공께 전해 드리는 편이 좋을지, 아니면 저희끼리의 일로 묻어 두는 게 좋을지 사실 좀 헷갈리는군요."

"당연히 후자가 아니겠습니까."

앤서린이 장난스럽게 웃으며 대답했다. 그와 동시에 멀리서 관리인 하나가 목소리를 높여 무어라 외쳤다. 곧 대회가 시작되는 모양이었다. 아스티나와 같은 생각을 한 듯 앤서린이 반가운 목소리를 내었다.

"시작되나 봅니다."

지루한 대기의 끝이다. 인사를 남기고 말에게로 향하려는 아스티나를, 앤서린이 붙잡아 세웠다.

"다른 일행이 없으시다면 저와 함께 다니시지 않겠습니까? 큰 짐승들은 아무래도 혼자 잡긴 버거우니까요, 많이들 일행을 꾸려 다닙니다."

지난해 대단한 활 솜씨로 혼자 사냥감의 씨를 말렸던 앤서린이 할 말은 아니었다. 앤서린의 동행 제안은 어디까지나 사심에서 기인했다. 앤서린은 기대감을 담은 눈으로 아스티나의 대답을 기다렸다.

아스티나는 무심히 테리오드의 걱정은 영 쓸모가 없었다고 생각했다. 달려든다는 사내는 어디 가고 지금까지 접근한 건 여자인 앤서린 하나다.

아스티나는 어깨를 으쓱이며 자리에서 일어났다. 선선한 수락의 말과 함께.

"저야 좋지요. 오늘 하루 잘 부탁드립니다."

대회가 시작하고 두어 시간 만에 아스티나와 앤서린은 사슴 두

마리 토끼 세 마리, 그리고 멧돼지를 한 마리 잡았다. 다른 누군가가 보았다면 혀를 내두를 만한 속도였다.

앤서린은 멀리 있는 사냥감을 향해서도 정확하게 활을 쏘았고, 부상 때문에 이동이 느려진 짐승의 숨통은 아스티나가 끊어 놓았다. 빠르고 철두철미한 손속에 근방에서는 더 이상 쥐새끼의 숨소리 하나 들리지 않았다.

앤서린이 안쪽으로 시선을 돌리며 물었다.

"더 깊이 들어가 볼까요?"

얕은 숲에서는 작은 짐승들밖에 잡을 수 없었다. 난이도를 고려해 숲의 위치에 따라 동물의 종류를 다르게 풀어 둔 탓이었다. 초보자는 외곽 쪽에서, 그리고 덩치 큰 사냥감을 욕심내는 이들은 깊은 곳으로 들어가도록 되어 있었다.

"가는 길에 뭐가 더 나올 수도 있으니 걸어서 이동하죠."

아스티나가 그리 대답하고는 뺨에 튄 피를 닦아 냈다. 앤서린은 잠자코 말 위에서 뛰어내렸다. 잡은 사냥감을 확인하려 다가온 앤서린을 위해 아스티나는 자세를 조금 틀어 주었다.

절명한 멧돼지의 눈꺼풀을 들자 확장된 동공이 보였다. 아스티나는 눈꺼풀을 뒤집어 잡은 사람을 특정하는 도장을 찍었다. 짐 가방에서 뿔피리를 꺼내 부는 것으로 간단한 후속 절차가 모두 끝났다. 무거운 시신은 소리를 듣고 찾아온 관리인들이 수거해 갈 것이다. 일련의 자연스러운 동작을 눈에 담은 앤서린이 신기하다는 듯 말했다.

"사냥 대회는 처음이라고 하셨는데, 웬만한 경험자보다 솜씨가 나으십니다."

"이런 본격적인 대회는 아니었지만 아카데미에서 친우들과 사냥

내기를 한 적은 있습니다. 벨라체는 신학 학교라 예배가 있는 주일엔 육식을 금했거든요."

앤서린이 재미있다는 듯 눈을 휘었다.

"성장기 아이들에게 풀만 먹이다니 야박하군요."

"글쎄요, 급식이 별로인 대신 학생들이 온갖 사식을 사 먹어서 그다지 효과는 없었습니다. 덕분에 이사장이 교내에 입점한 식당 점주들에게 뒷돈을 받은 게 아니냐는 소문도 들었죠. 그러니까 정확히…… 부임 후 10년 동안 내내요."

나날이 기름지는 얼굴과 해마다 급이 올라가는 정장은 의심에 불을 붙이기 적격이었다. 아스티나는 군말 없이 급식을 먹어 치우는 편이었지만 벤자민과 아돌프가 이끌 때면 바비큐감을 약탈하는 데 참가하기도 했다.

학교 건물과 이어진 작은 숲은 이사장의 사유지였는데, 자연과 가까워지라는 명목으로 여러 초식 동물을 풀어 길렀다. 애석하게도 이사장이 아끼는 어린 사슴은 굶주린 십 대들에게 야들야들한 고기 그 이상도 이하도 아니었다. 나날이 줄어드는 개체에 그는 혹여 동물들이 육식에 맛을 들인 것은 아닌가 진지하게 의심해야 했다.

"학창 시절은 즐거우셨습니까?"

"시험과 기숙 생활이 재밌기는 힘들지 않을까요."

아스티나가 눈썹을 들었다 내리며 답했다. 학교 생활의 재미는 젊은 시절을 추억하는 중장년들만이 아는 것이다. 그마저도 다시 돌아가라고 하면 필히 고개를 내저을 테고. 아스티나는 전생을 기억하는 죄로 만학도가 되는 형벌을 맛봐야 했다.

아스티나의 대답을 들은 앤서린이 시원하게 휘파람을 불었다. 청량한 소리가 듣기 좋게 귀를 울렸다.

"하기야, 저도 세브리노에서의 일을 생각하면 좀 기가 질리는군요."

"왜 그리 먼 곳까지 가셨나요? 트리스탄 영지에서 더 가까운 건 벨라체인 것으로 아는데요."

"저는 무술을 전공하고 싶어 했거든요. 아시다시피 무과는 여자 입학생을 기피하는 경향이 있고."

앤서린이 말을 맺자마자 빠르게 시위에 화살을 걸었다. 말 그대로 쏜살같이 달려 나간 화살이 지나가던 짐승의 목을 꿰었다.

아스티나가 보기에 앤서린의 활 솜씨는 그야말로 발군이었다. 그런 그녀가 입학을 거절당했으니 평범한 재능의 소녀들은 꿈도 못 꿀 일이다. 하기야 귀족 영애들 중 무예를 배우려는 이도 거의 없을 테지만.

"세브리노는 어떤 분위기입니까?"

아스티나의 물음에 앤서린이 곰곰이 생각에 잠겼다. 앤서린이 이어 별것 아니란 듯 말했다.

"조금 트인 분위기인 것 빼면 크게 다른 점은 없을 것 같습니다. 다만 검이나 활 쓰는 법을 배우려는 여인들의 수가 조금 많지요."

대륙의 대부분을 집어삼킨 나라인 만큼 카라벨라의 풍습은 지방마다 가지각색이었다. 특히 날이 춥고 식량이 부족한 북부에선 여인들도 사냥에 도가 터 있었다. 강인함이 곧 좋은 배우자의 지표인 곳이었다. 때문에 아스티나가 이번 사냥 대회에 참석을 밝혔을 때도 이상하게 여기는 이는 없었다. 북쪽의 귀부인들 여럿이 이미 출사표를 던진 상태였으니까.

앤서린이 마침 생각났다는 듯 물었다.

"참, 벨라체에서 검술반 생도들과도 어울리셨었다고 들었는데요."

가볍게 던진 말이었지만 그 안엔 참을 수 없는 호기심이 묻어나 있었다. 앤서린이 이어 물었다.

"어떻게 연무장 사용을 허락받으셨습니까?"

"벨라체의 학생이라면 누구든 사용할 수 있는 곳인걸요."

"그건 저희에겐 그다지 와닿지 않는 원칙이지요. 교수나 학생이나, 벨라체는 전통을 중시하는 편협한 사내들이 가득한 곳이니까요."

앤서린이 불쾌한 듯 코웃음을 쳤다. 아스티나는 그녀의 찡긋이는 코가 몹시 유려하게 뻗어 있다고 생각했다. 아스티나가 덤덤한 어조로 대답했다.

"불만을 가진 이들에게 대련을 신청해서 모두 이겼습니다."

앤서린의 낯에 놀라운 기색이 스쳤다. 그녀는 농담인지 진담인지 가늠하려는 듯 아스티나의 얼굴을 살피더니, 곧 맥이 풀린 듯 어깨를 늘어뜨렸다. 대공비의 솜씨는 방금 바로 눈앞에서 확인한 참이었다.

"결국 그거군요, 말이 나오지 않도록 밟아 누르는 것."

앤서린이 그다지 유쾌하지 않은 투로 말했다. 아스티나에게 향한 불쾌함은 아니었다. 아스티나는 앤서린에게로 고개를 돌리다가 문득, 그동안 생각 없이 지나쳤던 그녀의 짧은 머리칼을 눈에 담았다. 반짝이는 금발이 바람이 불 때마다 귓불을 간질이고 있었다.

아스티나가 불쑥 말했다.

"엎드려요."

"예?"

앤서린이 그 짧은 반문을 돌려주기도 전 아스티나는 그녀의 뒤통수를 세게 내리눌렀다. 불시의 공격에 앤서린은 그만 바닥 위로 엎어졌다. 흙으로 엉망이 된 무릎에서 아릿한 통증이 올라왔다.

앤서린이 고개를 치켜든 것과 동시에 금속이 날아드는 섬뜩한 소리가 울렸다. 화살이 그대로 바로 앞에 있는 나무에 가 꽂혔다. 대가 짧고 속력이 빠른 것을 보아 정체 모를 상대가 든 무기는 석궁인 듯했다. 화를 내려던 앤서린은 곧장 아연한 표정을 지었다.

"이게 무슨……?"

상황을 파악하기도 전에 재차 화살이 날아왔다. 이번엔 다른 곳에 가 박히는 대신 앤서린의 허벅지를 스쳤다. 앤서린이 일어서려다 말고 신음하며 주저앉았다. 찢긴 바지에서 붉은 피가 배어 나왔다. 아스티나는 앤서린의 팔을 끌어 가까운 나무의 뒤로 숨었다.

날아드는 화살에 놀란 말들이 기겁하며 달려나갔다. 제대로 길들이지 않은 말을 타고 온 것이 패착이었다. 이런 공격에까지 당황하지 않도록 훈련하기엔 앤서린이나 아스티나나 대회까지 시일이 촉박했다.

처음엔 다른 참가자의 눈먼 화살이라고 생각했는데, 상대가 모습을 드러내지 않는 것을 보아 그들을 향한 공격이 맞는 듯했다. 아스티나와 같은 사실을 깨달은 듯 앤서린의 표정이 굳어졌다.

아스티나는 화살이 날아온 쪽을 확인했다.

사거리가 넓은 무기는 아니니 생각보다 가까운 곳에 숨어 있을 것이다. 아스티나가 허리춤에 꽂혀 있던 장검을 꺼내 들며 속삭였다.

"후작, 2시 방향의 나무 위로 활을 쏘세요."

아스티나가 말한 방향에서 나뭇잎이 잘게 흔들리고 있었다. 아스티나의 명령이 너무도 자연스러웠던 통에 앤서린은 이상함을 느끼지 못했다. 다리의 통증이 심한 상태였지만, 다리 한 짝보다는 당연히 목숨 쪽이 더 중요했다. 앤서린은 나무에 가까이 붙은 상태 그대로 활을 비껴 쏘았다.

그러나 앤서린이 활을 든 것을 보자마자 상대는 나무 밑으로 뛰어내렸다. 빠르게 거리를 좁히는 모습을 보아 앤서린의 궁술이 대단하다는 사실을 이미 알고 있는 듯했다.

마구잡이로 날아드는 날붙이 탓에 선불리 나무 앞으로 나설 수 없었다. 기회를 노리는 사이 삽시간에 가까워진 정체불명의 괴한이 코앞으로 달려들었다. 다만, 그의 유일한 실수를 꼽자면 앤서린의 바로 옆에 근접전의 달인이 있었다는 사실을 미처 몰랐다는 점이다.

아스티나는 앤서린에게로 휘둘러진 검을 그대로 쳐 냈다. 남자가 당황한 기색으로 멀어졌다. 단순히 대련으로 검을 익힌 사람이라면 이쯤에서 상대의 모습을 먼저 살폈을 것이다. 그러나 아스티나의 검술은 사람을 죽이는 데 최적화되어 있었고, 상대에게 여유를 주는 것은 허용할 수 없는 일이었다.

아스티나는 복면을 쓴 상대에게로 무섭게 달려들었다. 그가 당황한 기색으로 아스티나의 검을 받아쳐 냈다. 그러나 비껴간 검은 다시 빠르게 적에게로 쇄도했다. 숨 쉴 틈 없이 몰아치는 공격에 남자는 점점 궁지에 몰렸다. 복부에 얕은 검상을 입은 사내가 신음했다.

"윽!"

아스티나는 공격을 피해 허리를 숙인 남자를 그대로 걷어찼다. 그가 비틀거리며 넘어졌다. 아스티나의 눈빛이 일순 싸늘하게 빛났다. 그녀는 그대로 검을 추켜세워 남자의 복부를 노렸다. 완급을 조절하면 내장을 쏟아 내는 상태에서도 잠시간은 살려 둘 수 있다. 사주한 자의 이름을 불게 하기엔 충분한 시간이었다.

그때 앤서린이 악을 쓰듯 소리쳤다.

"뒤, 뒤를 보세요!"

애석하게도 아스티나의 일격은 목표를 이루지 못했다. 뒤편에서 화살이 날아든 탓이었다. 아스티나는 빠르게 몸을 돌려 화살을 쳐냈다. 날아드는 공격은 막았지만 등 뒤에는 여전히 적이 있었다. 동료의 협공을 틈타 사내가 이어 달려들리라.

공격을 예감한 아스티나는 반사적으로 몸을 숙였다. 그러나 날붙이가 공기를 가르는 소리는 들려오지 않았다. 아스티나가 눈을 돌리자 벌써 저만치 달아난 남자가 눈에 들어왔다. 공격 대신 도망을 택한 모양이었다. 아스티나는 다소 얼떨떨한 기색으로 몸을 일으켰다.

현명한 선택이긴 했다. 상대가 등을 찌르려고 시도했다면 그대로 몸을 돌려 다리를 벨 생각이었으니까. 그러나 상대가 이리 쉽게 포기하고 도망치리라고는 전혀 예상하지 못한 바였다.

"대공비 전하, 옆으로 물러서십시오!"

뒤편에서 앤서린의 음성이 들려왔다. 아스티나와 달리 앤서린의 무기는 멀리 있는 적도 상대할 수 있었다. 난전을 벌일 때는 아스티나가 다칠까 손을 쓸 수 없었지만 상대가 도망친 지금은 사정이 달랐다.

아스티나가 시야를 확보해 주자 앤서린은 망설임 없이 활시위를 놓았다. 연속으로 쏜 살은 도망가던 사내의 허벅지와 등에 가 박혔다. 그러나 아무래도 거리가 멀어 힘이 많이 약해진 듯, 남자는 절룩이면서도 끝까지 도주하는 데 성공했다.

아스티나의 어깨에서 힘이 빠졌다. 부상을 입은 상대이니 추적이 불가능할 것 같진 않았다. 하지만 혼자라면 몰라 지금은 앤서린도 함께였다. 자리를 비웠다가 누군가 접근하면 그것이 더 큰 일이다.

아스티나는 가빠진 숨을 가다듬으며 콧잔등에 밴 땀을 닦아 냈다. 멀어지는 괴한을 바라보는 눈에 의심이 담겼다.

'왜 둘이 있는데 혼자만 달려들었지?'

완벽한 암살을 위해서였다면 애초에 같이 행동에 나섰을 것이다. 무엇보다 자신이 상대하기 시작하자 뒤돌아 도망간 것이 마음에 걸렸다. 두 번째 습격자도 동료의 도망을 돕고는 바로 모습을 감추지 않았던가.

'하기야 방해가 된다는 이유로 함께 해치우기엔 지나치게 거물이지, 아탈렌타는.'

아무래도 그들이 공격하려 했던 건 앤서린 하나인 듯했다. 그렇다면 더더욱 그녀를 혼자 두고 자리를 비울 수 없었다.

아스티나는 절레절레 고개를 내저으며 앤서린에게로 돌아왔다. 아스티나가 앤서린의 부상을 살피며 물었다.

"괜찮으십니까?"

한눈에 보기에도 제법 상처가 깊었다. 출혈 때문인지 앤서린의 얼굴은 희게 질려 있었다. 그러나 앤서린은 식은땀을 흘리면서도 의연히 대공비를 먼저 챙겼다.

"덕분에요. 대공비 전하께선 다치지 않으셨습니까?"

"예, 전 무사합니다."

아스티나가 그리 말하며 앤서린의 앞에 앉았다. 다리를 꿰뚫린 건 아니었지만 살이 깊게 찢겨 있었다. 근육이 상했다면 거동은 힘드리라.

혼자 환자를 업고 숲을 벗어날 자신은 없었다. 아스티나는 짧게 혀를 차고는 뿔피리를 꺼내 들었다. 반복해서 신호를 보내고는, 대충 그것을 옆으로 던져 두었다. 곧 소리를 듣고 사람들이 도우러 올 것이다. 소란을 피웠으니 괴한들이 다시 접근할 염려는 덜었다.

흙 위를 굴러 옷도 더럽혀진 상태인 데다 소지하고 있는 의약품 역시 찰과상에 쓰는 연고뿐이었다. 별달리 할 수 있는 응급 조치가 없었다. 아스티나는 비교적 깨끗해 보이는 천으로 앤서린의 상처를 동여 묶었다. 앤서린이 힘없이 웃었다.

"제 목숨을 두 번 구해 주시는군요."

아스티나가 마저 매듭을 지으며 물었다.

"짐작 가는 사주자는 없으십니까?"

화살은 오로지 앤서린에게만 날아왔던 데다 괴한이 먼저 덮치려고 했던 것도 그녀였다. 앤서린도 상대가 노린 게 대공비가 아닌 자신임을 알고 있었다. 앤서린이 숨을 헐떡이며 대답했다.

"없습니다. 이렇게 과격한 환대를 받을 만한 원한은 진 적이 없어요."

"원한이 아니라 정치적인 이유로 벌인 일일 수도 있지요."

"그렇다면 가장 유력한 것은……."

앤서린이 눈썹을 들어 올리며 말끝을 늘였다. 식은땀을 흘리면서도 농담을 꺼낼 기력은 남은 모양이었다. 아스티나가 피식 웃으며 대답했다.

"대공비의 직위를 걸고 단언하지요, 아탈렌타는 아닙니다."

따라 웃던 앤서린의 얼굴이 이내 기묘하게 일그러졌다. 그녀가 툭 누군가의 이름을 내뱉었다.

"에드윈……."

아스티나는 묵묵히 앤서린의 다리를 지혈해 주다 말고 고개를 들었다. 앤서린은 어딘지 멍한 표정이었다. 앤서린이 입에 담은 것은 아스티나도 알고 있는 이름이었다. 아스티나가 의아한 기색으로 물었다.

"후작님의 형제 말씀이십니까?"

"예, 제 죽음으로 이득을 볼 사람이, 현재로서는 그밖에 생각나지 않는군요."

형제가 제 살해를 사주했다고 말하는 것치고 앤서린의 어조는 몹시 평이했다. 마치 예상이라도 했다는 듯이.

아스티나는 앤서린의 다리에서 손을 떼어 냈다. 응급 처치는 대충 마무리된 듯했다. 천이 완전히 붉게 물든 상태이긴 했지만 전처럼 피가 뚝뚝 떨어져 바닥을 적시진 않았다. 아스티나가 담담한 어조로 대꾸했다.

"그런 분으로 보이지는 않았습니다만."

"저도 이전엔 그렇다고 생각했습니다. 하지만 사람은 바뀌는 법이 아닙니까."

앤서린이 희미한 목소리로 대답했다. 아스티나는 입을 다물었다. 잠깐의 침묵 끝에 앤서린이 재차 자문했다.

"모르겠군요, 정말 생각이 바뀌었다면요?"

"지금 가주직 위에 있는 건 형제분이 아니라 본인이 아니십니까."

"대공비 전하, 제가 어떻게 가주가 될 수 있었는지 아십니까."

앤서린의 말투는 마치 스스로를 비웃는 듯했다. 알지 못하는 일이었으므로 아스티나는 고개를 저었다. 트리스탄가의 측근들은 야망을 모르는 장남의 이야기를 애써 쉬쉬해 왔다.

앤서린이 불규칙적으로 호흡하며 말을 이었다.

"제가 태어났을 때부터, 너무 당연히도 트리스탄의 후계는 에드윈이었습니다. 하지만 에드윈은 어깨에 지워진 짐을 부담스러워했어요. 부모님과의 갈등이 대단했고, 결국 스무 살이 지나고서는 아예 집을 떠났습니다. 에드윈은 완전히 버린 자식이 되지 않는 이상 아버지가 아들에게 미련을 버리지 못하리라는 사실을 알았거든요."

"……."

"다행히도 아버지는 남보다는 핏줄이 낫다고 생각하시는 분이었기 때문에 가문을 물려받는 건 제가 되었죠. 아버지가 딸보다 사위를 믿는 사내였다면 전 진작 유부녀가 됐을 겁니다."

앤서린의 아버지는 데릴사위를 들여 빨리 손주를 얻기를 원했다. 하지만 가주직이 앤서린의 남편에게 넘어가서는 안 되었으므로 혼담이 오가기 전 먼저 딸에게 작위를 승계했다. 다행인지 불행인지, 머지않아 그가 불의의 사고로 숨진 탓에 그 계획은 반쪽짜리 성공으로 남았다.

앤서린은 가만히 기억 속 에드윈의 모습을 떠올려 보았다. 7여 년이 되도록 한 번도 보지 못한 형제의 얼굴은 이제 흐릿하기만 했다.

"대공비 전하, 이건 양보받은 자리입니다. 그 말은 그가 원한다면 돌려주어야 한다는 뜻이기도 하지요."

앤서린의 얼굴엔 파리한 미소가 걸려 있었다. 앤서린의 말에 무어라 대답을 돌려주기 전, 저편에서 인기척이 들려왔다.

"드디어 사람이 오나 봅니다."

앤서린이 인상을 찡그리며 말했다. 안도의 기색이 역력했다. 아스티나는 가타부타 말을 더하는 대신 자리에서 몸을 일으켜 다가

오는 이들을 향해 손을 흔들었다.

유력한 우승 후보가 피투성이로 돌아왔음에 당연히도 사람들은 경악에 잠겼다. 아스티나가 보기에 그리 문제 될 부상은 아니었으나 궁인들의 반응은 조금 남달랐다. 아스티나가 회복이 불가능한 상처만을 중상으로 치는 것과 별개로, 아랫사람들에겐 대귀족의 피를 보았다는 것 자체가 엄청난 사건이었다.

그도 그럴 것이 무려 국가 행사 중에 벌어진 살인 미수 사건이다. 관리 부족으로 질책을 면치 못할 것은 당연한 일인 데다, 잘못하면 목이 날아갈 수도 있었다. 그들의 안색이 자연히 파리한 빛을 띠었다. 관리인은 범인의 신체적 특징과 부상 부위를 일러 주는 아스티나의 말을 제대로 받아 적지도 못했다.

"이게 다 무슨 일인가!"

앤서린의 부상을 주최 측에 알리고 머지않아 이시스가 달려왔다. 그녀의 얼굴 역시 앤서린 못지않게 창백해진 상태였다. 이시스는 황후의 적자로서 대부분의 궁내 행사를 주관하고 있었다. 관리하의 대회에서 벌어진 사건에 이시스는 몹시 당황한 눈치였다.

이시스는 앤서린의 부상을 살피더니 황급히 궁내로 인도시켰다. 흙바닥에서 상처를 꿰맬 수는 없으니 궁의가 있는 쪽으로 이동해야 했다.

이시스가 나서자 상황은 삽시간에 정리되었다. 대회의 중단을 알리고 경비 대대에게 수색을 명하는 것으로 후조치가 대강 마무리되었다. 이시스는 일련의 일들을 마치자마자 곧장 아스티나를 뒤편으로 잡아끌었다.

방금의 깔끔한 일 처리와 다르게 이시스는 몹시 당황한 음성을 내었다.

"대공비, 괜찮은가? 습격에 휘말렸다면서."

이시스는 아스티나의 팔을 잡고 몸 이곳저곳을 확인하기까지 했다. 아스티나는 다소 얼떨떨한 얼굴로 이시스의 검진을 받아들였다. 대공비에게서 이렇다 할 상처를 발견하지 못한 이시스가 다분히 안심한 얼굴로 물러났다.

"어디 다친 데는 없는 모양이군."

"저보다는 앤서린 후작 쪽이 심하게 다쳤습니다만."

물론 제 세력으로 삼은 대공비가 얼마나 어여쁘겠느냐만은. 아스티나가 옅은 웃음을 삼키며 이시스에게 마저 상황을 설명했다.

"앤서린 후작님만을 노린 급습이었습니다. 제가 상대하려고 나서자 줄행랑을 치더군요."

아스티나의 말에 이시스가 당황한 음성으로 되물었다.

"그대가 직접 나섰다고? 위험하게 왜 그런 짓을 했는가?"

"제 몸을 지킬 정도로는 무예를 압니다."

"그게 문제가 아니지 않은가, 상대는 살수야!"

이시스가 비명 치듯 소리쳤다. 이시스의 심각한 반응에도 아스티나는 애매한 미소만을 떠올렸다. 아무래도 벤자민에게 아직 자신의 검 실력까지는 얻어듣지 못한 모양이었다. 아스티나는 자신이 정치싸움보다는 피가 낭자한 전투판에 더욱 재능이 있다고 생각했다.

아스티나는 진정하란 듯 이시스를 향해 양손을 펴 보였다.

"보시다시피 다치지 않았습니다."

"하아……. 그대는 목숨이 여럿이라도 되는가?"

이시스에게 접근했던 일만 해도 까딱 잘못했다간 목숨의 위협을 받을 수도 있는 일이었다. 이시스의 새로운 수하는 너무도 간이 컸다. 충격을 추스르지 못한 이시스가 제 이마에 손을 대었다. 긴 한숨을 토해 내다가는 그대로 입가를 문질렀다.

"그래도 몸 상하지 않았으니 다행이야. 그만 자택으로 돌아가 보게."

"수사를 돕지 않아도 되겠습니까?"

"범인의 인상착의는 이미 모두 알리지 않았나. 그대는 충격을 먼저 추스르도록 해."

추스를 만한 충격은 없었지만, 아스티나는 잠자코 이시스의 말을 따르기로 했다. 아스티나는 앤서린을 향한 공격에 휘말린 것뿐이었다. 따라서 수사에 관한 사항도 전적으로 앤서린에게 맡길 생각이었다.

다만 마음에 걸리는 것이라고 하면…….

'대공비 전하, 이건 양보받은 자리입니다. 그 말은 그가 원한다면 돌려주어야 한다는 뜻이기도 하지요.'

앤서린이 마지막으로 남겼던 말이 묘하게 속을 어질렀지만, 지금와 대화를 잇기엔 이미 맥이 끊겨 있었다. 아스티나는 어쩔 수 없이 다음을 기약했다.

"그럼 범인이 잡히면 기별을 부탁드립니다."

습격 사건으로 아스티나를 번거롭게 한 건 황궁이 아닌 대공 쪽

이었다. 사냥 대회에서 있었던 일을 밝히자 대공은 이시스를 넘어서는 유난을 보였다. 몸의 상처를 살피고 정황을 캐묻는, 기나긴 취조의 시간이 끝나고서야 아스티나는 자유의 몸이 되었다.

말하지 말 걸 그랬다는 후회가 뒤늦게 스쳤지만, 그다지 의미 있는 가정은 아니었다. 대공이 외출을 시작한다면 모두가 대공비의 안부부터 물어 올 것이다. 남들이 다 아는 사건을 혼자만 모르게 하여 대공을 바보로 만들 수는 없었다.

그리고 저녁 무렵, 아스티나는 자진 신고를 한 자신의 선견지명을 치하하지 않을 수 없었다. 관할하의 행사에서 벌어진 불미스러운 일에 황궁은 재빨리 고개를 숙였다. 사과의 편지와 함께 위로품을 보내온 것이다.

"귀한 물건들이군."

상자 안엔 귀한 약재와 효능 좋은 연고들이 종류별로 들어 있었다. 이런 세심한 일을 황제가 행했을 리는 없으니 행사를 주관한 이시스의 지시임이 틀림없었다.

만일 습격을 숨긴 상태에서 위로품을 전달받았다면…….

'분명 한참 서운해했겠지.'

풀이 죽어 한참 속앓이를 했을 테리오드를 상상하자 아스티나는 등골이 오싹해졌다.

테리오드의 마음을 받아 주기로 한 이후, 아스티나는 되도록 전과 같은 실수를 저지르지 않도록 노력하고 있었다. 무관심한 태도로 그를 상처 입혔던 일들이 그 예였다.

다행히도 이미 소란을 지난 상태였기에 하사품을 보는 테리오드의 시선은 무던했다. 그는 약간의 볼멘소리만을 내었다.

"관리에 잘못이 있었다는 사실을 알긴 아는군요."

사과가 없었다면 상소라도 보냈을 태세였다. 앤서린 후작을 향한 사적인 습격이었으므로 황궁만을 탓할 수는 없었으나, 어찌 됐든 경비가 삼엄했다면 벌어지지 않았을 일이다. 테리오드는 그 부주의함이 몹시 마음에 들지 않는 눈치였다.

아스티나는 하녀를 내보내고는 침대 위에 앉았다. 편지엔 관리의 미비함을 사과하는 말뿐, 앤서린의 상태는 적혀 있지 않았다.

"후작님은 잘 회복을 했을지 모르겠군요."

"암살자에게서 구해 주신 것으로 된 일이 아닙니까. 정적 되는 가문의 가주까지 보살피시다니 과연 다정하십니다."

아스티나는 입을 다물고 시선을 피했다. 앤서린과 이미 이전에도 여러 번 미주쳤었다는 사실은 테리오드에게 밝히지 않았다. 곤란한 일이었다. 수도에 돌아와 처음으로 마음에 든 이가 공적으로는 완전히 적대적인 입장에 있다는 건.

처음엔 아탈렌타를 떠날 계획이기라도 있었지, 아스티나는 이제 대공과 평생을 약조한 참이었다. 트리스탄의 가주와 당당하게 만날 입장은 아니라는 뜻이다. 아스티나는 세간의 시선을 피해 앤서린과 교류할 방도를 찾아내야 했다.

"모쪼록 범인이 빨리 잡혔으면 좋겠군요."

"정적을 해치워 줄 살수인데도요?"

아스티나가 짐짓 꿍꿍이가 담긴 음성을 내었다. 테리오드는 피식 웃으며 상자 안에서 연고 하나를 집어 들었다.

"생명을 위협하는 자가 나돌아 다니는데 이게 어디 가문을 내세울 문제던가요."

그가 약의 쓴 냄새를 맡으며 천천히 아스티나에게로 걸어왔다. 자연스럽게 옆에 앉고는 그녀의 머리칼을 걷었다.

아스티나는 잠자코 반대쪽으로 머리를 기울여 주었다. 침대를 짚은 손을 내려다보다가는, 불쑥 입을 열었다.

"앤서린 후작님은 형제를 의심하시더군요."

"형제라면…… 수도로 향하던 길에 만났던 그 사내 말씀이십니까? 그, 에드윈이라 하였던가……."

"예, 그 이름이 맞습니다."

"글쎄요, 그런 사람으로 보이진 않았는데요."

역시나 테리오드의 판단도 아스티나와 같았다. 아스티나가 피식 웃었다.

"저도 그리 생각하긴 합니다. 하지만 그들 남매 사이에 무슨 일이 있었는지 저희로서는 알 수 없으니까요."

테리오드와 아스티나는 앤서린이 작위를 승계받을 당시의 일을 몰랐다. 그리고 상속에서 밀려난 형제가 뒤에서 계책을 꾸미는 것은 흔한 일이다. 추측에 한계가 있었으므로 둘은 더 말을 보태지 않았다.

아스티나는 그가 제 목에 치덕치덕 연고를 칠하는 것을 가만히 내버려 두었다. 암살자들을 상대하다가 난 상처도 아니고, 단순히 숲을 오가던 중 나뭇가지에 긁힌 자국이었다. 이런 조치가 필요 없을 만치 미미한 상흔이었으나 걱정받는 기분이 나쁘지는 않았다.

아스티나가 불쑥 말했다.

"간지럽습니다."

약을 발라 준다기엔 그의 손이 살갗 위에 머무르는 시간이 지나치게 길었다. 그녀의 남편은 요즈음 이런 식으로 노골적인 수작을 벌이곤 했다. 테리오드가 그녀의 턱선을 가볍게 훑으며 대꾸했다.

"쉽게 보면 덧납니다, 이런 상처는."

"역시 친절하시군요."

아스티나가 그리 말하며 고개를 숙였다. 자연히 테리오드의 검지가 그녀의 아랫입술까지 미끄러졌다. 아스티나는 그대로 혀를 내밀어 그의 손끝을 핥았다. 약초의 맛이 잠시 입 안에 배어 들었다가 사라졌다.

아스티나가 짧게 입맛을 다시며 말했다.

"쓰네요."

테리오드는 상황을 파악하지 못하고 잠시간 입을 벌렸다. 이윽고 그의 얼굴이 시뻘겋게 달아올랐다. 테리오드가 억울하단 듯 얼굴을 감싸며 침대 위에 드러누웠다. 그럼에도 손 틈 사이로 드러난 붉은빛은 숨겨지지 않았다. 그가 앓는 소리를 내었다.

"……잔인하십니다, 정말."

아스티나의 입가에 머쓱한 미소가 떠올랐다. 딱히 그를 이기려 드는 것은 아닌데, 반응을 보는 재미가 쏠쏠하여 자꾸 더한 장난을 치게 되었다. 그더러는 참으라 하면서 자신은 종종 그를 도발하고 있으니 이도 민망한 일이다.

아스티나는 테리오드를 따라 침대 위로 엎드렸다. 그는 아직 얼굴을 가린 손을 치워 내지 않고 있었다. 아스티나는 그의 흰 손등과 빨간 이마를 번갈아 살폈다. 테리오드는 그녀가 제 허벅다리가 아닌 얼굴 쪽을 보고 있어 그나마 다행이라고 생각했다.

"이렇게 보니 꼭 다른 사람 손 같네요."

아스티나가 흥미로운 목소리를 내었다. 듣고 있는 테리오드는 더도 말고 덜도 말고 딱 죽을 만큼 수치스러웠다.

아스티나는 가만히 손을 뻗어 그의 결 좋은 머리칼을 쓸어 넘겼다. 테리오드의 은발은 이제 완전히 예전의 빛으로 돌아와 있었다. 애초에 오래가는 염색은 아니었던 듯하다. 검은 물이 빠질수록 테오도르로 가리었던 테리오드가 선명하게 드러났다.

아스티나가 문득 중얼거렸다.

"색이 벌써…… 다 빠졌군요."

그 말에 테리오드가 눈가를 가리었던 손을 치워 냈다. 테리오드에게 염색은 나름대로 행운의 상징이었다. 그녀가 좋아하는 검은 빛으로 물들였던 날 얻었던 걸 생각하면 그럴 법도 한 일이다.

테리오드는 그녀의 눈빛에 담긴 것이 아쉬움인지 반가움인지 잘 분간해 낼 수 없었다. 그가 물었다.

"마음에 드셨으면 다시 할까요."

아스티나가 멈칫했다. 그녀는 손가락 마디에 감긴 투명한 머리칼을 잠시 빤히 응시하기만 했다. 이윽고 그녀의 고개가 천천히 좌우로 흔들렸다.

"아니요, 다신 그러지 마세요."

'다시는'이라니, 이상한 말이다.

과한 거부에 테리오드가 의문을 드러내기도 전 아스티나가 이어 말했다.

"이제부터 제가 은색을 더 좋아하도록 하겠습니다."

테리오드의 목울대가 움찔했다. 그 별것 아닌 말에 심장이 발밑까지 내려앉았다. 테리오드는 빠져나갈 수 없는 구렁텅이로 흘러든 기분이었다. 그녀를 사랑하면 상처받을 것이라 마음을 다잡았음에도 결국 온 진심을 내주게 되었다. 그의 의지로 멈출 수 없는 일들이 앞으로 더욱 많이 벌어질 것 같아 두려웠다. 그녀가 내미는 것이라면 독이 든 잔이라도 선뜻 삼키고 말리라.

그녀의 손가락이 천천히 두피를 헤집었다. 테리오드는 천천히 턱을 들어 아스티나의 입술을 삼켰다. 마른 살덩이를 가볍게 축이고는 물러섰다. 그때까지 아스티나는 그를 밀어내지 않았다.

"피하지…… 않으십니까?"

테리오드가 의아한 눈으로 물었다. 그의 아내는 그간 정확한 통계를 내고 싶다며 그를 밀어내 오지 않았던가. 아스티나가 맥 빠진 얼굴로 피식 웃으며 대꾸했다.

"제가 한 가지 사실을 잊고 있었습니다."

"예?"

"잠자리로 연장된 시간엔 유예가 없었어요."

아스티나가 그리 말하며 테리오드의 위로 올라탔다.

테리오드는 잠시 후에야 그녀의 말을 이해했다. 입맞춤이 기능할 때는 반드시 12시간의 여유를 두어야 했다. 반드시 하루의 반을 짐승으로 지내야 사람이 될 수 있었다는 뜻이다. 하지만 이번은 달랐다. 입맞춤으로 저주가 풀린 상태에서 잠자리를 가졌을 때, 테리오드는 쭉 사람으로만 존재했었다.

"부인, 이게……."

"방금 그런 생각을 했습니다. 입맞춤의 경우처럼 짐승으로 머무르는 시간이 필요하지 않은 거라면……."

아스티나가 고개를 숙여 테리오드에게 짧게 입을 맞췄다.

"효력이 다할 짬이 없게, 꾸준히 교합하면 되는 것 아닐까요?"

무엇보다 수절이 길어지면 대공이 말라 죽을 것 같았다. 지난번의 관계로 잊고 있었던 아스티나의 욕망에도 이미 불이 지펴진 상태였다.

간단히 말해, 둘 다 욕구 불만이었다는 뜻이다.

아스티나는 손을 뻗어 그의 어깨를 쓸고는, 그대로 내려와 배 위를 간질였다. 그녀의 움직임이 멈춘 종착점은 그의 복근보다 훨씬 더 단단했다. 아스티나는 망설임 없이 그의 바짓단을 끌어 내렸다.

아스티나는 천천히 그 위로 내려앉았다. 아직 속옷을 걸치고 있는 것은 아스티나뿐이었다. 그들은 고작 한 장의 천을 사이에 두고 맞닿았다. 그녀가 의도한 바가 분명했다. 테리오드는 숨을 헐떡였다. 아스티나가 슬쩍 아래를 내려다보며 속삭였다.

"힘들어 보이시네요."

악마의 속삭임도 이보다 사람을 뒤흔들지는 못하리라.

테리오드는 참지 못하고 그녀의 뒷덜미를 감쌌다. 그대로 입을 맞추며 그녀의 위로 쏟아졌다. 한순간에 시야가 뒤바뀌었다. 거친 움직임과는 다른 조심스러운 태도로 그가 아스티나를 침대에 눕혔다. 아스티나가 유혹하듯 허리 부근을 쓸자 테리오드는 무심코 욕설을 지껄일 뻔했다. 그가 이를 악물며 말했다.

"그렇게 안 하셔도 이미 한계입니다."

"그럼 좀 더 노력해 보세요."

아직까지 그녀는 스스로를 놓을 정도까지 흥분하진 않았다. 테리오드는 조금 더 대담해지기로 했다. 테리오드는 거추장스럽게 가로막고 있던 천 조각을 아예 끌어 내렸다. 그가 갈라진 음성으로 속삭였다.

"저만 힘든 것은 아닌 듯한데요."

아스티나는 무심코 손을 뻗어 그의 어깨를 쥐었다. 딱히 밀어내려던 건 아니었는데, 테리오드는 그런 의도로 이해한 듯 오기처럼 그녀의 하반신에 얼굴을 묻었다.

"읏!"

몸은 어느새 온통 식은땀으로 젖어 있었다. 그가 민감한 부분을 건드릴 때마다 시시각각 아스티나의 몸이 뒤틀렸다.

끝이 가까워졌을 즈음 아스티나는 그의 머리를 거의 쥐어뜯고 있었다. 그가 혀를 굴림과 동시에 시야에 불이 번쩍했다.

"아아, 아아!"

힘이 빠졌다. 아스티나는 그대로 몸을 늘어뜨렸다. 잦아든 숨소리에 테리오드가 빼꼼 위로 올라왔다. 그가 확연히 즐거운 기색을 띤 음성으로 물었다.

"괜찮으셨습니까?"

칭찬을 바라는 듯한 물음이었다. 아스티나는 대답하는 대신 팔을 들어 그의 목을 끌어안았다. 그의 가슴과 그녀의 가슴이 맞닿았다. 살갗이 끈적했지만 기분이 나쁘진 않았다. 긴밀한 접촉에 테리오드의 얼굴이 붉게 달아올랐다.

"예, 좋았습니다."

아스티나가 그의 귓가에 대고 들릴 듯 말 듯 한 음성으로 말했다.

"이미 아시겠지만요."

테리오드의 심장이 무섭도록 뛰기 시작했다. 테리오드는 성난 사람처럼 아스티나의 입술을 삼켰다. 농염하게 익은 욕망 속으로 테리오드는 그대로 빠져들었다.

"흐으……."

"아흑……."

두 남녀가 동시에 신음을 터트렸다. 천천히 밀려드는 감각에 아스티나는 슬쩍 미간을 찌푸렸다. 통증이 있는 것은 아니었지만 이물감이 느껴졌다. 취했을 땐 어떻게 하였던가. 그때의 자신은 아픈 것도 모르고 허리를 흔들었던 듯하다.

테리오드가 아스티나의 표정을 살피며 뺨을 감싸 왔다.

"아프…… 십니까?"

"아니요."

아스티나가 피식 웃으며 대꾸했다. 통증은 미세한 정도인데 숨이 조금 찼다. 아스티나는 흘긋 시선을 내려 아래를 살폈다. 아직이었다.

아스티나가 고개를 뒤로 젖히며 숨을 들이켰다. 아스티나가 낮게 젠장, 하고 중얼거렸다. 갑자기 등장한 험한 말에 테리오드의 어깨가 빳빳이 굳어졌다. 무엇이 부인의 마음에 들지 않았나 온갖 생각이 휘몰아쳤던 탓이다. 그러나 아스티나가 생각하는 문제는 바로 그 배려심이었다.

아스티나가 이를 악물며 쏘아붙였다.

"죽을 것 같으니까 그만해요."

그러고는 테리오드의 어깨를 깨물었다. 테리오드는 이를 악물며 움직임을 시작했다.

"아흑……!"

아스티나의 몸이 빳빳하게 굳어졌다. 테리오드는 치미는 욕심을 참아 내기 위해 애썼다. 아스티나 역시 떨림을 진정시키려 숨을 몰아쉬었다. 어떻게 움직여도 느끼는 모든 곳이 짓눌렸다. 딱 죽을 것 같았다. 아스티나는 구명줄이라도 되는 것처럼 그의 목을 끌어안았다.

"더, 더……."

이쯤 되자 테리오드도 알 수 있었다. 아스티나는 그와의 관계에 미치도록 만족하고 있었다. 메마른 그녀에게 이만큼의 열정이 숨어 있었다는 게 놀라울 정도였다.

테리오드의 움직임이 좀 더 빨라졌다. 치미는 감각에 아스티나는 무심코 다리를 오므렸다. 테리오드는 숨을 헐떡이며 아스티나의 머리칼을 쓸어 넘겼다.

그가 얼굴을 일그러뜨리며 말했다.

"그만, 힘을 좀 빼고……."

"힘을, 빼도, 아윽……!"

두 눈이 마주쳤다. 누가 먼저라 말할 것도 없이 키스했다. 상대의 숨결까지 모두 삼키는, 정열적인 입맞춤이었다.

서로의 얼굴을 감싼 채 둘밖에 없는 것처럼 접붙었다. 키스가 멎을 때마다 참았던 신음이 터져 나왔다. 이것이 분명 제정신으로 하는 첫 관계일 텐데 이토록 잘 맞다니 무섭기까지 했다.

아스티나는 시트를 쥐어뜯으며 그대로 까무룩 눈을 감았다. 테리오드가 그녀의 위로 무너졌다.

아스티나는 겨우 팔을 들어 그의 등을 끌어안았다. 맞붙어 짓눌린 가슴에서 심장이 뛰는 소리가 울렸다. 둘은 그렇게 한참을 끌어안고 있었다. 먼저 입을 연 것은 아스티나였다.

"부끄럽네요."
쉰 목소리였다.
테리오드는 그녀의 목덜미를 깨무는 장난을 쳤다. 그러고는 그곳에 한숨을 묻었다. 그가 갈라진 음성으로 속삭였다.
"꿈 같습니다."
"자주 하셔야 할 텐데요."
"자주……."
테리오드가 퍼뜩 몸을 일으켰다. 아스티나가 관계를 시작했던 본래의 목적을 상기한 모양이었다. 테리오드는 이러지도 저러지도 못한 채 진심을 호소했다.
"전, 그러니까 이건 저주 때문이 아니라……."
"알아요."
당신이 나를 사랑하는 것을 나 역시 안다.
아스티나가 손을 들어 테리오드의 뺨을 감쌌다. 그러고는 턱을 조금 들어 그의 입술을 핥았다. 그에게 진심을 돌려주기라도 하는 것처럼.
그러나 그러한 분위기를 잡기에 공기는 비릿했고, 여전히 몸은 뜨거웠다. 아스티나는 제 안에서 다시 단단히 자리를 잡아 가는 그를 느꼈다. 아스티나가 피곤한 음성으로 말했다.
"처음이라 하신 것…… 거짓말은 아니셨겠지요?"
"아닙니다!"
테리오드가 큰 모욕이라도 당했다는 것처럼 튀어 올랐다. 그는 자신이 성욕 따위에 휘둘릴 저급한 인간이 아님을 열성적으로 설명했다. 그러고는 이어 집에 머무는 동안 그녀를 만족시키기 위해 온갖 도색 서적을 섭렵했다는 사실까지 실토했다.

"그래도 실전이랑은 좀 다를 텐데요."

그 질문에만은 테리오드가 다소 머뭇거렸다. 그가 완전히 잦아든 목소리로 겨우 대꾸했다.

"그건, 그때 많이 해서……."

"……그때요?"

"처음…… 했을 때 말입니다."

골이 아팠다. 아스티나는 그들의 첫 경험에 있어 더 말을 꺼낼 수 없었다. 그대로 그의 입술을 삼켰다. 호흡을 위해 벌어진 틈 사이로, 아스티나가 한숨처럼 말했다.

"그럼 오늘도 그만큼 해 봐요."

✣ ✥ ✣

"아……."

아스티나는 몸을 일으키다가, 그대로 앓는 소리를 내며 무너졌다. 평소에 안 쓰던 근육을 썼더니 사지가 온통 뻐근했다. 몸은 익숙지 않은데 숙련자처럼 움직였으니 무리가 올 만도 하다.

아스티나는 겨우 고개만 돌려 창문을 살폈다. 해의 위치로 보아 거의 정오에 가까운 듯했다. 새벽 수련은 물론 오전 일과까지 물 건너간 셈이었다. 긴 잠에 정신이 몽롱했다. 아스티나는 부스스한 머리를 쓸어 넘기고는 반쯤 일어나 앉았다.

침대에서 이리 느긋이 게으름을 부린 것은 몹시 오랜만의 일이었다. 그동안은 늦잠을 유발하는 집요한 애인이 없었으니까.

'이런 여유도 나쁘지는 않나.'

아스티나는 그대로 시선을 오른편으로 돌려 '집요한 애인'을 내려다보았다. 바로 옆자리엔 곤히 잠든 테리오드가 누워 있었다. 아스티나는 그의 이마와 콧날, 턱끝까지 이어지는 선을 잠시간 눈에 담았다. 객관적으로 어린 인상은 아니었으나 구김살 없는 얼굴은 마치 소년처럼도 보였다.

아스티나는 테리오드의 코끝을 가볍게 튕겨 보았다. 그의 미간이 미세하게 좁혀졌다. 아스티나는 바람 빠지는 웃음소리를 내며 자리에서 일어섰다. 그가 잠에서 깨지 않도록 조심스럽게 움직였지만, 애석하게도 그다지 효과는 없었다. 단단한 팔이 곧장 그녀의 허리를 낚아챈 것이다.

아스티나는 일어나려던 자세 그대로 시트 위에 주저앉았다. 테리오드가 아스티나의 허리에 이마를 기댔다. 아스티나는 그의 흐트러진 은빛 머리칼을 가만히 쓸어 넘겼다.

"깨어 계셨습니까?"

"아니요. 방금……."

잠긴 목소리로 대답하던 테리오드가 그제야 눈꺼풀을 들었다. 몇 번 눈을 느리게 깜빡이더니, 아스티나처럼 창문 쪽으로 시선을 돌렸다.

"……지금 몇 시입니까?"

"글쎄요, 일단 점심때는 가까운 것 같네요."

"그거 좋네요."

테리오드가 불쑥 이해할 수 없는 말을 했다. 아스티나가 의아한 눈으로 내려다보자 그가 이마를 비비며 잠꼬대 같은 목소리를 내었다.

"같이 잠들고, 일어나 보니 그대가 옆에 있는 게…… 참 좋아요."

그는 자신이 지금 무슨 말을 하고 있는지 인지는 하고 있는 걸까.

그가 감싸고 있는 아랫배의 감각이 민감해졌다. 아스티나는 그의 손이 제 허벅지 사이로 파고드는 상상을 멈추기 위해 노력했다. 또 일을 벌였다간 하루를 완전히 버리고 말리라.

아스티나가 담담한 척 대꾸했다.

"그만 일어나셔야지요."

"날이 추운데요."

"그야 벗고 계시니까요."

"같이 이불 속을 덥혀 주실 생각은?"

"……무척 끌리지만, 안 됩니다."

테리오드가 웃으며 허리를 놓아주었다. 아스티나는 바닥에 널브러져 있던 옷을 주워 대충 걸쳤다. 침대 근처의 줄을 당겨 하녀를 부르고 테라스 창을 열었다. 기분 좋은 찬 바람이 곧장 볼을 간질였다.

뒤편에서 느린 하품 소리가 점점 가까워지더니, 따듯한 온기가 아스티나의 몸을 감쌌다. 테리오드가 이불을 두른 채 뒤에서 끌어안아 온 것이다.

"곧 하녀 아이가 올 텐데요."

"부부 사이가 돈독한 것이 무어 부끄러운 일이라고요."

그리 말하며 테리오드가 아스티나의 목덜미에 코를 묻었다. 아직 잠이 덜 깬 듯, 느릿한 움직임이었다.

불현듯 테리오드와 오후 내내 침대에서 시간을 보내는 것도 나쁘지 않으리란 생각이 들었다.

아스티나는 건조한 눈을 깜빡이며 창밖으로 늘어진 푸르른 수목을 눈에 담았다. 오랜 수면을 막 끝냈기 때문일까, 아니면 바뀐 잠자리에 적응이 덜 된 탓일까. 아직도 꿈속에 있는 기분이었다.

쇄골 위로 쏟아진 테리오드의 머리칼이 부스러질 듯 반짝였다. 하녀들이 잘 빨아 말려 둔 이불에선 고소한 햇빛 냄새가 났고, 어깨와 허리를 안은 따듯한 팔은 기묘한 안정감을 주었다. 비현실적으로 느껴질 만큼 평화로운 오후였다. 여유롭고 따듯했으며, 노곤하고 또 편안했다.

아스티나는 무심코 뒤에 선 사내에게 등을 기댔다. 그와 시선을 나란히 하고 있어 보이진 않았으나, 단단하게 그녀를 받쳐 주는 가슴팍엔 무시할 수 없는 존재감이 있었다.

아스티나가 평소보다 늘어진 음성으로 말했다.

"같이 씻을까요."

테리오드가 번쩍 고개를 들었다. 뒤를 돌자 테리오드가 눈을 크게 뜨고 굳어 있는 게 보였다. 잠이 번쩍 깬 듯했다. 한눈에 보기에도 엉망으로 뻗친 머리에 아스티나는 그만 파안했다. 당황한 모습이 덩치에 맞지 않게 귀여웠던 탓이다.

"내키지 않으시면 말고요."

"내키지 않을 리가……. 아니, 하녀는 부른 지가 언젠데 왜 이리 늦는답니까."

테리오드가 공연히 조급증을 냈다. 당장이라도 목욕물을 받으라

시키겠다는 태도였다. 다행히도 곧 바깥에서 문을 두드리는 소리가 들렸다.

"들어와."

안으로 들어온 하녀가 공손히 고개를 숙이며 인사했다. 아스티나는 테리오드의 몸을 감싸고 있는 이불을 여며 주며 목욕 준비를 부탁했다. 그런데 그대로 밖으로 나설 줄 알았던 하녀가 다른 용건을 전해 왔다.

"트리스탄 후작가에서 오후 중 방문하겠다는 기별을 전하셨는데요. 응접실을 준비해 둘까요. 아니면……."

하녀는 묘하게 말끝을 흐렸다. 아마 잘린 말은 '얼씬도 말라는 말을 적당히 둘러대어 전할까요?'쯤이 될 터다. 카라벨라가 건국된 이래, 트리스탄이 아탈렌타의 저택에 개인적으로 방문하거나 초대받은 일은 단언컨대 단 한 번도 없었다.

"사냥 대회 건 때문에 방문하시겠다는 건가?"

"예, 감사 인사를 전하고 싶다고 후작님께서 직접 연통을 넣으신 것으로 압니다."

아스티나는 대답을 하기 전 무심코 테리오드를 돌아보았다. 그 역시 그녀를 보고 있었던 탓에 자연히 시선이 마주쳤다.

"……괜찮으시겠지요?"

"그야 부인께서 결정하실 일이지요."

테리오드가 의아한 음성으로 대꾸했다. 그의 반응처럼, 대놓고 감사 인사를 거절하는 게 더 이상한 상황이었다. 상대 쪽에서 찾아오겠다며 먼저 굽히고 나왔다면 더더욱 그렇다.

"손님이 올 시간에 맞춰 저택 단장을 좀 해야겠구나. 나가는 길에 집사를 좀 불러 주련?"

"예, 목욕물도 함께 준비하겠습니다."

"가문 간의 일이니 대공께서도 참석하는 것이 맞다고 생각되는데, 다른 급한 일은 없으십니까?"

아스티나가 어딘지 내키지 않는 음성으로 물었다. 늦장을 부리며 이불 속을 뒹굴려 했던 남편에게 구하기엔 다소 민망한 양해다. 아니나 다를까 테리오드는 선선한 대답을 돌려주었다.

"부인의 부탁 앞에서라면 저는 언제나 한가하지요."

대공과 앤서린 후작이라. 어딘지 어울리지 않는 조합에 아스티나는 무의식적으로 관자놀이를 문질렀다. 타인의 생명을 구했음은 분명 자랑스러운 일인데 왜 떳떳지 못한 기분이 드는지 모를 일이었다.

✣ ✣ ✣

기별이 오기를 기다리고 있었던 듯, 회신을 전하고 얼마 지나지 않아 트리스탄가의 마차가 대공저에 다다랐다. 아스티나와 테리오드는 건물 밖으로 나가 직접 앤서린을 맞아들였다. 후작은 실내로 안내되는 대신, 곧장 정원으로 이어진 오솔길을 밟았다. 집사가 야외에서 손님을 대접하기를 고집한 탓이었다.

볕이 좋은 때인 데다 대공저의 정원엔 온갖 귀한 종자가 만개해 있었다. 트리스탄에게 무시당하고 싶지 않았던 집사의 과감한 결정은 대단한 만족스러운 티타임으로 이어졌다. 몸단장을 하느라 대공 부부 내외가 세세하게 지시한 사항이 없었음에도 모든 준비는 완벽했다. 격식 있는 인사를 나눈 후 그들은 각자의 자리에 착석했다.

"몸은 좀 괜찮으십니까?"

잠시 뜸을 들이던 아스티나가 먼저 몸 상태를 물었다.

"진통 효과가 있는 약초를 몇 시간마다 씹어 주어야 하는 것만 빼면, 대충은요. 애초에 그리 깊게 난 상처는 아니었으니까요."

"그래도 출혈이 크지 않으셨습니까."

"덕분에 주방장이 돼지 피로 만든 푸딩을 내오려고 하는 걸 막느라 꽤나 진을 뺐지요."

작은 웃음이 테이블을 스쳐 지났다. 앤서린은 찻잔을 들어 가볍게 한 모금을 들이켰다. 코끝을 스치는 옅은 흙냄새에 그녀의 미간이 일순 좁혀졌다.

아스티나는 앤서린이 도착하기 3분 전, 집사가 읊어 주었던 차의 효능을 곧장 설명했다.

"말린 비트로 우린 차입니다. 빈혈에 효능이 있다고 하더군요."

앤서린의 표정이 곧 감탄으로 바뀌었다. 미식의 일환으로 여길 맛은 아니었으나 약의 범주로는 몹시 먹을 만한 편에 속했다.

"이리 세세하게 신경 써 주시니 감사합니다."

"입맛에 맞으실지 모르겠습니다."

"돼지 피보다야 훨씬 먹기 좋군요. 저희 가문의 주방장도 식단을 짤 때 가장 유의해야 할 게 주인의 입맛이라는 사실을 좀 알아야 할 텐데요."

"농에 여유가 넘치시니, 정말 건강해 보이셔서 다행입니다."

겉으로 보기엔 분위기가 화기애애했다. 트리스탄과 아탈렌타의 오랜 악연을 알고 있는 사람들이 이 광경을 보았다간 제 눈을 의심했을 것이다. 아탈렌타의 일원이 된 지 얼마 되지 않은 대공비뿐이라면 몰라, 앤서린과 테리오드가 서로를 대하는 태도도 몹시 유순했다.

가문 간의 골은 깊었지만 막상 앤서린과 테리오드가 면 대 면으로 마주친 경우는 많지 않았다. 그마저도 가주가 되고 나서부터는 한 손에 꼽힐 적은 횟수였다. 두 가주는 앙숙을 대하는 태도를 어떻게 규정해야 할지 잠시 결정을 보류했다.

애초에 다툼이란 대화가 성립할 때 이루어지는 것이다. 테리오드와 앤서린은 직접 이야기를 주고받는 대신, 아스티나라는 완충 단계를 거치는 편을 택했다. 한시적인 평화 협정은 제법 쓸 만한 기능을 보였다.

"아직 범인은 잡히지 않았습니까?"

"황궁에서 힘을 쓰고 있다고 들었습니다만, 유감스럽게도요."

테리오드의 질문에 앤서린이 고개를 내저었다. 만일 다른 자리에서 아탈렌타가 이러한 질문을 던졌다면 모두가 이를 조롱으로 인식했을 것이다. 그러나 아스티나의 존재로 앤서린은 이미 범인이 아탈렌타가 아니라고 확신하고 있는 상태였다.

테리오드 역시 부인이 함께 휘말린 사건에 민감하게 반응했다. 그가 불쾌한 투를 숨기지도 않고 말했다.

"황궁에서 일을 벌이다니, 간이 큰 자들이로군요."

"황궁에서 벌어진 일이라 더욱 복잡하게 되었지요. 제 사병을 들여 수색할 수가 없는 곳이니까요. 사실, 수사를 직접 주관할 수 없다 보니 불편한 점이 없지 않아 있습니다."

"저희도 손을 더하기 불편한 위치라 심려가 큽니다. 언제든지 이런 일이 다시 벌어질 수도 있는 법 아닙니까."

"저 때문에 안 겪어도 될 고초를 경험하셨으니, 대공비 전하께 면목이 없습니다."

앤서린이 그리 말하며 아스티나를 응시했다. 아스티나는 언제나 그렇듯 겸양의 말을 건넸다. 앤서린에게서 돌아온 열렬한 눈빛으로 보아 공을 축소시키는 데는 그다지 효과가 없어 보였지만.

"대공 전하, 제가 대공비 전하께 대단한 신세를 져 보답하고 싶은 마음이 큽니다."

갑자기 튀어나온 보상 이야기에 테리오드가 교양 있게 거절을 돌려주려는 참이었다. 그런데 이어진 앤서린의 말은 단순히 그 뜻만은 아닌 듯 보였다.

"여인의 취향이란 가끔 사내에게 들려주기 민망한 구석이 있는 법이지요. 대공비 전하와 보상과 관련하여 심도 있는 대화를 나누어 보고 싶은데, 혹시 허락해 주실 수 있겠습니까?"

테리오드는 앤서린이 하는 요구가 무엇인지 곧장 이해했다. 그가 얼떨떨한 기색을 숨기지 않으며 되물었다.

"두 분께서만…… 말씀입니까?"

"예."

앤서린이 테리오드에게 대수롭지 않다는 투로 대꾸했다. 앤서린이 그리 말한다면 테리오드에겐 더 이상 이 자리에 남을 명분이 없었다. 인사치레와 약간의 담소로 필요한 격식은 이미 차린 상태였고, 기실 테리오드가 앤서린과 그 이상으로 할 수 있는 교류는 없었다.

그러나 자리를 비켜 달라는 말은 어딘지 모르게 테리오드를 찜찜하게 만드는 구석이 있었다. 테리오드는 무의식적으로 아스티나를 돌아보았다. 아스티나가 잠깐의 망설임 끝에 대답했다.

"바쁘신 분을 오래 붙잡고 있었던 듯싶긴 하군요. 대공 전하, 후작님은 제가 안내해 드릴 테니 이만 들어가 보셔도 좋습니다."

안 그래도 앤서린과 에드윈에 관해 한 번 더 이야기를 나누어 보려던 차였다. 앤서린이 하려는 말이 무엇인진 알 수 없으나, 아스티나가 꺼낼 화제도 타인이 듣기에 적합한 주제는 아니었다. 테리오드의 앞에서 앤서린의 가정사까지 터놓을 수는 없었으므로 가능한 단둘이 있을 때 대화해야 했다.

아스티나가 그만 가 보라는 듯이 말하자 테리오드는 몹시 당황한 표정을 지었다. 그러나 아스티나는 말을 정정하는 대신 고개만 한 번 끄덕여 보였을 뿐이었다.

"……그럼 저는 이만, 들어가 보는 것이……."

부러 천천히 한 자 한 자 끊어 말하였으나, 아스티나는 그런 테리오드를 멀뚱멀뚱 쳐다보기만 했다. 어쩐지 버림받은 기분을 숨길 수 없었다. 테리오드는 마지막 기대로 앤서린을 응시했지만 그녀는 팔짱을 낀 채 여유롭게 입꼬리만 비틀었다. 테리오드는 자신이 저 우아한 낯에 왜인지 모를 불편함을 느끼는 것이, 자신의 피에 새겨진 트리스탄에 대한 유서 깊은 적개심은 아닌가 잠시 진지하게 고민했다.

결국 테리오드는 탁자 밑으로 주먹을 한번 쥐었다 펴고는 자리에서 일어섰다. 돌아서는 처진 어깨가 어딘지 안쓰러웠다. 아스티나는 멀어지는 테리오드를 잠시 지켜보다가 앤서린에게로 고개를 돌렸다.

"차를 다 드셨으면 정원을 구경시켜 드릴까요."

"그거 좋지요. 사실 다과를 다 해치우고 나면 이런 테이블엔 좀이 쑤셔 오래 앉아 있을 수가 없답니다. 수도의 레이디들은 이 좁은 탁자에서 뭐 그리 나누실 이야기들이 많으신지, 참 대단한 일이에요."

취향에 맞는 제안에 앤서린이 너털웃음을 터트리며 일어섰다. 아스티나는 하녀들을 물리고는 앤서린을 정원으로 안내했다. 트리스탄의 가주와 단둘이 동행함에 몇몇 이들이 꺼림칙한 기색을 보였으나, 당사자 앞에서 티를 낼 수는 없는 법이었다. 앤서린과 아스티나는 결국 모든 방해자를 물리치고 단둘이 남았다.

"아름다운 조경입니다."

"예, 저 역시 바실로 올라와서 이곳에서 많은 시간을 보냈답니다. 계절 꽃의 내음이 참으로 향긋하지요."

"과연 시간을 바칠 가치가 있는 정원이네요."

앤서린이 그리 말하며 가까이 있는 꽃송이를 눈에 담았다. 아스티나가 선선히 대답했다.

"마음에 드시면 돌아가실 때 한 아름 엮어 선물로 드리지요."

"아니요, 이런 꽃은 저보다는……."

말끝을 흐린 앤서린이 꽃을 꺾고는 그것을 아스티나에게 내밀었다. 기사가 레이디를 대하듯, 경건한 움직임이었다. 앤서린이 미소 지으며 말을 맺었다.

"대공비 전하께 어울리지요."

아스티나는 앤서린이 내민 꽃송이를 잠시간 내려다보았다. 앤서린의 눈에 약간의 의아함이 떠오를 즈음 아스티나가 그것을 받아 들었다. 꽃송이를 코에 가져다 대며 아스티나가 불쑥 질문했다.

"후작님의 형제분과는 연락을 해 보셨는지요?"

앤서린의 어깨가 굳었다. 그녀가 애써 웃어 보이며 대답했다.

"에드윈 말씀이십니까?"

"예, 지난번 가장 강력한 용의자라고 말씀하신 게 그분이 아니십니까."

"확실한 일은 아닙니다."

"하지만 조사를 해 보셨겠지요?"

약간의 침묵 후, 앤서린이 한숨을 내쉬었다.

"대공비 전하는 도무지 못 속이겠군요. 예, 황궁에 저희 가문의 불명예를 알릴 수는 없으니 개인적으로 알아보고 있는 참입니다."

"발견하신 게 있나요?"

"아직 이렇다 할 진척은 없습니다."

"형제분과 연락은 닿으셨습니까?"

"범인일지 모르는 사람을 직접 추궁해 보라는 말씀이십니까. 상대에게 빠져나갈 틈을 주는 꼴만 될 텐데요."

앤서린이 헛웃음을 지으며 대답했다. 맞는 말이었다. 이런 일에서 사람을 믿고 상황을 판단해서는 안 된다. 그러나 아스티나는 어쩐지 무언가를 놓치고 있는 기분을 지울 수 없었다. 아스티나가 중얼거리듯 말했다.

"그분이 정말 범인이 맞을까요."

"말씀드렸듯 아탈렌타가 아니라면야, 가장 큰 동기가 있는 것은 그쪽이지요."

이상한 사건이었다.

보통 트리스탄을 습격한 자라고 하면 가장 큰 용의자는 분명 아탈렌타가 될 것이다. 그러나 당연히 그들이 벌이지 않은 일에 증거가 있을 리 없고, 앤서린 역시 아탈렌타의 결백을 알고 있는 상황이었다.

아탈렌타는 아니었다. 그러나 아스티나는 앤서린의 말처럼, 에드윈이 범인이라고 생각하지도 않았다.

"대공비께서 수련하시는 공간을 좀 구경해도 되겠습니까?"

앤서린의 말에 아스티나가 고개를 들었다. 앤서린은 이러한 화제가 그리 달갑지 않은 듯 보였다. 하기야 몇 번 만나 친분을 나누었다고는 해도 그들은 어디까지나 타인이었다.

"본래 이용하던 본가의 연무장이 아니라 내보이기 민망하지만, 원하신다면요."

아스티나는 선선히 고개를 끄덕였다. 상대가 원하지 않는 주제로 이야기를 끌 수는 없는 노릇이었다.

연무장은 건물의 뒤편에 있었으므로 아스티나는 걷던 방향을 바꾸었다. 다소 딱딱해진 분위기를 풀어 보려는 듯 앤서린이 농담 몇 마디를 주워섬겼다. 그에 아스티나는 더도 말고 덜도 말고 딱 적당하기만 한 대답을 돌려주었다.

호오를 판단할 수 없는 대응에 앤서린은 혼란스러운 기색을 보였다. 제 기분을 짐작하려 무던히 애쓰는 앤서린을 뒤로하고 아스티나는 목적지로 부지런히 발을 옮겼다. 자신을 대하는 태도엔 분명 변함이 없었음에도 앤서린에게서 왜인지 모를 거리감을 느꼈기 때문이다.

머지않아 연무장에 다다르자 훈련 중인 기사들과, 외따로 떨어진 작은 무리가 보였다. 아스티나는 일사불란하게 훈련받고 있는 아탈렌타 기사들에게로 앤서린을 안내하려 했다. 그러나 앤서린이 관심을 보인 건 뜻밖에도 오합지졸 쪽이었다.

"저기 계신 분들은 아탈렌타가의 손님이십니까? 아니면 훈련생들인지요."

히센과 아서, 제시에게로 향한 흥미 어린 눈길에 아스티나는 들릴 듯 말 듯 한 신음을 흘렸다. 히센과 제시야 얼마든지 인사시킬 수 있었지만 아서는 아니었다. 기껏 휴전 상태를 맞은 양 가문 사이에 불을 붙일 폭탄이다.

아스티나는 앤서린의 관심을 돌리려 애써 둘러대었다.

"제 본가에서 함께 온 기사와 그 제자들입니다. 아직 부족한 수준의 아이들이라 내보이기가 다소 부끄럽군요. 다른 훌륭한 기사들을 소개해 드리는 편이……."

"아탈렌타 기사단의 용맹함이야 익히 알고 있는 바지요. 저는 완성된 보석보다는 재능 있는 원석에게 더 눈이 가는군요."

이미 마음을 정한 듯 앤서린이 아스티나를 보며 눈을 반짝였다. 아스티나는 부담스러운 시선을 피하며 결국 히센에게로 앤서린을 안내했다. 부디 히센이 그간 아서의 예절 교육에 공을 들였길 바랄 뿐이었다.

아스티나는 멀찍이서 히센을 먼저 불렀다. 히센은 아서와 제시에게 대련을 시키고는 곧장 아스티나에게로 다가왔다. 낯선 얼굴과 함께 등장한 주인을 보는 눈빛엔 약간의 의아함이 떠올라 있었다.

"부르셨습니까."

아스티나는 차분히 둘의 성명을 차례로 읊어 주었다.

"후작님, 이쪽은 제 호위이자 믿음직한 수하인 히센 오스카 경입니다. 히센 경, 이분은 트리스탄가의 가주이신 앤서린 후작님일세. 인사드리도록."

"안녕하십니까, 후작님. 처음 인사드립니다."

다행히도 히센은 앤서린의 성을 듣고 나서도 놀란 기색을 그럭저럭 잘 삼켜 냈다. 아스티나가 사냥 대회에서 후작의 목숨을 구했다는 소식을 이미 전해 들은 덕도 있었다.

"후작님께선 재능 있는 검사들에게 관심이 있으시다더군. 그간 훈련엔 진척이 있었나?"

아스티나의 질문에 히센은 어딘지 우쭐한 표정을 지어 보였다.

"저에게 제자들을 안겨 주시고 들여다보지 않으신 지 꽤 오래되었지요. 아마 놀라실 겁니다, 특히 제시의 성취가 대단하거든요."

그리 말하며 히센이 앤서린과 아스티나를 앞으로 안내했다. 대련을 하고 있는 둘을 잘 볼 수 있는 위치였다. 히센이 경탄하듯 중얼거렸다.

"얼마 전까지만 해도 검 드는 법도 몰랐던 급사 아이가, 이젠 그럭저럭 쓸 만한 검사처럼 보이지 않습니까?"

아스티나의 눈에 이채가 감돌았다. 과연 아서와 제시의 대련은 꽤나 볼 만한 수준에 다다라 있었다. 아서가 어느 정도 제시를 봐주고 있긴 했으나, 그녀가 검을 든 기간을 생각하면 참으로 무서운 성장세였다.

앤서린이 진지한 표정으로 제 턱을 쓸었다.

"반사 신경이 꽤나 좋군요."

"타고난 부분이죠. 누군가는 3년간 꼬박 익혀도 안 되는 것을 누군가는 단 한 번에 해내는 것을 보면 종종 재능이라는 것의 잔인함에 대해 생각하게 됩니다."

히센이 자랑 같기도, 혹은 안타까움 같기도 한 미소를 흘리며 대답했다. 아스티나가 팔짱을 끼며 말을 보탰다.

"자네는 명백히 후자 쪽이지 않나."

"레테 백작저에 있을 적 보아 온 이들이 눈에 밟혀서요."

"어찌 됐든 제시는 뛰어나단 소리군."

"대공비 전하의 안목이 소름 돋을 정도로요."

가만히 있던 앤서린이 불쑥 제안했다.

"그렇다면 수도에 온 김에 기사 시험을 치르게 하는 건 어떻습니까?"

"예?"

히센이 다소 당황하여 되물었다. 아스티나 역시 예상치 못한 표정으로 이어지는 앤서린의 설명을 들었다.

"곧 기사 시험이 예정되어 있지 않습니까. 우선 면접을 통과할 기본기는 괜찮아 보이고, 토너먼트야 어디까지나 상대적인 영역이니까요. 이번은 고배를 마시더라도 실전 감각을 키운다 생각하고 참여해 보는 것도 나쁘지 않을 듯합니다."

제시의 경력 때문에 생각지도 못했던 사안이었다. 그러나 당연히도 기사 시험은 반복해서 도전이 가능했다. 앤서린의 말처럼 당장 통과하지는 못해도, 그간의 배움을 시험해 볼 장이라고 생각하면 나쁘지 않았다.

앤서린의 적극적인 제안에 히센은 다소 당황한 눈치였다. 히센이 횡설수설 만류의 말을 꺼냈다.

“하지만 아직 모든 걸 배운 것은 아니어서요. 부상 등의 위험도 있고…….”

“다치지 않고 익힐 수 있는 병기는 없습니다. 보아하니 대련 상대도 한정되어 있는 듯한데, 이는 좋지 않은 검 버릇을 익히기 쉬운 환경이지요.”

맞는 말이었다. 꿀 먹은 벙어리가 된 히센 대신 가만히 있던 아스티나가 입을 열었다.

“제시, 잠시 이리 와 보겠니?”

제시와 아서가 동시에 아스티나 쪽을 돌아보았다. 제시가 의아한 표정으로 아서와 맞대었던 검을 추슬렀다. 그러고는 머뭇거리며 그들에게 다가왔다. 대공비가 스승과 대화를 나누러 오신 줄로만 알아 자신을 부를 줄은 예상 못한 탓이다.

쭈뼛쭈뼛 선 제시에게 아스티나가 대뜸 물었다.

“오늘 보아하니 그간 아주 열심히 훈련한 모양이더구나. 곧 열리는 기사 시험에 경험 삼아 나가 보아도 좋을 듯한데, 네 생각은 어떠니.”

너무 놀라 대답도 하지 못하는 제시 대신 아서가 대뜸 소리쳤다.

“기사 시험이라니! 기사를 대체 뭐로 아는 거야!”

히센은 희게 질린 얼굴로 냉큼 아서 가까이로 뛰어갔다. 아서의 입을 틀어막은 히센이 그를 연무장 밖으로 잡아끌었다.

“……발육은 괜찮아 종종 오해받지만 아직 열다섯도 안 된 나이입니다. 아직 예의를 잘 모르는 아이이니 무례를 용서하세요.”

아스티나는 순식간에 아서의 나이를 넷이나 깎아내렸다. 멀어지는 아서에게서 황당하다는 시선이 돌아왔지만 아스티나는 매서운 눈빛으로 반박을 내쳤다. 더 입을 열었다간 후환이 돌아올 것을 예감한 아서가 결국 얌전히 끌려 나갔다.

앤서린이 눈썹을 들었다 내리며 말했다.

"썩 좋은 동료 같아 보이지는 않는군요."

아스티나는 담담히 자신의 실수를 인정했다. 히센을 먼저 부르는 것이 아니라 아서를 먼저 저택 안으로 치워 두었어야 했다. 아스티나가 지끈거리는 관자놀이를 누르며 대답했다.

"……저래 보여도 그럭저럭 돈독한 선후배 간입니다."

"기사 시험을 치른다는 소리에 눈을 까뒤집는 상대가 과연 발전에 도움을 줄지는……, 글쎄요."

앤서린이 애매하게 말끝을 흐렸다. 그러고는 가늘게 뜬 눈으로 매섭게 연무장을 둘러보았다. 앤서린은 삽시간에 제시와 아서가 외따로 훈련받고 있는 이유를 알아차렸다. 망나니와 여기사 후보생이라, 그야말로 비주류들의 조합이었다.

앤서린의 표정은 그 생각을 고스란히 드러냈다. 변명할 말이 없었으므로 아스티나는 침묵을 지켰다. 제시가 아탈렌타 기사단 내에서 정규 훈련을 받지 못하고 있는 건 사실이었으니까.

압도적인 성비도 그렇거니와 진심으로 여인에게 검을 가르쳐 줄 기사는 극소수였다. 그에 제시를 가르칠 만큼 뛰어난 실력자라는 조건을 더하면 적합한 스승은 히센 단 한 사람뿐이었다.

아스티나라고 해서 아탈렌타 기사단에 속한 이들의 사상을 모두 변화시킬 수는 없었다. 그것은 아스티나 개인의 뛰어남과는 완전히 별개의 일이었다.

"이름이 제시라고 했던가? 내 몇 가지만 묻지."

"예? 예, 예."

앤서린의 말에 제시가 황급히 고개를 끄덕였다. 앤서린은 제시에게 검을 언제 잡았는지, 익히며 어려움을 느낀 부분은 무엇인지 등을 진지하게 질문했다. 잠깐의 질답 끝에 앤서린의 눈에 반짝임이 어렸다.

"어떻게 데려오신 겁니까?"

"근처 영지에서 급사 일을 하던 아이입니다. 우연히 마주쳤다가, 재능이 뛰어나기에 검술을 훈련시키고자 데려왔지요."

아스티나는 제시를 패거리들에게서 구해 낸 일까지 보태어 말하지는 않았다. 타인에게 줄줄이 늘어놓기엔 지나치게 길고 또 허무맹랑한 이야기였다. 잠시간 고민하듯 제 턱을 쓰다듬던 앤서린이, 곧 이렇게 물었다.

"대공비 전하, 제시 양을 저희 가문에서 훈련받게 하시는 것은 어떻겠습니까?"

아스티나의 눈이 커졌다. 제시는 더더욱 놀란 기색이었다. 아스티나가 표정을 가다듬으며 먼저 대답했다.

"갑작스런 제안이라…… 당장 무어라 답변드려야 할지 모르겠군요."

참으로 생각지 못한 이야기였다. 그러나 다분히 충동적이었던 것과 별개로 앤서린의 결정엔 그럴듯한 근거가 있었다.

"기사의 소양이란 단순히 검술에 국한되지 않지요. 군 집단도 무리의 일종이고 배척은 그다지 좋은 조건이 아닙니다. 게다가 아탈렌타 기사단에서 여기사라는 별종을 품은 역사는…… 애석하게도 단 한 번도 없으니까요."

앤서린이 미미하게 미간을 찌푸리며 말을 이었다.

"저희 가문에선 여기사와, 훈련 중인 지망생들이 이미 여럿 있습니다. 대공비께서 훌륭한 일을 하신 걸 부정하려는 건 아니지만, 환경 자체만 따져 놓고 보자면 어느 쪽이 더 그녀에게 이로울지는 분명해 보이는군요."

아스티나는 무의식적으로 제시 쪽을 돌아보았다. 아스티나는 분명 제시의 은인이 맞았으나, 객관적으로 그녀가 제시에게 그리 좋은 환경을 제공하고 있는 것은 아니었다. 앤서린의 말마따나 아탈렌타 기사단은 여기사를 받아들인 역사가 없었다. 대공비의 권위는 일시적으로 분란을 사그라트릴 수는 있으되 진정한 교류를 선물해 줄 수는 없으리라.

"어디까지나 제 도움이 필요해질 경우의 이야기지만요."

앤서린이 부담 갖지 말라는 듯 가벼운 어조로 덧붙였다. 그럼에도 경험에서 나온 충고의 무게는 여전했다.

아스티나는 결국 한 수 뒤로 물러섰다.

"……제시와 나중에 따로 의논해 보도록 하지요."

과연 아탈렌타 저택은 제시에게 좋은 환경이 될 수 있을까.

아스티나는 왼손에 턱을 괸 채 관자놀이를 가만히 두드렸다. 물론 자신이 제시를 가문에 들이고, 히센으로 하여금 검을 배우도록 한 것은 맞았다.

그러나 이제 제시는 벨루아의 보잘것없는 급사가 아닌 제법 괜찮은 인재가 되어 있었다. 아탈렌타가에 머무는 것 말고도 좋은 선택지들이 여럿 생겨났다는 뜻이었다. 그중에서 앤서린의 제안은 가장 우위에 있었다. 트리스탄은 여기사를 육성할 좋은 뒷받침이 있는 가문이었다. 여성 가주가 존재한다는 것만으로도 타 기사단에서 받을 견제의 반은 사라질 것이다.

앤서린이 돌아간 후 나눈 대화에서 제시는 아직 잘 모르겠다는 답변을 돌려주었다. 아마 그것은 정에서 기인한 판단이었으리라. 아스티나 역시 제시를 아탈렌타 가문 밖으로 보내고 싶진 않았지만, 진지하게 생각해 보라는 충고를 건네지 않을 수 없었다.

때로 의리는 사람의 가능성을 주저앉히기도 한다.

"대공비 전하, 도착했습니다."

바깥에서 들려온 소리에 상념에서 깨어났다. 아스티나는 마차 밖으로 조용히 내려섰다. 대기하고 있던 시녀가 공손히 고개를 숙이고는 아스티나를 안내했다.

이제 이시스의 방으로 향하는 길은 마냥 익숙했다. 대공비와 황녀의 교류에 황제는 은근히 반가운 기색을 비쳤다. 아스티나가 후계자의 잔을 찾아 준 일로 세력을 합칠 가능성을 본 탓이었다. 황제는 이시스와 대공비의 부지런한 만남이 프리모를 위한 관계 구축이라 생각하고 있었다.

"왔는가."

아스티나가 인사를 꺼내기도 전에 돌아온 환대였다. 이시스는 자리에 앉아 이미 아스티나를 기다리고 있었다. 아스티나는 그 건너편으로 가 앉았다.

“그대가 먼저 만나자고 청하다니, 별일이로군. 그대에게 하고 싶은 말이 많은 건 마냥 내 쪽인 줄 알았는데 말이야.”

“사냥 대회에서의 사건으로 여러 신세를 지지 않았습니까. 마땅히 찾아뵙고 인사를 드려야지요.”

“관리의 부족함을 책하지 않는 것만도 황궁에선 고마운 상황 아닌가? 내가 저택으로 보낸 뇌물은 잘 받아 보았는지 모르겠어.”

이시스가 그리 말하며 뒤편에 선 시녀를 향해 손짓했다. 조용히 다가온 시녀가 아스티나의 찻잔에 차를 따라 주었다. 코끝을 간질이는 향은 정확히, 황제에게 후계자의 잔을 돌려줄 때 요구했던 차 종과 같았다. 아스티나가 손끝으로 잔의 윗면을 문지르며 말했다.

“역시 기억력이 좋으시군요.”

그 말이 무엇을 뜻하는지 알아챈 이시스의 입가에 옅은 미소가 떠올랐다.

“손님을 초대했으면 마땅히 취향에 맞는 것을 대접함이 맞지.”

“‘취향에 맞는’이라…….”

아스티나는 이시스의 대답을 입 안에 가볍게 한번 굴려 보았다. 그러고는 여상하게 되물었다.

“그래서 그러셨습니까?”

“그래서라니, 무슨 말이지?”

이시스가 시녀를 방 밖으로 물리며 질문했다. 그에 아스티나가 짧게 답했다.

“앤서린 후작 말씀입니다.”

닫힌 문으로 향했던 이시스의 시선이 천천히 돌아왔다. 다시 아스티나를 향한 이시스의 눈이 차게 빛났다. 아스티나는 그런 이시스를 무심히 마주 보았다.

잠깐의 침묵 끝에 이시스가 물었다.

"어떻게 알았지?"

"짐작이었습니다. 역시 황녀 전하께서 명하신 일이 맞았군요."

"내가 지금 유도 신문에 걸려들었다는 건가?"

이시스가 어이없다는 듯 미소를 흘렸다. 아스티나 역시 의심만 했을 뿐 확신하고 있었던 것은 아니었다. 지레 찔려 진실을 실토하게 된 이시스가 불편한 기색으로 턱을 문질렀다.

"그대는 모든 걸 다 꿰뚫어 본 것처럼 말하는 대단한 재주가 있군. 내가 졌어."

이제야 모든 퍼즐이 맞춰졌다.

아스티나는 눈을 느리게 깜빡이고는 차를 한 모금 들이켰다. 앤서린과 사냥 대회에서 있었던 사건에 관해 대화하며, 아스티나는 계속해서 범인을 짐작했었다.

가장 우선으로 둬야 하는 건 앤서린 후작이 다침으로써 누가 득을 보느냐였다. 유력한 후보인 에드윈과 아탈렌타가 범인이 아니라면, 다음으로는 그 둘을 통해 이득을 얻을 자를 생각해야 했다.

"나는 아탈렌타의 원조를 약속받았고 트리스탄은 그의 정적이지. 프리모의 옆에 설 확률이 높은 가문의 세를 깎는 것은 당연한 일이야."

이시스가 덤덤히 설명했다. 앤서린과 아스티나의 친분은 타인은 모르는 것이었다. 그러나 그 점을 생각하더라도 이시스의 행동 쪽이 더 합리적이라는 사실은 다르지 않았다. 채 한 달도 지나지 않은 인연보다는 유서 깊게 내려온 가문의 원한이 더 깊을 테니까.

"그래서 그녀에게 암살자를 보내셨습니까?"

"암살이 목적이었다면 더 많은 수를 보냈겠지. 죽일 생각은 아니었다네. 아는지 모르겠지만 앤서린 후작에겐 작위를 물려받지 못한 오라비가 하나 있어. 의심의 화살은 그쪽으로 돌아가겠지. 아마 후작은 지금 가문 내의 불순종자를 걸러 내느라 정신이 없을 거야."

이시스가 심드렁하게 말했다. 이시스의 목표는 단순한 위협이었다. 앤서린 후작이 이 공격을 형제의 것으로 착각하여 가문 내의 분쟁으로 주의를 돌리게 만드는 것.

대공비가 습격에 말려든 건 이시스로서도 전혀 예상치 못한 일이었다. 앤서린을 대공비가 숲 밖으로 인도했다는 사실을 알았을 땐 얼마나 놀랐던가. 소중한 수하가 다치지 않았다는 소식에 이시스는 겨우 가슴을 쓸어내렸었다.

비밀이 완전히 밝혀진 상황이었으므로 이시스는 그간 눌러 왔던 의문을 꺼냈다.

"한데 대체 어쩌다 트리스탄의 가주와 함께 다니게 된 건가? 그대가 말려들었다는 사실을 알고 내 얼마나 놀랐는지 몰라. 다행히 일을 시킨 자들이 멍청하지는 않아 그대를 건드리진 않았지만……."

그러나 궁금증 어린 시선에도 아스티나는 그저 침묵했다. 자신을 위해 멋대로 다른 사람을 해치려 했다는 황녀에게 화를 내야 할지, 아니면 고마움을 먼저 느껴야 할지 잘 분간이 가지 않았기 때문이다.

아스티나는 알았다. 이시스가 당연한 행동을 했다는 것을. 이시스의 자비 없음은 그녀 스스로를 지키기 위한 방패였다. 먼저 상대를 찌르지 않으면 뼈를 내어 줘야 하는 게 그녀의 삶이었으리라.

생각이 정리되지 않았음이 표정 밖으로 드러났을까. 아스티나를 빤히 지켜보던 이시스가 툭 내뱉듯이 말했다.

"표정이 별로 좋지 않군."

"……."

"이런 내가 이해가 가지 않는가?"

이시스가 늘어진 머리칼을 쓸어 넘겼다. 그 움직임엔 흐릿한 피로감이 묻어났다.

"그대는 아탈렌타의 사람이 된 지 얼마 되지 않았으니 앤서린 후작을 적으로 여기기가 힘들겠지. 하지만 가문 간의 알력이란 비정해. 내가 이 황궁에서 배운 것이 있다면 문제가 될 싹은 미리 잘라 내야 한다는 거야. 상대가 머리를 키워서 나를 공격하기 전에."

아스티나는 이시스의 말에 별다른 반박을 돌려줄 수 없었다. 자신이 황녀였다고 해도 그런 선택을 내렸을 가능성이 높다. 아스티나가 앤서린의 상처에 분노한 것은 그녀와 사적인 친분이 있기 때문이었다. 그것을 황녀에게 알리지 않은 게 잘못이었을까?

아스티나는 아랫입술을 가볍게 물었다가 놓았다. 이시스를 움직이는 건 정이 아닌 합리성이었다. 후작이 대공비에게 품은 호감을 말해 봤자 이시스는 코웃음만 칠 것이다. 아스티나가 잠깐의 망설임 끝에 말했다.

"……앤서린 후작은 프리모 전하의 편에 서지 않을 겁니다."

"어떻게 확신하지?"

"사석에서 대화를 한 번이라도 나눈다면 앤서린 후작은 그에 대한 지지를 곧장 철회할 겁니다. 그녀는 마티나의 열렬한 추종자이니까요."

아스티나는 잔뜩 신이 나서 마티나 여제에 관한 이야기를 늘어놓던 앤서린을 기억했다.

사람을 움직이는 가장 큰 동기는 보통 실리이나, 그렇다고 모든 관계가 이성적으로만 작용하지는 않는다. 품고 있는 사상이 완전히 반대편에 있는 자를 주군으로 삼기는 쉽지 않으리라.

아스티나의 말에 이시스가 어이없다는 듯 헛웃음을 지었다.

"프리모가 상대를 파악도 하지 않고 앞에서 심기를 거스를 말을 꺼낼 얼간이는……."

그러나 이시스는 좀처럼 말을 끝맺지 못하고 머뭇거렸다. 결국 그녀가 이마를 짚으며 탄식했다.

"맞군."

프리모는 이미 초면에 대공비의 앞에서 마티나를 모욕한 전적이 있었다. 그것을 제지했던 게 이시스 본인이었으니 따로 변명할 말이 없다.

프리모가 해야 할 말과 하면 안 될 말을 거르지 못하는 건 그가 멍청하기 때문이 아니었다. 그는 태어났을 때부터 타인을 배려하지 않아도 되는 삶을 살아왔다. 프리모의 잘못으로 피해를 입는 것은 결코 그 본인이 아니었다. 수업을 듣지 않고 밖을 쏘다니던 어린 황자의 책임을 황궁 교사가 대신 져야 했던 것처럼.

"앤서린 후작은 건드리지 마세요."

아스티나의 경고에 이시스가 날카롭게 지적했다.

"그대는 내 대단한 원군이야. 그대가 원한다면 그렇게 하지. 하지만 앤서린 후작이 우리에게 걸림돌이 되지 않을 것이라 단언할 수 있는가?"

"제가 그렇게 만들겠습니다."

자신감 있는 대답에 이시스는 눈썹을 들어 올렸다.

이번 사건으로 대공비는 앤서린 후작의 생명을 구한 은인이 되었다. 후작이 가문 간의 관계 개선에 뜻을 둔다면 잠깐의 유예는 주어도 좋으리라.

"말도 안 되는 얘기를 꽤 믿음직스럽게 하는군. 좋아, 그대에게 기회를 주지. 아무래도 그대는 앤서린 후작이 몹시 마음에 든 것 같으니까."

"예, 제가 황녀님을 돕기로 한 것과 정확히 같은 이유로요."

아스티나가 미미하게 미소 지었다. 이시스는 얼떨떨한 표정으로 자리에서 일어서는 아스티나를 응시했다. 아스티나가 마지막으로 주지하듯 말했다.

"이번 일이 끝나면 황녀님은 앤서린 후작에게 사과하셔야 하실 겁니다."

이시스는 자신이 재밌는 내기에 걸려들었음을 알아챘다. 이시스가 눈을 가늘게 뜨며 대꾸했다.

"후작이 프리모의 번견이 되지 않는다면, 기꺼이."

들어왔을 때와 반대로 분위기는 완전히 가라앉아 있었다. 아스티나는 이만 가 보겠다는 인사를 남기고는 문가로 향했다. 밖으로 나가려는 아스티나를 이시스의 목소리가 불러 세웠다.

"대공비, 그대는 나를 비난하고 싶겠지."

"……."

"하지만 이 말을 기억하는 게 좋을 거야. 정의로운 여자는 아무것도 얻지 못해."

아스티나는 고개를 돌렸다. 이시스는 손에 뒷머리를 괸 채 테이블 위에 놓인 티팟을 응시하고 있었다. 아스티나는 이시스의 눈을 잠시간 들여다보았다. 그녀 안의 정의로운 여자를 찾아서.

아스티나가 잠시 뒤 대답했다.

"명심하지요."

✣ ✣ ✣

그러나 상황은 그리 낙관적이지 않았다. 앤서린은 오라비에게 줄을 대었을지 모를 가신들을 솎아 내려 무던히도 애를 쓰고 있는 상황이었다. 정신없는 와중 황위 싸움에 대한 의중이나 떠볼 수는 없는 노릇이었다.

후작과 황녀의 뜻을 한데 모으기 위한 계획을 짜내느라 아스티나는 몸이 둘이라도 모자랄 지경이었다. 이시스 황녀에게 일을 해결하겠다고 단언한 만큼 아스티나는 확실한 증거를 보여야 했다. 후작이 황녀의 앞길에 해가 되지 않으리라는 증명을.

그 외에도 문제는 한 가지 더 있었다. 제시가 기사 시험을 본다는 소문이 순식간에 기사단 내에 번져 나간 것이다. 분명 따로 이야기를 나눈 사항인데 어디서 말이 새어 나갔는지 모를 일이었다.

심지어 기사단장은 직접 아스티나를 찾아와 이렇게 간청하기까지 했다.

"대공비 전하, 이번 시험에 참가할 아이들은 저희 기사단 내에서도 추리고 추린 인재들입니다. 대공비 전하께서 들이신 급사가 검을 배운 지 대체 얼마나 되었다고 벌써부터 응시 자격을 얻는단 말씀이십니까. 자격이 있음에도 경쟁에 밀려 참가하지 못한 아이들이 상대적인 박탈감에 시달리고 있습니다. 부디 뜻을 물러 주시길 간곡히 부탁드립니다."

수도에 와서 처음으로 밀려든 과로에 아스티나는 그만 신음했다. 그녀가 피곤한 얼굴로 미간 사이를 문질렀다. 대놓고 내보인 불편한 기색에 자연히 기사단장의 어깨가 빳빳이 굳어졌다. 그러나 그는 곧 의연하게 자세를 바로 했다. 기사단의 명예를 위해서라면 여기서 굽히고 들 수는 없었다.

당연히도 아탈렌타 기사단엔 많은 수련생들이 있었고, 모두를 수도로 데려갈 수는 없었으므로 자체적인 검증을 거쳐 응시자를 선발했다. 수도의 연무장엔 고르고 고른 정예들만이 시험 날짜를 기다리며 실력을 갈고닦고 있었다.

그런데 이게 웬걸, 대공비가 데려온 평민 여자가 기사 시험에 응시한다는 소식이 들려온 것이다. 그간은 대공비의 호위로 기르는 여자라 생각하여 말을 아꼈었지만, 이번만은 기사단장도 입을 열지 않을 수 없었다. 대공비가 제시를 멋대로 응시시킨 건 기사단장을 존중하지 않은 결정이었다. 형평성에 어긋난 선발은 불만을 부르고, 그것을 정면으로 맞닥뜨려야 하는 건 바로 그였기 때문이다.

대공비의 독단적인 결정에 최근 아탈렌타 기사단 내의 사기는 말이 아니었다. 아무에게나 멋대로 응시 자격을 주었다며 안팎으로 은근한 불만이 쌓인 탓이다.

"못난 것들의 질투를 피하기 위해 왜 제시가 쓸데없이 시간을 낭비해야 하지? 수지가 맞지 않아.”

언제나 온화한 음성을 내었던 아스티나지만 이번만은 그녀도 짜증스러운 대답을 돌려주었다. 기사단장이 간곡한 음성으로 재차 말했다.

“대공비 전하, 하나 이는 매우 형평성에 어긋나는 결정이십니다. 부디 기사단 내에서 부지런히 실력을 쌓아 온 어린 수련생들을 두루 돌보아 주십시오. 그들도 대공가의 사람이 아닙니까.”

아스티나는 관자놀이에 손끝을 댄 채 날카롭게 그를 응시했다. 그녀가 차가운 음성으로 물었다.

“헨리, 내가 제시를 아탈렌타 기사단의 종자로 들이고자 할 때 그대가 뭐라고 했었지?”

“예?”

“유서 깊은 아탈렌타 기사단은 종자 하나를 들이는 데도 숙고의 기간을 거친다. 대공비의 청이라 해도 그 규율은 깨트리기 어렵다. 이방인이 윗사람의 입김으로 자격을 얻었다간 기존에 속해 있던 수련생들의 반발이 거셀 것이다…… 였나?”

제시의 검을 잡는 폼이 그럭저럭 볼 만해졌을 즈음, 아스티나는 그녀를 아탈렌타 기사단의 종자로 편입시키고자 했었다. 그러나 기사단장은 제시가 대공가에 들어온 지 얼마 되지 않았다는 이유로 그 명을 거절했다. 합리적인 대답이었고, 아스티나도 그에 수긍했다.

갑자기 끌려 나온 지난 이야기에 기사단장이 얼떨떨한 얼굴로 고개를 끄덕였다.

“예, 지금 정확히 그런 말씀을 드리고 있는 겁니다. 아탈렌타 기사단엔 오랜 역사만큼이나 많은 규율과 나름대로의 법도가 있습니다.”

"그래, 내 그래서 그때는 그대를 존중하는 마음으로 뜻을 물렀었네."

선선히 돌아온 인정에 기사단장의 얼굴이 화색을 띠었다. 그러나 이어진 말에 그는 당황하지 않을 수 없었다.

"헨리, 그대는 분명 그대의 입으로 제시가 아탈렌타 기사단의 일원이 아니라 말했어. 그런데 대체 무슨 권리로 그녀가 기사 시험을 치르고 말고를 간섭하는 거지?"

기사단장의 입술이 천천히 다물렸다. 그의 얼굴에 더없이 당혹스러운 표정이 떠올랐다.

실제로 대공저 내에서 제시의 위치는 참으로 애매했다. 아탈렌타 기사단은 제시를 받아들이지 않았고, 아스티나는 제시를 단순한 호위로만 기용할 생각이 없었다. 아스티나가 앤서린의 의견에 따라 제시를 기사 시험에 참가하게 한 건 바로 그것 때문이었다.

아스티나는 제시가 시험에 통과하면 그녀를 아탈렌타 기사단의 일원으로 편입시킬 생각이었다. 국가가 공인한 실력이라면 기사단장도 가타부타 더 말을 더하지 못할 테니까. 제시가 가문 내에서 더 붕 뜨지 않으려면 소속이 필요했다. 당장 올해엔 떨어지더라도, 가능한 빨리 자격을 얻어 월등한 실력 차를 보여 주어야 했다.

아스티나는 불만을 불식시킬 가장 좋은 방법이 힘이라는 사실을 알았다. 뒤에서는 온갖 말들을 떠들더라도 본인 앞에서는 감히 입을 놀리지 못하게 하는 힘. 그게 과거에 마티나를 지켰고 벨라체 아카데미의 고지식한 귀공자들 앞에서 아스티나를 당당하게 만들었다.

"하지만 기사들의 반발이 거세어……."

"헨리, 조금 더 솔직히 말해 보게. 그대는 정말 제시의 출신만을 문제 삼는 건가?"

"대공비 전하, '출신만'이라고 표현하기엔 제시 양의 조건이 너무도 부족합니다. 심지어 그녀는 아탈렌타 출신도 아니지 않습니까."

"재밌는 말이군. 아탈렌타 기사단 내의 반절은 타지방 출신인 것으로 아는데 그들이 입단할 때도 그대는 이리 격렬히 거부했나?"

"출신만의 문제는 아닙니다. 말씀드렸듯 제시 양이 검을 수련한 기간이……."

"기간이라, 그렇다면 다음 해는?"

"예?"

"다음 해가 되면 괜찮다고 할 텐가? 한 해가 너무 짧다면 그 다다음 해는? 3년 후, 5년 후, 혹은 10년 후가 되면 제시를 받아들여 줄 것이냐고 묻는 거야."

기사단장은 좀처럼 입을 열지 못했다. 여기서 대답했다간 정말 고한 기간에 맞춰 제시를 입단시켜야 할 수도 있었다. 그가 원하는 바는 분명했다.

평민 여자는 아탈렌타 기사단에 들어올 수 없다. 연무장의 한구석을 내어 준 것만 해도 그에게 있어서는 대단한 양보였다. 그 선명한 배척에 아스티나는 대놓고 비웃음을 흘렸다.

"그것참 비열한 기사도로군."

"대공비 전하."

"시끄럽네. 오늘 이야기는 못 들은 것으로 하겠어."

아스티나가 일축하며 자리에서 일어섰다. 기사단장이 문밖으로 나가려는 아스티나를 다급히 불러 세웠다.

"대공비 전하, 그러나 그녀가 아탈렌타 가문의 후원으로 참가한다는 사실이 알려지면 기사단 전체의 위세가 사그라들 것입니다."

아스티나는 고개 숙인 남자를 빤히 응시했다. 그의 얼굴엔 결연한 의지가 비쳐 있었다. 망나니인 아서조차 무던히도 보듬었던 남자가 제시에게만은 참으로 매서웠다. 아스티나는 아서가 아탈렌타 기사단에 들어가지 않은 것이 본인의 선택이라는 사실을 알았다. 포기하지 않았더라면 아서는 진즉 입단하고도 남았을 자리였다.

아스티나가 중얼거리듯 말했다.

"그대는 진정 부끄러워할 일이 무엇인지 모르는군."

기사단장이 그 말을 이해하기도 전 아스티나는 문을 열고 나갔다. 집무실로 향할 생각이었으나, 문밖에서 대기하고 있던 누군가가 아스티나의 발걸음을 멈춰 세웠다. 새어 나온 대화를 들은 듯 히센은 다소 곤혹스러운 표정으로 서 있었다. 아스티나가 머리칼을 쓸어 넘기며 물었다.

"무슨 일이지?"

평소보다 차가운 목소리에 히센이 조심스럽게 대답했다.

"연습할 시간이 되었는데 제시가 보이질 않아서요. 혹여 대공비 전하께서 부르신 게 아닌가 했습니다만……."

"난 오늘 제시를 본 적이 없어. 방에도 없었나?"

"예, 거기는 진작 찾아보고 온 참입니다."

"아서는?"

아스티나의 되물음에 히센이 뒤늦게 깨달았다는 표정으로 입을 벌렸다. 연무장에 도착하지 않은 건 제시뿐만이 아니었다. 히센이 제시를 부르던 것과는 다른, 다분히 격의 없는 호칭을 입에 담았다.

"그러고 보니 그놈도……?"

"무슨 사고만 안 쳤으면 다행이겠군."

아스티나가 앓듯이 중얼거렸다.

✣ ✣ ✣

"비켜 주세요."

제시가 다분히 인내심 어린 목소리로 말했다. 그러나 그녀의 앞을 가로막은 어깨는 사라지지 않았다. 제시는 결국 들고 있던 물통을 내려놓고는 허리에 손을 올렸다. 당당해 보이려 취한 자세였지만 애석하게도 비웃음만 돌아왔다.

"어머어머, 비켜 주세요—"

"미친놈아, 징그러워."

무리 중 하나가 제시의 목소리를 따라 하자 옆에 있던 친구가 낄낄거리며 그의 등을 때렸다. 조금도 우아한 면이 없는 조롱이었지만 덕분에 기분은 더욱 바닥을 쳤다.

기사 시험을 치르기로 했다는 소문이 돈 후부터 제시는 악질적인 괴롭힘에 시달렸다. 본래 그녀를 향한 시선이 호기심에 그쳤다면 이제는 완연한 적의가 담겼다.

집단적인 따돌림은 더없이 잔인한 면이 있었다. 무리 속에서 개인의 책임은 소실되고 괴롭힘의 강도는 거세어졌다. 경멸의 눈빛을 보내는 데 그친 귀족들과 달리, 제시를 더 집요하게 핍박한 건 오히려 같은 평민 쪽이었다.

"너, 우리가 기사 시험을 보려고 어떤 시험을 거쳤는지 알긴 알아? 그 응시 자격 하나에 친구들 몇이 다쳤는지 아냐고."

"빽으로 들어왔으면 조용히 있어야지 왜 설치고 난리야?"

남자 셋이 둘러싸고 몰아붙이니 정신이 하나도 없었다. 쉴 새 없이 쏟아지는 비난에 제시는 마음을 가라앉히기 위해 애썼다. 분란을 일으켜 봐야 피해를 보는 것은 자신이 될 게 분명했기 때문이다. 이 자리를 최대한 온건하게 피해 수련을 하러 가는 게 제시가 택해야 하는 최선이었다.

"할 말 다 끝나셨으면 가 볼게요."

"이게 지금까지 한 말을 귓등으로 들었나. 야, 쪽팔리게 우리가 너랑 시험장에 어떻게 같이 나가. 알아서 안 빠져?"

제시에게서 별다른 대꾸가 돌아오지 않자 일행의 얼굴이 더더욱 험악해졌다.

"너, 아서 님이 오냐오냐해 주니까 대공가가 아주 그냥 우습지?"

망나니 아서에게 '오냐오냐'라니, 제시는 어이가 없을 지경이었지만 생각해 보면 그리 틀린 말은 아니었다. 벨루아에 다녀온 이후 제시와 아서는 그럭저럭 평화로운 사이를 유지하고 있었다. 때때로 아서가 귀찮게 굴긴 했으나 이전보다는 확실히 빈도가 덜했다. 적어도 지금 제시 앞에 있는 놈들처럼 몰려와 욕설을 쏟아 내진 않았으니까.

암담한 현실에 제시는 그만 한숨을 내쉬었다. 아서 같은 망나니를 그나마 더 낫게 평가해야 하는 자신의 처지가 기구하기 그지없었다. 제시의 한숨에 잔뜩 열 받은 듯, 상대가 격양된 어조로 말했다.

"너 그건 아냐? 아서 님이 실컷 비웃으시더라. 건방진 년이 제 주제도 모르고 설친다고."

"네가 기사 시험 치른다는 걸 우리가 어떻게 알게 됐는지 아냐? 아서 님이 알려 주신 거야 그거. 이게 말이나 되는 소리냐고."

옆에 있던 친구가 마저 말을 받았다. 자연히 제시의 낯에 당황이 떠올랐다. 제시가 믿을 수 없다는 목소리로 되물었다.

"아서 님이…… 소문을 내셨다고요?"

"그래, 그러니까 알아서 좀 수그리고 지내란 말이야."

길을 가로막은 상대가 떽떽거리며 답했다. 제시는 상대에게 화를 내는 것도 잊고 생각에 잠겼다. 어디다 떠벌리고 다닌 적이 없는데 소문이 번진 것이 이상하다고 여기긴 했었다. 그런데 범인이 이리 가까이 있었다니. 증거 없이 누군가를 의심하고 싶진 않았지만, 문제는 아서가 딱히 믿을 만한 사람이 아니라는 데 있었다.

제시는 스스로가 지금, 아서에게 깊이 실망했다는 사실을 깨닫고는 소스라치듯 놀랐다. 그 고약한 도련님에게 실망할 거리가 남아 있으리라 생각해 본 적이 없었기 때문이다.

그동안 같이 수련을 하며 정이 붙기라도 했을까. 민망한 감상이었지만 하루의 대부분을 같이 부대끼다 보니 서로가 익숙해진 건 사실이었다. 친밀하다고 말할 정도는 아니었어도 말다툼은 없었고, 검을 배우는 데 있어 도움도 몇 번 받았었으니까. 그래서 제시는 조금이나마 아서가 자신을 받아들이고 있다고도 생각했었다, 감히. 한데 그게 앞에서 뿐인 이야기였다는 말인가. 히센 경이나 대공비 전하의 눈치를 보느라 성질을 좀 죽인 것뿐이었나.

"이게 이젠 아예 말을 씹네. 야, 너……!"

"거기서들 뭐 해?"

상대가 왈칵 성을 내려는데 뒤에서 익숙한 목소리가 들려왔다. 모두의 시선이 뒤편으로 돌아갔다. 그곳엔 아서가 검집을 어깨에 지고는 껄렁한 자세로 서 있었다.

순간적으로 침묵이 찾아들었다. 그들 사이를 스친 이상한 기류에 아서의 미간이 좁혀졌다.

"뭐야, 몰려서서는……."

제시는 입술을 깨물었다. 그대로 뒤돌아서서는 반대편으로 달음박질쳤다. 제시를 놓친 일행들이 쫓아가려 몸을 움찔했으나, 뒤편에 선 아서의 눈치를 보며 슬그머니 멈춰 섰다.

아서가 인상을 찡그리며 물었다.

"너네 뭐 했냐, 쟤 왜 저래?"

"아, 아무것도요."

그들이 황급히 고개를 내저었다. 대공의 사촌에게 잘못 보였다간 그대로 내쫓길 수도 있다. 귀족 출신 종자들과는 달리 평민인 자신들에겐 뒷배가 없었다. 비굴하게 고개 숙인 그들을 향해 아서가 으름장을 놓았다.

"아무것도 안 했는데 저렇게 도망칠 리가 있나. 갔다 와서 보자."

아서는 그대로 제시가 달려 나간 방향을 향해 따라 뛰기 시작했다. 설렁설렁 움직이던 다리에 갈수록 힘이 붙었다. 대충 뛰어서 따라잡기에 아서의 후배는 너무도 발이 빨랐다.

제시는 뒤편에서 누군가 쫓아오는 소리를 듣고 고개를 돌렸다가, 아서를 발견하고는 얼굴을 구겼다. 제시가 이를 악물었다. 더 빨라진 속력에 아서가 헉헉거리며 소리쳤다.

"뭐야? 대체 왜 뛰는데?! 훈련 안 갈 거야?"

때아닌 전력 질주에 등이 삽시간에 땀으로 젖었다. 아서는 죽을 힘을 다해 제시를 뒤쫓았다. 다리가 움직이는 속도는 비슷했지만, 아서 쪽이 더 신장이 커 보폭에도 차이가 있었다. 머지않아 아서는 겨우 제시를 붙잡았다. 한참 달리던 와중 걸린 제동에 제시의 몸이 휘청였다.

마침 그들이 멈춰 선 곳은 정원을 장식한 분수 옆이었다. 아서가 그대로 물에 처박힐 뻔한 제시를 붙잡아 세우며 숨을 헐떡였다.

"허억, 허어……. 놓칠 뻔했네. 뭔 여자가 왜 이렇게 발이 빨라?"

"……만하세요."

제시가 고개를 숙인 채 웅얼거렸다. 아서가 인상을 찡그리며 되물었다.

"뭐?"

"그놈의 '여자가' '여자인데' 같은 말 좀 그만하시라고요!"

제시가 고개를 쳐들며 소리쳤다. 갑자기 터져 나온 고성에 아서는 무심코 뒤로 물러섰다. 아서가 당황한 음성으로 대꾸했다.

"뭐야 갑자기…… 뭐 잘못 먹었어? 걔네가 뭐라고 해서 그래?"

아서는 반사적으로 제시를 가로막고 있던 놈들을 떠올렸다. 그녀가 갑자기 화를 낼 리는 없으니 원인은 그쪽에서 제공했으리라. 아서는 짜증스럽게 뒷머리를 긁었다. 여린 외모와 다르게 제시는 강단이 있었다. 아서도 망쳤던 첫인상을 회복하느라 아직까지 무던히도 애쓰고 있지 않던가.

제시가 깨물었던 입술을 놓으며 물었다.

"도련님은 제가 여기 있는 게 마음에 들지 않으시죠?"

아서가 어리둥절한 기색으로 되물었다.

"무슨 소리야 그게? 갑자기."

"그렇잖아요. 굴러온 돌이 같이 훈련을 받으니까 싫으신 거 아니에요."

확신 어린 어조였다. 아서는 알 만하다는 생각에 눈썹을 들었다 내렸다. 검술을 배우는 제시가 마음에 들지 않았던 이들이 그녀에게 시비를 걸었으리라.

아서는 제시를 처음 만났을 때 저지른 잘못이 많다는 걸 알았지만, 지금에 와 새삼 사과하기엔 다소 면이 상했다. 아서가 변명하듯 말했다.

"내가 전에 했던 말들은…… 그냥, 현실적인 조언이야. 여기사가 되는 건 고되어. 아까 그놈들 봤잖아. 다 이상하게만 생각한단 말이야."

참으로 그럴듯한 포장이었다. 그러나 근거 있는 말이라고 모든 게 쓸모 있는 조언이 되지는 않는다. 제시는 진심으로 자신을 위한 말과 생각 없이 던지는 잔소리쯤은 구별할 줄 알았다. 그리고 당시 아서가 제시를 말리려 했던 동기는, 정확히 방금 몰려든 무리가 제시를 괴롭혔던 이유와 똑같았다.

위선자 같은 태도에 제시의 눈이 세모꼴이 되었다. 애초에 아서가 그녀의 응시 소식을 떠벌리지만 않았더라도 벌어지지 않았을 시비였다.

"도련님, 솔직하게 말씀하세요. 절 가장 거슬려 하고 있는 건 본인이시라고."

"아니야, 그런 거 아니라고! 왜 사람 말을 안 듣는데?"

"그게 아니면 왜 제가 기사가 되는 걸 그렇게 못마땅하게 생각하시는데요?"

"말하잖아! 힘들고 어려운 일이라고! 너도 지금 그래서 고생하고 있는 거잖아!"

아서가 왈칵 소리쳤다. 손을 뻗어 제시의 팔을 붙잡으려 했지만, 제시는 그대로 몸을 비틀어 피해 냈다.

"잡지 마세요! 그렇게 윽박지르지도 말고, 절 위하는 척하면서 뭐든 맘대로 하려고도 하지 마세요. 절 좀 가만히 내버려 두시라구요!"

"야, 너 그러다 넘어……!"

풍덩—!

제시는 중심을 놓치고 그대로 분수 안으로 엉덩방아를 찧었다. 온갖 데로 튀어 나간 물은 아서의 머리칼까지 적셨다. 아서는 난데없이 쏟아진 찬물을 털어 내는 대신 황급히 분수 안으로 발을 담갔다. 첨벙첨벙 물길을 헤쳐 나간 아서가 제시에게로 팔을 뻗었다.

그러나 제시는 자신을 끌어내려는 아서의 손을 거부했다. 넘어진 제시에게서 떨리는 음성이 들려왔다.

"정말 제가 몰라서 이러는 거라고 생각하세요, 정말? 나보다 어린 도련님도 아는 걸, 그 모든 걸 직접 겪어 본 내가?"

물기로 젖은 제시의 얼굴은 마치 우는 것처럼 보였다. 아서는 잔뜩 당황해서는 그녀를 일으키지도, 혹은 분수 밖으로 홀로 발을 빼지도 못했다.

"그래요, 제가 나갈게요. 그럼 되잖아."

그것은 몹시 충동적인 결정이었다. 제시 스스로도 제 입 밖으로 나온 말에 놀랐을 정도로.

제시는 몸을 굳혔다가, 이내 어깨를 늘어뜨렸다. 앤서린 후작의 제안이 무척 끌렸던 건 사실이었지만, 오늘 아침까지만 해도 제시는 대공비 곁에 머물겠다며 그럭저럭 마음을 잘 추스르고 있었다.

그러나 이곳에 과연 미래가 있을까?

기사 시험을 치르는 것만 해도 이리 모진 취급을 받는데, 아탈렌타 기사단에 입단할 수나 있는 것인가?

무사히 입단한다고 해도 과연 동료의 인정을 받을 수 있을까?

그 모든 고초를 이겨 내고 나면, 같은 경력의 기사들마냥 진급은 가능한가?

적어도 트리스탄가에서는 단순히 여자라는 이유로 붙잡혀 시비가 붙는 일은 없을 것이다.

"앤서린 후작님이 원한다면 저를 트리스탄가의 수련생으로 들여주시겠다고 하셨어요."

제시가 더듬더듬 말을 이었다. 아서가 경악 어린 눈으로 그런 제시를 내려다보았다.

"너! 트리스탄이 어떤 가문인지는 알아? 아탈렌타와 앙숙이야. 대공비의 인정으로 여기 들어와 놓고 원수의 집안으로 이적하겠다고?"

"대공비 전하께서는 제가 원한다면 그렇게 해도 된다고 하셨어요. 도련님이랑은 달리, 진짜로 절 생각해 줄 줄 아는 분이시거든요."

아서가 더 무어라 반박하기도 전에 제시가 몸을 일으켰다. 그녀가 아서를 정면으로 마주 보며 또박또박 말했다.

"이제 만족해요, 마음 편한 도련님?"

제시는 울지 않았다. 그녀가 붉게 달아오른 눈으로 아서를 노려보며 지나갔다. 아서는 그녀를 붙잡지 못하고 황망히 제자리에 섰다.

"아니, 나는……."

아서가 말을 멈추고는 뒷머리를 헤집었다. 생각이 어지러웠다. 아서의 입가에서 앓는 소리가 쏟아졌다. 아서는 두 손으로 열이 오른 얼굴을 감싸고는 중얼거렸다.

"잘됐어."

아서가 손을 떼어 내고는 스스로에게 주지하듯 허공을 향해 재차 소리쳤다.

"그래, 잘됐다고!"

똑똑.

"나가 보셔야 하지 않을까요?"

똑똑.

"무슨 소리라도 들으셨습니까?"

똑똑.

"그러지 말고 그만 옷 입으세요. 안 나가면 멈추지 않을 태세인데요."

"……신경 끄고 계속하면……."

똑똑.

"저것부터 치우세요."

아스티나의 통첩에 테리오드가 앓는 소리를 내며 몸을 일으켰다. 바닥에 떨어진 바지를 대충 주워 입고는 문가로 향했다. 대체 어떤 몰상식한 놈이 한밤중에 부부 침실을 찾아온단 말인가. 아내와 돈독함을 좀 다져 보려는 참이었는데 기껏 잡은 분위기가 모두 수포로 돌아가고 말았다.

이를 악문 테리오드의 목에 핏대가 올랐다. 테리오드는 아스티나가 옷을 걸쳤는지 확인하고는 문을 열었다.

"뭐야."

"형."

그대로 문틈을 파고들려는 아서를 테리오드가 가로막았다. 테리오드는 팔짱을 낀, 확연한 불만이 묻어나는 자세로 비뚤게 섰다.

"아서 에스테반, 지금이 몇 시지?"

"새벽 한 시……. 근데 내가 진짜 급한 일이 있어서 그래."

"이 시간에 부부 침실의 문을 두드리는 건 대체 무슨 막돼먹은 예의야? 이만 왔던 길 그대로 되돌아 가."

"사촌 동생이 이렇게 찾아왔는데 고민 좀 들어 줄 수 있는 거 아냐? 정말 매정하네!"

아서가 갈라진 목소리로 소리쳤다. 그러고 보니 코끝이 잔뜩 빨개져 있었다. 테리오드는 빤히 아서의 얼굴을 들여다보다가, 그대로 이마를 짚었다. 테리오드가 다분히 인내심을 끌어 올린 목소리로 대답했다.

"대체 뭐가 고민이기에 그러니."

"그게, 그러니까……."

아서가 좀처럼 대답하지 못하고 쭈뼛거렸다.

"할 말 없으면 방해하지 말고 나가렴, 아서."

"그게……. 아까 제시 고 계집애가 나한테 화를 내고 갔는데……."

“뭔진 모르겠지만 네가 잘못했겠구나. 나가라, 아서.”

“아, 난 잘못한 거 없어! 다른 놈들이 걜 괴롭힌 것 같더라고. 근데 어쩌다가 나랑도 좀 말다툼을 했거든.”

“그래 다 네 잘못이니 알았으면 이만 나가 보려무나.”

“아니, 걔가 나한테 화풀이를 한 거라니까? 그래서 내가 걔한테 실수를 바로잡을 기회를 좀 주고 싶은데 뭐라고 말을 걸어야 할지…….”

아서가 말을 멈췄다. 예상치 못하게 사촌 형이 자신의 어깨를 쥐어 온 탓이었다.

테리오드가 진지한 얼굴로 충고했다.

“아서, 진심으로 하는 말이다. 제시 양이 화를 냈다면 그게 뭐가 됐든 네 잘못이야.”

아서의 어깨를 가볍게 두드린 테리오드가 그대로 문을 닫았다. 침대로 돌아오는 테리오드를 보며 아스티나가 물었다.

“둘이 싸웠다던가요?”

아스티나는 오늘 낮, 제시가 보이지 않는다며 히센이 찾아왔던 일을 떠올렸다. 아니나 다를까 아서와 제시 사이에 분란이 벌어졌던 모양이었다.

“그게 어디 싸움이겠습니까?”

테리오드가 비식 웃으며 침대에 엉덩이를 걸치고 앉았다. 제시는 별 볼 일 없는 평민이고 아서는 대공의 사촌이었다. 그 둘 사이에 싸움이 성립이나 할 수 있겠는가. 그럼에도 제시가 아서에게 성을 내었다면, 그건 더 이상 참을 수 없는 일이 벌어졌기 때문이 분명했다.

테리오드가 피곤한 얼굴로 두 손을 모아 깍지 꼈다.

"날이 밝으면 제시 양을 불러 이야기를 좀 들어 봐야겠군요."

사촌 동생의 잘못을 수습하는 건 이번에도 대공의 몫이 되었다. 성질이 못나 아탈렌타 영지 안에서도 수습하기 벅찼던 아이였다. 인력이 부족하다고 아서를 수도로 데려올 생각을 했다니, 뒤늦게 성급했던 결정에 대한 후회가 스쳤다. 앤서린 후작 앞에서도 제멋대로 성질을 부렸다 하니 이참에 본격적으로 훈육을 해 두어야 할 듯했다. 아니면 이쯤 해서 두 손 두 발 들고 저 탕아를 에스테반가로 돌려보내든지.

테리오드는 자신만 포기하면 아서의 미래가 곧장 수도원으로 직행할 것을 알았다. 부모는 13년을 견뎠고 사촌인 테리오드는 4년을 참았다. 나이가 들면 철들리라 여겼는데 성년이 몇 달 남지 않은 지금에 와선 그런 희망마저 흐려졌다.

테리오드가 한숨을 내쉬며 중얼거렸다.

"대체 왜 저렇게 자랐는지……."

아서는 에스테반가의 삼남이었다. 가문을 이끄는 것은 일찌감치 형들의 몫이 되었고, 에스테반 자작 부부는 어중간한 막내에게 큰 관심을 두지 않았다.

어린 아서가 사람들의 관심을 끌기 위해 선택한 것은 말썽이었다. 효과는 즉각적이었다. 갑자기 쏟아진 주의와 관심에 어린 소악마는 잔뜩 신이 났다. 여덟 살 되던 해, 아서는 영지 전체에 소문이 자자한 악동이 되었다. 아서의 성장은 그를 성숙하게 하는 대신 말썽의 크기를 키웠을 뿐이다.

환경을 생각하면 수긍이 가긴 하나, 문제는 비슷하게 자라난 아이들이 모두 아서처럼 굴지는 않는다는 사실이다. 최선을 다한 훈육에도 아서는 '에스테반가의 미친개'라는 호칭을 버리는 일이 없었다. 이쯤이면 그 비대한 자아를 인정해야 할 때가 아닌가. 주변에서 수습해 주는 데는 분명 한계가 있었다. 이대로 두었다간 언젠가 크게 사고를 칠 태세였다.

"그래도 대공께는 그럭저럭 잘하지 않습니까."

"부인, 전 저 녀석 때문에 이젠 성악설을 믿습니다."

테리오드의 말에 아스티나가 그만 웃음을 터트렸다. 농으로 한 말은 아니었지만 부인이 웃는 걸 보니 테리오드도 기분이 조금 나아졌다.

몸을 일으킨 아스티나가 그대로 테리오드의 등을 안았다. 어깨에 둘린 그녀의 팔 위로 테리오드가 머리를 기댔다. 아스티나는 그런 그의 이마에 가볍게 입술을 맞췄다.

"제가 나중에 둘을 따로 불러 이야기해 보지요. 제시와 싸웠다고 하니 제 선에서 해결하는 게 나을 듯합니다."

분명 아서의 보호자는 테리오드였지만, 이 일이 비단 아서만의 문제는 아니었다. 아서 외에도 제시에게 불만을 가진 이들은 아탈렌타에 얼마든지 있다.

아스티나는 이 일을 어떻게 해결해야 할지 좀처럼 결론을 내릴 수 없었다. 제시를 보내고 싶지 않았지만, 그녀가 열리지 않을 아탈렌타 기사단의 문을 하염없이 쳐다보고만 있길 바라지도 않았다. 언제나 좋은 수를 내왔던 아스티나임에도 이번만은 도무지 제시를 아탈렌타 기사단에 정석적으로 들일 방법이 생각나지 않았다.

"못난 사촌 때문에 자꾸 부인께 폐를 끼치는군요."

"그게 어디 대공의 잘못이던가요."

테리오드가 문득 첨언했다.

"말을 안 들으면 때리셔도 됩니다."

"안 때릴 겁니다."

아스티나가 눈을 흘기며 대꾸했다. 잠시 눈썹을 들어 올렸던 아스티나가 이내 작은 목소리로 덧붙였다.

"아마도요."

테리오드가 웃음이 매달린 입술로 아스티나의 삐죽임을 삼켰다. 가볍게 바깥의 살갗을 어르던 혀가 느릿하게 안으로 파고들었다. 아스티나는 테리오드의 목을 끌어안으며 그의 위로 올라탔다. 잠시 떨어져 나간 입술에 테리오드가 갈증 어린 눈을 했다.

그가 재촉했다.

"키스해 주세요."

테리오드는 아스티나와 보낸 첫날밤 이래 짐승으로 변하는 일이 없었다. 손끝만 스쳐도 마음이 동할 만큼 테리오드는 젊었고, 그녀를 사랑했다.

눈을 마주하면 입을 맞추고 싶다. 입을 맞추면 그녀를 끌어안고 싶고, 그녀를 품에 안고 있으면 이내 완전히 가지고 싶어진다. 욕심은 그를 늘 한계까지 몰아갔다. 저주가 기능할 짬이 없도록 쉼 없이 교합하자던 아스티나의 말은, 그다지 어려움 없이 현실이 되었다. 덕분에 잠자리가 기능하는 정확한 시간을 알아보는 건 엄두도 내지 못하고 있었다. 아스티나도 싫은 눈치는 아닌 듯 번번이 테리오드의 욕심을 받아 주었다.

아니, 어쩌면 유도했거나.

아스티나는 말없이 손을 뻗어 타액으로 젖은 테리오드의 입가를 문질렀다. 엄지손가락이 붉은 살갗 위로 천천히 미끄러졌다. 테리오드가 짧게 숨을 들이켰다. 그가 툭 내뱉듯이 진심을 말했다.

"중독된 것 같습니다."

아스티나가 테리오드의 하반신을 흘긋 내려다보더니 의미를 알 수 없는 미소를 지었다. 그녀의 눈빛에 장난기가 담겼다. 아스티나가 잠옷을 끌어 올려 던져 버리고는 그의 목에 팔을 감았다. 벗은 몸 위로 열렬한 시선이 쏟아졌다. 그녀가 들릴 듯 말 듯 한 목소리로 달콤하게 속삭였다.

"더 줄까?"

테리오드가 시선을 맞춘 채 아직 입가를 짓누르고 있던 아스티나의 엄지손가락을 삼켰다. 손끝 위를 구르는 혀의 감촉에 아스티나의 표정이 묘해졌다. 은근한 유혹에 마음이 동했다. 아스티나가 눈을 가늘게 뜨며 그의 혀를 툭툭 건드렸다.

"입술 벌려요."

아스티나는 고개를 든 테리오드의 입술 위로 쪼듯이 내려앉았다. 테리오드가 아스티나의 허리에 손을 감고는 천천히 쓸었다. 느리게 빨아들이던 서로의 숨결에 어느덧 급박함이 묻어 나왔다. 테리오드가 헐떡였다. 그는 견딜 수 없이 사랑을 말했다.

"사랑합니다."

참지 못하고 밀려나온 고백은 한 번으로 그치지 않았다. 그는 벅찬 이 감정을 좀처럼 추스를 수 없었다. 그녀에게 강요하기 싫어늘 답답하게 눌러 왔던 마음이었다. 이제 그는 원할 때마다 아스티나에게 사랑한다고 말할 수 있었다. 그것만도 대단한 성취일 텐데 정도를 모르는 욕심이 자꾸만 부피를 키웠다. 너무도 당연히 자신을 끌어안고, 사랑한다는 말에 다정히 웃어 주는 그녀를 볼 때마다 테리오드는 기대를 하게 되었다. 그녀도 언젠가는 '나도'라는 말을 돌려주지 않을까.

"사랑합니다, 티나."

그가 다시금 말했다. 아스티나는 이번에도 그런 그를 보며 상냥히 웃었다. 테리오드는 떨리는 손으로 아스티나의 가슴께로 늘어진 붉은 머리칼을 쓸어 넘겼다. 조심스럽게 그녀의 눈꺼풀 위로 입맞추며 테리오드는 듣지 못한 말을 상상했다.

나도 사랑해요, 테오.

창이 흔들리는 소리에 제시는 눈을 떴다. 부스스한 머리카락을 쓸어 넘기며 몸을 일으켰다. 방 안을 둘러보아도 좀처럼 소음의 근원은 찾을 수 없었다. 제시가 다시 베개로 머리를 묻으려는 찰나 다시 노크 소리 비슷한 것이 들려왔다. 제시는 기민하게 창가로 시선을 고정했다. 천천히 자리에서 일어나 창에 난 작은 틈을 내다보았다.

"헉."

제시는 무심코 뒷걸음질 쳤다. 아서가 건물 밖에서 창문을 향해 돌멩이를 던지고 있었다. 제시가 머물고 있는 건 2층의 방이었다. 아무래도 벽을 타고 올라올 수는 없으니 도구를 쓴 듯했다.

아니, 저 도련님이 이젠 하다 하다 사람을 이런 방식으로 괴롭힌

단 말인가. 이제는 잠도 못 자게 하여 자신을 말려 죽이려는 듯했다. 제시의 얼굴이 절로 험악해졌다. 벌컥 창문을 연 제시가 퉁명스럽게 물었다.

"지금 뭐 하시는 거예요?"

어차피 아탈렌타가를 나가기로 한 상태였으므로 제시의 말투는 전보다 건방져져 있었다. 그러나 불퉁한 태도에도 아서는 반갑다는 듯 화색을 띠었다.

"나왔구나."

"도련님, 지금 새벽이에요."

제시가 이를 악물며 말했다. 대체 어릴 적 익힌 예의범절은 어디다 팔아먹은 것인가. 귀족이니 분명 자신보다는 많이 배웠을 텐데 아서의 행동은 전혀 지성인 같지 않았다.

아서가 언뜻 초조한 태도로 물었다.

"내가 자고 있는 걸 깨웠어?"

"당연하죠."

"그건…… 미안, 안 자고 있을 줄 알았어. 난 잠이 하나도 안 오더라고."

다분히 이기적인 판단이었지만 그것을 말하는 태도는 조금 달라져 있었다. 제시는 허공을 노려보던 눈을 아서에게로 돌렸다. 이상하게도 발개진 눈가가 눈에 띄었다. 설마 저 고약한 도련님이 운 것은 아닐 테고, 아무래도 밖이 많이 쌀쌀한 듯했다. 제시는 숄을 꺼내 오려다가 바깥 온도가 그리 낮지 않다는 사실을 깨달았다. 그녀는 좀 더 집중해 아서의 얼굴을 관찰했다. 투명하게 붉어진 뺨과 코가 반질반질했다.

제시가 미간을 찌푸리며 생각했다.

'대공 전하나 대공비 전하한테 혼났나?'

"또 무슨 말을 하려고 오셨어요?"

제시의 물음에 아서가 숨을 들이켰다. 그가 우물쭈물 말했다.

"아까 우리 싸웠잖아."

"……그랬나요?"

제시가 딴청을 피웠다. 감히 귀족 앞에서 언성을 높인 것은 그녀도 잊고 싶은 일이었다. 높은 신분치고 아서는 심히 만만해 보이는 경향이 있었다.

"아까는 솔직히 화가 났거든. 그 새끼들이랑 싸운 건데 나한테 화를 내니까."

"제가 왜 그랬는지 아직 모르시는군요."

제시가 새삼 감탄했다.

하기야 그가 제시의 어려움을 굽어살필 필요는 없었다. 아서는 귀족이었고 남자였고, 그에 더해 권력자인 친척까지 있었다. 아서에겐 제시의 고통이 마냥 남 일이었으리라.

문제가 뭐냐며 되레 성을 내리라 생각했는데, 의외로 아서는 선선한 인정을 돌려주었다.

"그래, 그래서 테오 형을 찾아가서 물어봤어. 너랑 어떻게 화해하면 될지."

"화해요?"

제시가 당황한 목소리로 되물었다. 화해라니, 자신이 지금 제대로 들은 게 맞는 건가. 아서의 깜짝 발언은 그것만으로 멈추지 않았다.

“나는 내가 잘못한 건지 몰랐는데 형이 그러더라. 너랑 싸웠으면 뭐가 됐든 내 잘못이라고.”

“……그래서 사과하러 오신 거예요?”

“사실 솔직히 난 아직 내가 뭘 그렇게 잘못했는지 잘 모르겠어. 근데 형 말은 대체로 맞거든.”

그러니까 뭘 잘못했는지도 모르고 대공 전하가 결론을 내려 주니 쪼르르 사과하러 달려왔다 이 말이었다. 제시가 ‘그럼 그렇지’ 하는 표정을 지었다. 시큰둥한 반응에 아서가 초조한 기색을 보였다. 그가 손등으로 제 눈가를 한번 쓸었다. 잠시 망설이다가는, 툭 내뱉듯이 말했다.

“가지 마.”

“…….”

“내가…… 잘못했어.”

아서를 빤히 내려다보던 제시가 툭 말했다.

“도련님이 뭘 잘못했는지 모르신다면서요. 그런데 왜 잘못했다고 하세요?”

아서가 몹시 당황한 표정을 지었다. 그로서는 무척이나 어렵게 꺼낸 사과였기에, 이리 달갑지 않은 반응이 돌아오리라고는 예상치 못했다. 이다음으로 할 말은 생각해 두지도 않은 상태였다.

제시가 다시금 물었다.

“왜요?”

“어?”

“도련님이 왜 굳이 저한테 맞춰서 고치려고 하시냐구요.”

스스로 개선의 필요성을 느꼈다면 그럴 법도 하다. 하지만 아서는 방금 본인의 입으로 자신이 무엇을 잘못했는지 모르겠다고 말했다. 제시로서는 이해가 가지 않는 일이었다. 저 도련님은 왜 잘못했다고 생각하지도 않는 일을 잘못했다고 말하며 화해를 청하는가.

제시는 스무 해까지 부모님과 함께 살았고, 평민들에게 있어 자유연애는 흔한 일이었다. 당연히도 그녀는 벨루아에 있을 적 많은 구애를 받아 왔다. 일찍이 방앗간을 물려받은 대넌과 포목점집 아들인 브루노, 오랫동안 여관에 묵었던 장기 투숙객 체이스까지. 그들은 모두 제시에게 잘 보이려고 했다. 그녀가 하는 모든 말이 옳다며 얼간이처럼 떠받들면서까지.

"저 좋아하세요?"

"뭐, 뭐뭐뭐뭐?"

제시의 물음에 아서가 눈에 띄게 당황하며 뒤로 물러섰다. 얼굴은 완전히 시뻘게져 있었다. 제시는 그런 아서를 무감한 눈으로 내려다보았다. 반응이 분명하다. 제시가 조소하듯 말했다.

"도련님은 좋아하는 여자한테만 다정하시네요."

아서가 이곳에 온 이유는 단순했다. 그녀와 관계가 틀어지고 싶지 않았기 때문이다. 멀어질지 모른다는 사실에 눈이 멀어 정작 제시가 하는 말이 무엇인지는 보지도 못했다.

제 마음을 깨달은 이상 아서는 최선을 다해 제시에게 잘해 주려 할 것이다. 건방진 평민 아이에게 무조건적으로 굽히며 사과하러 온 지금처럼. 짜증을 내도 예쁘다며 웃을 테고 화를 내면 비위를 맞출 테지. 절규를 해도 그 속에 담긴 말을 듣는 대신 그저 달랠 것이다.

그는 그녀의 꿈까지 사랑하진 않으니까.

제시는 입술을 깨물었다. 자신의 말이 좋아하는 여자의 사랑스러운 목소리가 아닌, 한 사람의 말로 들리기는 했을까?

"네가 알려 줘. 내가 고칠게."

아서가 황급히 대답했지만 제시의 반응은 여전히 싸늘했다.

"그럴 필요 없으세요. 왜 그러는지 이해도 못하고 하는 행동에 어떤 의미가 있겠어요?"

"알잖아. 내가 못 배워 먹은 거. 가르쳐 주면 노력할게. 다 고치면 되잖아."

잠시 침묵하던 제시가 결국 입을 열었다.

"도련님, 평민 남자들은 이미 아탈렌타 기사단에 입단해 있어요. 저랑 신분이 같은데도요. 하지만 여기사들은 영애들의 호위용으로만 쓰일 뿐이죠. 여기사를 제대로 된 인력으로 취급해 주는 건 앤서린 후작님뿐일걸요."

트리스탄은 무기를 다루는 가문이었으므로 척박한 북부와 긴밀한 연이 있었다. 추운 지방에선 식량을 얻기 위해 농사보다는 사냥이 발달했고, 개발로 식량 문제가 어느 정도 해결된 지금에 와선 모피 사업의 주요지가 되었다. 그러한 환경의 영향으로 북부인들은 무기를 다루는 데 있어 여자 남자를 가리지 않았다.

북부와의 긴밀한 거래로 인해 트리스탄은 사냥에 천재적인 여자들을 오래도록 보아 왔다. 자연히 여성에 대한 편견이 타 가문보다 덜해질 수밖에 없었다.

물론 본격적으로 여기사를 육성하는 것엔 대단한 잡음이 있었지만, 여자를 마냥 약골로만 보지는 않았으므로 여타의 편협한 가문들보다는 조건이 나았다. 앤서린은 기사단에 지원을 아끼지 않았다. 세브리노 아카데미에서 후배들을 데려왔고 재능이 있어 보이는 아이들을 들였다. 앤서린이 가주직을 물려받았을 때부터 오랫동안 애써 온 결과가 트리스탄에 있었다. 가문에 속한 남기사들이 속으론 어떻게 생각하건 말건, 가주의 엄격한 규제로 대놓고 벌이는 차별은 없었다.

제시는 대공 부부가 고작 그녀 하나를 위해 그런 노력을 해 주리라곤 감히 바라지도 않았다. 트리스탄조차도 수년을 매달려 이뤄 낸 결과였다. 보수적인 아탈렌타는 더욱더 오랜 시간이 걸릴 것이다.

아서가 변명하듯 말했다.

"대체로 무술에 있어 여자가 남자보다 조건이 더 안 좋은 건 사실이잖아. 그래서 기사단에 여자를 잘 들이지 않으려고 하는 거지."

"하지만 도련님께서도 전 재능이 있다고 인정하셨잖아요. 능력이 문제라면, 헨리 경은 왜 저를 거부하는 건데요?"

"……."

"실력이 없어서 떨어지는 건 인정할 수 있어요. 그런데 저한텐 왜 기회조차 오지 않는 건가요?"

아서는 대답하지 못하고 주먹만 쥐었다가 폈다.

그는 한때 아탈렌타 기사단에 여기사를 들이는 것이 부끄럽다고 생각했다. 여자의 입단을 막은 건, 부족한 인물을 기용하면 기사단의 격이 떨어지기 때문이었다. 여기사가 무시받는 건 대체로 남기사들보다 능력이 떨어지기 때문이니 이는 근거가 있었다.

'하지만 제시는 재능이 있는데?'

아서는 자신의 반대가 모순적이라는 사실을 깨달았다. 여자는 실력이 없다고 인정하지 않으면서, 실력이 있는 여자에겐 '여자는 실력이 없다'는 편견 때문에 받아 줄 수 없다고 말한다.

그렇다면 제시는 어디로 가야 하는가?

"그건……."

아서는 어쩔 줄 모르고 제시를 올려다보기만 했다. 제시는 적어도 막무가내식의 반박이 돌아오지 않았음에 만족했다.

그녀는 창틀을 짚고는 창밖으로 고개를 내밀었다. 그러고는 잠시간 그의 눈을 들여다보았다. 아서가 자신을 좋아한다는 사실이 그리 유쾌하진 않았지만, 저 얼빠진 반응을 보아 일부러 그녀에 대한 악의적인 이야기를 퍼트렸을 것 같지도 않았다. 제시는 종자 무리가 앞서 말했던 일을 그에게 직접 물어보기로 했다.

"제가 기사 시험 본다고 소문 퍼트린 게 도련님이세요?"

"뭐?"

"그놈들이 그렇게 말하던데요."

아서의 얼굴이 붉으락푸르락해졌다. 아서는 언성을 높이지 않기 위해 숨을 들이켰다. 몰려들어서 제시에게 무슨 소리를 하나 했더니 이간질을 위해 날조나 하고 있었단 말인가. 그러고 보니 제시와의 일에 정신이 팔려 그놈들을 손봐 주는 걸 잊었다.

아서가 이를 악물며 말했다.

"안 믿을 것 같지만, 그거 내가 한 짓 아니야."

"안 믿겨요. 직접 말은 안 하셨더라도 분명 어디선가 흘리셨을걸요."

아서는 반박하려 했지만 그의 머릿속을 언뜻 스치는 기억이 있었다. 앤서린 후작 앞에서 벌컥 언성을 높였다가 끌려 나갔던 그때, 아서는 기사단 건물 뒤편에서 히센에게 오래도록 잔소리를 들었다. 새어 나갈 구석이 있다면 그때였으리라.

아서는 억울했지만 히센을 팔아넘기지는 않았다. 제시는 자신의 말보다 스승을 더 믿을 테니까.

아서가 억울한 목소리로 말했다.

"안 믿을 거면 왜 물어봐?"

"그러게요. 전 왜 안 될 걸 알면서 자꾸 이상한 기대를 할까요."

제시가 쓰게 웃었다. 점점 친절해지는 아서를 보고 그녀는 그와 친구가 될 수 있으리라고 생각했다. 기사가 되려는 여자마냥 말도 안 되는 희망이다.

"도련님이랑 조금 친해졌다고 생각했었어요. 아니었지만."

아서는 황급히 무어라 대꾸하려다 말고 입을 다물었다. '나도 너와 친해졌다고 생각했어.' 따위의 말을 꺼내기가 민망했기 때문이다.

"내가 원래 성격이 별로야. 예쁜 말 같은 거 못하니까 그건 네가 그러려니 해."

아서는 어쨌든 아서였고 그래서 좋아하는 여자에게 이런 말이나 했다. 그리고 제시는 가차 없었다.

"제가 왜 그걸 그러려니 해야 돼요? 도련님이 뭐라고."

"그냥 그러려니 하라고 하면 그러려니 해."

제시는 별로 그러려니 하지 않는 표정으로 입을 다물었다. 덕분에 애가 탄 건 아서 쪽이었다. 그가 주먹을 쥐었다 펴며 힘겹게 말했다.

"미안해."

"이번에도 이유 모를 사과나 하시는 거예요?"

"아니, 네 말이 맞아. 이상한 고집이었어."

제시가 놀란 눈을 떴다. 아서는 무슨 고문이라도 당한 것처럼 기묘하게 얼굴을 구겼다.

“그동안 나는 자존심이 상해서…….”

스스로의 아집을 인정하는 건 분명 고통스러운 일이다.

“화풀이 같은 걸 했던 거야. 내가 잘못한 거지.”

아서가 숨을 헐떡이며 말을 맺었다. 제시는 알 수 없는 표정으로 아서를 내려다보았다. 그녀가 작은 목소리로 중얼거렸다.

“무슨 말씀을 하시는 건지 모르겠어요.”

한 번 인정한 일을 다시 입에 담는 건 쉬웠다. 아서가 곧장 말을 이었다.

“내가 편협했어. 널 위한다고 말했지만 사실은 그냥 내가 보기 싫었던 것뿐이야.”

“생각보다…… 솔직한 고해시네요.”

제시가 떨떠름한 얼굴로 말했다. 아서가 민망하다는 듯 손을 들어 콧대 옆을 쓸었다.

“너는 웬만한 놈들보다 더 재능 있어. 아마 훌륭한 검사가 될 거야. 벨루아에 다녀오고부터는 내내 그렇게 생각했어. 대련이나 자세 봐 준 거, 도움이 되고 싶어서 그랬던 거야.”

“…….”

“그러니까 나 때문에 안 나가도 돼. 그렇게 속 좁게 굴 생각은 없어.”

아서에게 이리 진솔한 대답이 돌아오리라고는 예상치 못했기에, 제시는 잠시간 침묵을 지켰다. 그녀가 이전보다 한결 누그러진 음성으로 말했다.

“도련님 때문에 나간다는 거 아니에요. 도련님이 저한테 사과하신다고 달라지는 건 없거든요.”

개인의 개심으로는 결코 바뀌지 않는 것들이 있다. 제시는 자신이 기사단의 모든 인물을 설득할 수 있다고는 생각하지 않았다. 아서가 그녀의 의견을 받아들인 건 그의 생각이 아직 덜 여문 탓도 있었다. 이미 굳혀진 관념은 타인의 말 몇 마디로 쉽게 깨지는 것이 아니다.

제시의 말에 아서가 눈을 휘둥그레 떴다. 아서는 제시가 아탈렌타를 떠나기로 결심한 원인이 자신이라고 생각했다. 화해하면 생각을 바꿀 줄로만 알았는데 그게 아니었다니. 그가 황급히 말했다.

"내가 그 새끼들이 더 그런 소리 못 하도록 하면 되잖아. 내가……. 도와줄게."

"어떻게요?"

아서는 좀처럼 대답하지 못했다. 당연한 결과다. 제시도 아스티나도 해결하지 못한 일이었다. 제시는 기대 없는 눈으로 아서를 응시했다. 그러나 아서는 곧 결연한 음성을 내었다.

"내가 해결해 줄게."

아서가 제시의 의아한 눈빛을 피하며 손짓했다. 무심코 시키는 대로 손을 내민 제시에게 작은 병이 날아왔다. 제시는 얼결에 그것을 받아 들었다.

"해열제니까 이거 먹고 푹 자. 괜히 감기 걸리지 말고."

아서가 씩씩하게 말하고는 뒤돌아섰다. 대체 뭘 해결하겠다는 건지, 감기도 안 걸렸는데 약은 또 왜 가져다준 것인지. 알 수 없는 일투성이였지만 아서는 그대로 가 버렸다. 제시는 잠시 밖을 내다보고 서 있다가 문을 닫았다. 약병을 창문맡에 두고는 침대로 가 드러누웠다.

제시는 양손을 깍지 껴 배 위에 올린 채 가만히 천장을 올려다보았다. 나무의 결을 응시하던 제시가 문득 헛웃음을 터트렸다.

"진짜 사과를…… 받았네?"

말도 안 돼, 제시는 그리 중얼거리며 또 허허 웃었다. 꿈인가 싶었지만 말똥말똥한 눈은 다시 감기지 않았다.

⁂

다음 날 아침 공기는 유달리 상쾌했다. 생각이 정리되었기 때문인지 다소 느린 기상이었음에도 제시는 개운한 기분이었다. 그엔 기대치 못하게 아서에게 제대로 된 사과를 받은 덕도 있었다.

새벽의 방문은 몹시도 얼떨떨한 기억이었다. 주정을 부리러 왔다면 차라리 그러려니 했을 텐데 답지 않게도 진지한 고해를 했었다. 잠시 꿈은 아니었나 진위를 의심하기도 했지만, 아서가 주었던 약은 여전히 창틀 위에 그대로 있었다. 제시는 그 언저리를 한참 물끄러미 쳐다보다가 방을 나왔다.

식당에 도착한 것은 점심이라 말해도 크게 어폐가 없는 시간이었다. 제시는 식사를 받고는 적당한 곳에 자리를 잡고 앉았다. 실내엔 이른 점심 식사를 하러 온 이들이 듬성듬성 차 있었다. 제시는 빵을 씹으며 대공비를 언제쯤 찾아뵈어야 적당할까 시간을 재어 보았다. 오전은 바쁘실 듯하니 저녁 즈음이 나을까. 고민에 빠져 있는 와중 어딘지 익숙한 목소리가 귀를 잡아챘다.

"—슬쩍 보니 종일 저기압이시더라, 그 계집애가 미쳐 가지고 아서 님한테 따지고 들었나 보던데?"

제시는 고개를 들었다. 조금 떨어진 곳에서 어제 시비를 걸었던 종자들이 모여 킬킬거리고 있었다. '그 계집애'와 '아서'라니. 호칭만 들어도 무슨 얘기를 하고 있었는지 알 만했다. 제시를 미처 발견하지 못했는지 그들은 저들끼리 이야기를 이어 갔다.

"쫓겨나고 싶어서 환장했네."

"것 봐, 에스테반가의 미친개 이름을 대길 잘했지? 아주 껌뻑 속더라니까. 아서 님 신경을 긁었으면 게임 끝났지. 난 못 견디고 한 달 안에 도망친다에 건다."

"난 일주일."

"야, 안 나간다에 거는 사람은 없냐?"

"기간의 문제지, 이건."

동시에 무리들 사이에서 웃음이 터졌다. 제 딴엔 다른 테이블까지 이야기가 닿지 않도록 목소리를 죽이고 있었지만, 비교적 가까이 앉은 제시는 고스란히 들을 수 있었다.

제시는 자리를 피하는 대신 그들을 빤히 쳐다보기만 했다. 시선이 느껴졌는지 머지않아 누군가가 고개를 들었다. 가장 신나게 떠들어 대던 놈이었다. 제시를 발견한 그가 퍼뜩 놀라 '으!' 하고 알 수 없는 소리를 냈다. 친구의 이상 반응에 옆에 있던 이들도 시선을 돌렸다. 그러고는 똑같이 놀란 얼굴을 했다. 당황한 기색도 잠시, 개중 하나가 제시를 향해 우악스럽게 소리쳤다.

"뭘 재수 없게 쳐다보고 있어?"

제시는 기가 차다는 듯 헛웃음을 지었다. 멋대로 남의 뒷이야기를 해 놓고 저리 당당할 수가.

기죽지 않은 제시의 반응에 그들의 얼굴이 시뻘겋게 달아올랐다. 무리는 성을 내며 몸을 일으키려 했다. 그에 맞춰 제시가 접시가 담긴 쟁반으로 식탁을 한 번 내리쳤다. 탕, 하고 크게 울려 퍼진 소리에 그들이 동시에 주춤했다. 제시가 배짱 좋게 말했다.

"야, 다 덤벼."

싸늘한 침묵이 오갔다. 다들 제가 들은 것이 맞나 귀를 의심하는 표정이었다. 제시는 껄렁하게 자리에서 일어나 그들에게로 다가갔다.

"뭐, 뭐……?"

"아, 진짜 같은 평민 처지에 뭐? 주제를 몰라? 나 참, 같잖아서……."

제시가 재차 헛웃음을 지으며 그들이 앉은 식탁을 걷어찼다. 두꺼운 목재가 그대로 밀리며 접시가 흔들렸다. 때아닌 소란에 차츰 주변의 시선이 몰렸다.

"너 지금 뭐라고 했냐?"

무리 중 가장 체격이 좋은 놈이 자리에서 일어섰다. 커다란 손이 대뜸 제시의 멱살을 잡아채려 했다. 제시가 가볍게 몸을 비틀어 피하자 이번엔 주먹이 날아왔다. 그러나 제시는 그것마저도 손쉽게 피해 냈다. 제시는 곧바로 휘청거리는 상대의 무릎을 걷어찼다. 무게 중심이 비틀린 소년은 우스꽝스러운 모습으로 넘어졌다.

제시가 비웃듯이 말했다.

"연습도 제대로 안 하고 몰려다니면서 누구보고 자격이 없다고?"

손쉬운 제압에 무리가 눈을 휘둥그레 떴다. 그들이 제시를 괴롭힌 건 어차피 누구도 그들에게 불이익을 주지 않을 걸 알았기 때문이었다. 당연히도, 제시가 직접 따지고 드는 건 더더욱 예상하지 못했다. 이 일로 추문해 봤자 피해를 볼 것은 제시밖에 없었으니까.

제시의 입단을 좌지우지할 기사단장이 그들의 편이었으니 그간 말을 조심할 필요도 없었다. 그들은 단체로 제시의 실성을 의심했다.

"이게 미쳤나……?"

"너네야말로 정신 나갔어? 왜 말버릇이 그따위냐?"

"뭐?"

"함부로 너, 너거리질 않나. 뭐, 재수가 없어? 아오, 나보다 나이도 어린 것들이……."

제시가 위협적으로 주먹을 치켜들었다. 넘어졌던 소년이 황급히 몸을 일으키며 눈을 부릅떴다. 그러나 몸은 본능적으로 반걸음 정도 물러선 상태였다. 그가 애써 무게를 잡으며 변명했다.

"이거 뭐 쪽팔리게 여자랑 싸울 수도 없고……."

"그럼 쪽팔리게 여자 욕은 왜 하니? 사람이 일관성이 있어야지."

"그건 네가 건방지게 기사가 된다 어쩐다 소리를 하니까 그러는 거잖아!"

"너희야말로 기사가 되고 싶다는 것들이 창피하게 뒤에서 쫑알거리지 말고, 정정당당하게 붙자."

제시로서는 이제 더 잃을 게 없었다. 대공가에 붙어 있고자 무슨 소리를 들어도 참아 왔는데 어차피 이젠 나갈 예정이다. 그간 쌓인 한이라도 쏟아 내지 않으면 분이 안 풀릴 것 같았다.

제시가 고개를 까딱이며 먼저 식당 밖으로 나갔다. 무리는 저들끼리 시선을 교환하고는 제시를 따라갔다. 방금은 방심해서 당한 것일 뿐, 그들이 본격적인 대련에서 여자에게 질 리는 없었다. 이대로 꼬리를 말고 피했다간 두고두고 얕보일 것이다. 그리 의견을 모은 이들이 어깨를 펴고는 씩씩하게 걸음을 옮겼다.

제시와 무리가 연무장에 거의 다다랐을 즈음이었다. 이상하게 근처가 소란스러웠다. 벌써 대련을 하기로 한 게 소문이 났나. 소란의 근원을 찾아 귀를 기울이는데 저편에서 이상한 소리가 들려왔다.

"에스테반가의 미친개가 단장을 고자로 만들려고 한다아—!"

"대공 전하를 불러!"

"저 새끼 미친 거 아냐?"

곧이어 사내 여럿이 순식간에 옆을 스쳐 지나갔다. 제시는 얼떨떨하게 고개를 돌려 지나간 이들을 돌아보았다. 그들이 향한 방향은 대공저의 본관이었다.

제시가 곰곰이 중얼거렸다.

"에스테반의 미친개?"

대공저의 모두가 알고 있는 아서의 별명이었다. 그러고 보니 어젯밤…….

'내가 해결해 볼게.'

아서의 말을 떠올린 제시의 얼굴이 희게 질렸다. 제시는 그대로 연무장을 향해 뛰었다. 당황한 표정을 짓던 종자 무리도 재빨리 제시의 뒤를 따랐다. 곧 벌어질 싸움에 몸이 달아서가 아니라, 대체 무슨 일이 벌어진 건지 궁금증이 앞섰기 때문이다.

연무장으로 들어서자마자 그들은 동시에 숨을 들이켰다.

"헉……."

제시는 반사적으로 얼굴을 가리지 않을 수 없었다. 입구 근처엔 다소 더러운 광경이 펼쳐져 있었다.

눈에 가장 먼저 들어온 것은 어딘지 신난 기색의 아서였다. 그리고 바로 옆엔 기사단장이 있었다. 기다란 나무판에 묶여 바지가 끌어 내려진, 신기한 외양을 한 채로. 아서의 손은 매우 흉물스럽게도…….

기사단장 헨리의 '그것'을 쥐고 있었다.

"이거 놔! 풀라고!"

헨리가 처절하게 비명 쳤다. 너무도 대단한 급소가 붙잡혀 있었기에 그 누구도 선불리 접근하지 못했다.

대체 어떻게 어린 아서가 기사단장을 제압한 것인가. 추측은 어렵지 않았다. 처음엔 알아보지 못했는데, 헨리가 묶여 있는 건 다름 아닌 벤치의 상판이었다. 아무래도 낮잠을 자다 봉변을 당한 듯했다.

아서가 상황에 어울리지 않는 평온한 목소리로 물었다.

"헨리, 내가 어디서 들었는데 말이야. 알고 보면 아탈렌타 기사단이 고추가 없으면 입단이 안 되는 곳이었다며?"

"미친놈아, 지금 무슨 개소리를 하는 거야?!"

"여기서 문제!"

아서가 상큼하게 소리쳤다.

"내가 헨리의 아들을 떼어 내면 헨리는 계속 기사단장을 해 먹을 수 있을까요, 없을까요?!"

그리 말하며 아서가 단검을 헨리의 '아들' 가까이로 가져갔다. 빨갛게 달아올랐던 헨리의 얼굴이 순식간에 푸르죽죽해졌다.

"사사사사람 사사사살려."

헨리가 사시나무 떨듯 몸을 떨었다. 제시의 뒤에 선 종자 무리는 경악한 표정을 지으며 저도 모르게 자신의 사타구니 위로 손을 올렸다. 그 부위의 안전을 확인받고 싶었던 탓이다. 제시를 제외하고는 주변을 둘러싼 모두가 헨리와 같은 막대를 가지고 있었다. 상상 가능한 고통에 일대에 소란이 번졌다.

"누가 저 미친놈 좀 떼어 내!"

"저 새끼 지금 뭐 하는 거야?"

"대공 전하 부르러 갔다던 새끼는 왜 안 와!"

"아아악! 단장이 고자가 된다아!"

입술이 잔뜩 떨리고 있어 그다지 위엄 있어 보이진 않았지만, 헨리는 애써 침착하게 상황을 중재하려 했다.

"아, 아서. 내내내가 어얼마나 널 동생처럼 도도돌봤는데."

"그래서 내가 헨리한테 속죄할 기회를 주는 거야."

"뭐뭐뭐뭘 원하는데 이 개개개자식아!"

"아탈렌타 기사단에 들어오려면 고추가 없어도 된다고 해."

"뭐?"

"얼른 복창해! 고추 없는 사람의 입단을 허락한다고! 안 그러면 가장 먼저 아탈렌타 기사단에서 쫓겨나는 건 헨리가 될걸?"

"이 미친 새끼가!"

헨리는 아서가 뭘 말하고 있는지 어렵지 않게 이해했다. 지금 제시의 입단을 허락하게 하려고 수를 쓰고 있는 거였다. 헨리의 눈에 핏줄이 섰다.

"내 눈에 흙이 들어와도 그 말은 못 해!"

"다른 가문에서는 잘만 허락하는데 왜 아탈렌타 기사단만 안 된다는 거야?"

"네가 뭘 안다고! 기사의 원칙은 레이디를 지키는 거야! 어떻게 연약한 여자들에게 검을 들게 할 수가 있어! 그거야말로 진짜 야만적인 짓이다!"

헨리의 말에 대부분이 동의한다는 듯 고개를 끄덕였다. 그에 아서의 언성도 함께 높아졌다.

"그렇게 레이디를 소중하게 여기면서 제시한테는 왜 그러는데? 종자들이 걜 괴롭히는 걸 알면서도 내버려 뒀잖아!"

"이놈아! 현숙한 여성들은 마땅히 존경받아야지! 하지만 검을 든 여자는 레이디가 아니지 않아!"

"말하면서도 좀 이상하다는 생각 안 들어? 제시를 레이디 취급도 안 해 주면서 레이디라 기사단에 못 들인다는 게?"

논리에서 밀리자 헨리는 팔다리를 힘껏 버둥거렸다. 그러나 어찌나 세게 묶었는지 매듭은 미동도 하지 않았다. 헨리가 답답하다는 듯 외쳤다.

"너 이 새끼, 너 대체 누구 편이야?! 왜 갑자기 걔 편을 들고 지랄이냐고!"

"말 못 하겠다 이거지?"

아서가 그리 한 번 되묻고는 이어 음산하게 중얼거렸다.

"헨리, 난 금방 내 어리석음을 알았지만…… 애석하게도 헨리에겐 깨달음의 고통이 필요할 것 같아."

헨리로서는 미치고 팔짝 뛸 지경이었다. 의연히 본래의 의견을 관철하고 싶었지만, 문제는 아서가 정말 자신을 고자로 만들어도 이상하지 않은 망나니라는 데 있었다. 아니나 다를까 아서는 곧장 헨리에게 흉기를 들이밀었다.

헨리는 코끝이 시큰해지는 것을 느꼈다. 전장에서의 명예로운 죽음은 감수할 수 있다. 그러나 수도의 저택에서 낮잠을 자다가 포박당해 거기가 잘리다니, 죽음보다도 비참했다.

칼날이 해면체를 스치며 날카로운 통증과 함께 옅은 피가 배어 나왔다. 종족 번식의 가능성을 잃을지도 모른다는 공포에 결국 헨리의 입이 열렸다.

"아아알았어, 마마말할게!"

"진짜?"

"그래, 그러니까 일단 이것 좀 치워!"

아서는 흡족한 표정으로 고개를 내저었다. 그러고는 벌컥 언성을 높여 소리쳤다.

"먼저 따라 해! 오늘부로 고추 없는 사람의 입단을 허락한다!"

"이 새끼가……! 야, 아니, 앗 따가, 아, 말할게, 말한다고! 오늘부로 고추 없는 사람의 입단을 허락한다!"

"한 번 더 소리쳐!"

헨리는 눈을 질끈 감았다. 자신의 세 번째 다리를 궁지로 삼았던 남자가 결국 무너졌다.

헨리가 악을 쓰듯 소리쳤다.

"씨팔. 아서, 이 은혜도 모르는 개새끼야! 제시더러 기사 시험 봐도 된다고 전해! 대신 아탈렌타의 입단 시험은 아주 고달플 거다!"

아서가 만족스러운 얼굴로 헨리를 놓아주었다. 원하던 말을 들었으니 이젠 스스로의 안전을 확보할 때였다. 헨리를 풀어 주었을 때 벌어질 후폭풍을 모르지 않았으므로 아서는 곧바로 도주했다. 아서가 멀어지자마자 헨리는 곧바로 참았던 숨을 들이켰다. 마침내 거세의 공포에서 벗어났다고 생각하니 온몸의 긴장이 풀어졌다.

헨리는 눈물을 글썽이며 제 아랫도리를 내려다보았다.

"내……. 내 거시기……."

다행히도 모두의 바람대로 헨리의 그곳은 무사했다. 피를 좀 보긴 했지만 칼날이 스친 정도라 기능에는 이상이 없을 듯했다.

지켜보던 기사들이 뒤늦게 정신을 차리고는 헨리에게 다가와 팔과 다리를 풀어 주려 했다. 헨리는 부하들의 뒤통수를 때리고 싶다는 표정으로 몸을 뒤틀었다.

"이 새끼들아, 바지부터 올려, 바지부터!"

이 자리에 있던 모두가 이미 그 생김새를 속속들이 본 상태였으므로 그다지 의미가 없는 명령이었다. 그러나 헨리는 반복해서 바지를 여며 달라 강조했다. 다리에 묶인 끈을 풀어 주던 기사 하나가 허겁지겁 헨리의 허리춤을 끌어 올렸다. 그사이 아서는 벌써 저만치 도망가고 있었다.

"저 새끼 잡아! 내가 죽여 버리겠어!"

마침내 구속에서 벗어난 헨리가 핏발이 선 목으로 소리쳤다. 독기 오른 기사단장의 명령에 몇몇이 엉거주춤 아서를 뒤쫓았다. 그러나 발이 움직이는 속도가 그다지 빠르진 않았다. 아서의 손에 들린 단검의 핏기를 보자 급격히 추적할 의지가 사그라들었던 탓이다.

보다 못한 헨리가 직접 아서 쪽으로 달리기 시작했다. 그러나 그의 발도 곧 멈춰 섰다. 근처에서 그 모든 광경을 지켜보던 제시와 종자 무리를 발견했기 때문이다.

헨리는 제시를 발견하자마자 눈에 불을 켰다.

"야, 너, 이……!"

그러나 헨리는 곧 입을 다물었다. 아서를 이용해 기사단에 들어오려 했냐며 성을 내려 했는데, 하지도 않은 일로 추궁하기엔 그에게도 양심이란 게 남아 있었다. 아서가 남의 말을 듣는 놈이 아니라는 걸 가장 잘 알고 있는 게 바로 헨리였다. 당황한 제시의 표정을 보아 그녀도 모르고 있었던 일임이 분명했다.

헨리가 머리를 헤집으며 미친 사람처럼 발을 굴렀다.

"아오, 진짜 이걸, 내가, 내가……! 으으!"

그가 양손으로 얼굴을 감싸며 길게 숨을 들이마셨다. 그의 가슴이 가쁘게 솟아올랐다가 가라앉았다. 잠시 후 헨리가 다분히 진정된 기색으로 물었다.

"다 들었나?"

"네? 네……."

급작스런 변화에 제시가 당황하여 말을 더듬었다. 헨리는 몹시 괴로운 표정으로 크게 신음했다. 당사자도 보고 들었다니 더 어찌할 바가 없다. 그가 죽기보다 인정하기 싫다는 표정으로 말을 이었다.

"한 입으로 두 말 할 순 없지. 기사 시험을 봐도 좋다. 통과하면 입단 시험을 치르도록 하마."

"저, 정말요……?"

"단장님! 그게 무슨 말도 안 되는 말씀이세요!"

그때였다. 제시의 뒤편에 있던 종자 무리 중 하나가 끼어들었다. 헨리가 진절머리를 내듯 고개를 흔들었다.

"어쩔 수가 없는…… 가만, 너희끼리 왜 몰려 있는 거지?"

귀찮다는 표정으로 대꾸하던 헨리가 눈을 번뜩 떴다. 제시가 지나가기만 해도 야유했던 놈들이 굳이 그녀의 뒤에 서 있는 모습이 몹시도 수상했다.

당연히도 종자 무리는 우물쭈물하며 대답하지 못했다. 여자아이 하나와 싸움을 벌이기 위해 떼거지로 몰려왔다는 사실을 밝히기엔 면이 상했던 탓이다.

헨리의 시선이 자연히 제시에게로 돌아갔다. 제시가 곧바로 대답했다.

"저와 대련을 하기로 했어요."

"누구랑?"

"저랑요."

"아니, 저놈들 중 누구와?"

"……전부요."

제시의 대답에 헨리의 낯에 다시 열이 올랐다. 이래서야 아서의 말에 당당히 반박할 수도 없었다. 확실히 헨리는 지금껏 종자들이 제시를 괴롭히는 것을 방관해 왔다. 그게 단순한 조롱이 아닌 직접적인 몸싸움으로 이어지리라고는 생각하지 못했지만, 그렇다고 그가 외면했다는 사실이 사라지는 건 아니었다.

저놈들의 기사도란 대체 어떻게 생겨 먹은 것인가. 그동안 좋은 기사가 되라며 무던히도 아껴 주었던 것을, 여자 하나를 밟아 주겠다며 여럿이 달려든 꼴을 보자 헨리는 부끄러워 혀라도 깨물고 싶었다.

"미안하다. 내가 지금껏 모른 척했던 게 잘못이야. 저놈들은 내가 혼내 줄 테니 이만 돌아가도 돼."

헨리가 이마를 감싸며 사과했다. 그러고는 뒤에 선 종자들을 향해 벌컥 성을 냈다.

"이 새끼들아, 어디 할 짓이 없어서! 부끄러운 줄도 모르고 여자랑 힘으로 겨루겠다고 달려들어! 내가 너흴 그렇게 가르쳤더냐?"

그리 말하며 헨리가 제시를 흘긋 바라보았다. 이 정도 했으면 좀 봐 달라는 듯이. 그러나 제시는 화를 푸는 기색이 아니었다. 아니, 애초에 그녀는 저를 상대하려 몰려든 소년들을 보고서도 별다른 표정 변화가 없었다.

제시는 잠시간 눈을 깜빡이기만 했다. 이윽고 그녀가 단호하게 말했다.

"아니요, 단장님. 먼저 대련하자고 한 건 저예요."

"뭐? 아니……, 그래도 저놈들이 받아 줘선 안 됐지."

이해할 수 없는 반응에 헨리가 당황하여 대꾸했다. 제시의 목소리가 한층 더 가라앉았다.

"왜 받아 줘선 안 되는데요?"

헨리는 그 질문에 아주 많은 이유를 댈 수 있었다. 그러나 그것들은 제시를 납득시킬 수 없는 말이다. 헨리가 이런저런 변명을 늘어놓기도 전, 제시는 허리춤에 걸려 있던 검을 들어 올렸다.

"아서 님 때문에 제 입단을 허락한다고 말씀하지 마세요. 제가 직접, 지금 증명해 드릴게요. 제가 기사가 되어야 하는 이유를요."

"수도는 모든 게 화려하지요."

운치 있는 대화의 시작에 아스티나가 고개를 돌렸다. 꼿꼿이 허리를 편 아스티나에게 앤서린이 손을 뻗었다. 앤서린은 아스티나의 손등에 자연스럽게 입을 맞추고는 몸을 일으켰다.

"하지만 대공비 전하의 붉은 머리칼만큼 아름다운 건 또 없을 듯합니다."

남성의 인사였지만 그것은 제복을 차려입은 앤서린에게 퍽 잘 어울렸다. 아스티나는 앤서린에게 매끄러운 미소를 보였다.

"트리스탄 후작님."

"도착하시자마자 무척 눈에 띄시더군요. 덕분에 늦지 않게 달려왔답니다."

"안 그래도 어디 계신지 찾고 있었던 참입니다. 무척 잘 꾸며진 저택이네요, 이리 초대해 주셔서 영광이에요."

"칭찬 감사합니다. 저야말로 초대에 응해 주셔서 영광이지요."

앤서린이 눈을 접어 웃었다. 그 표정엔 장난기가 역력했다.

아스티나가 참석한 건 트리스탄 후작에서 주최한 사교 파티였다. 앤서린 후작과 친분이 있는 이들만이 모이는 자리였지만, 이번만은 특이하게도 아스티나 역시 초대 명단에 이름을 올렸다. 당연히도 그에 정치적인 의미가 아예 없을 수는 없었다. 트리스탄이 주최한 자리에서 대공비를 보았다는 화두 하나만으로도 사교계를 뜨겁게 달굴 이야깃거리가 될 것이다. 그래서인지 대공의 존재를 다분히 의식한 듯, 앤서린이 보내 온 초대장엔 어딘지 은밀한 구석이 있었다.

'부군 몰래 오십시오.'

당연히 장난이었지만 이 초대가 말하는 의미를 다분히 드러내고 있었다. 앤서린 후작은 대공비와의 친분을 공식적으로 드러내기로 결심한 것이다. 이시스를 위해 정보를 모아야 한다는 명분이 있었으므로, 아스티나는 그다지 죄책감 없이 초대에 응했다.

"제가 좀 늦은 게 아닌가 모르겠습니다. 후원하던 아이 하나가 또래들과 싸움을 벌여서요. 출발 전까지 정신이 없었습니다."

"저런, 설마 그게 제가 아는 사람입니까?"

아스티나는 애매하게 입꼬리를 끌어 올렸다. 앤서린이 넌지시 던진 질문의 답은 '그렇다'였다. 소란의 주인은 다름 아닌 제시였으니까.

제시가 자신을 괴롭히던 종자 무리 모두를 때려눕힌 사건은 아탈렌타 기사단 전체를 들썩이게 만들었다. 그에 더해 헨리는 자신을 고자로 만들려 한 아서를 벌해 달라며 무릎까지 꿇었었다.

아스티나의 고민 어린 표정을 본 앤서린이 크게 파안했다.

"젊은이들이 치고받고 싸우는 것이야 흔한 일이 아닙니까. 인간이란 서열을 매기지 않고서는 배겨 내지 못하는 생물이랍니다."

"한참 아래라 생각했던 아이한테 흠씬 두들겨 맞았으니 더욱 불만이 거셌지요."

"오늘 저녁은 심려를 잊고 즐거운 시간을 보내셨으면 좋겠습니다. 제 지인들을 좀 소개해 드리고 싶은데, 괜찮으시겠습니까?"

"물론이에요."

앤서린과 아스티나가 나란히 걷는 뒷모습에 모두의 시선이 몰렸다. 아탈렌타의 대공비가 트리스탄 후작의 목숨을 구한 일은 이미 사교계 내의 뜨거운 감자였다. 앤서린 후작이 대공비에게 내보이는 호의에 모두의 이목이 집중됐다.

귀부인들의 부채 밑으로 속삭임이 떠돌았다.

"척진 가문의 사람인데도 저리 거리낌 없이 대하시니 대단하시네요. 대공비께서 앤서린 후작을 구하기 위해 살수들과 맞서셨다죠?"

"그래도 솔직히 말씀드리자면, 저는 저분이 이런 자리까지 참석하실 줄은 몰랐어요."

"두 가문의 악연이 드디어 끝나는 걸까요?"

웅성거림을 뒤로하고 앤서린은 조금 전까지 이야기를 나누고 있었던 친우들에게 다다랐다. 앤서린이 아스티나를 소개하려 옆으로 비켜서며 말했다.

“다들 인사하십시오. 수도에 오자마자 유명 인사가 되신 대공비 전하이십니다.”

앤서린이 아스티나를 안내한 자리엔 젊은 남성 다섯이 서 있었다. 모두 아스티나도 안면이 있는 상대였다. 이전에 몇 번 마주쳤던 유명 가문의 영식이나, 혹은 젊은 가주들이었다.

“아스티나 반 아탈렌타입니다.”

아스티나가 우아하게 인사했다. 트리스탄의 가주가 대단한 호의를 보이니 그 친우들도 망설임 없이 호감을 표시했다.

“후작님의 목숨을 구해 주셨다지요. 암살자들을 앞에 두고서도 떨지 않으셨다니, 대단히 용맹하십니다.”

“후작님도 고전하신 살수라니 보통 상대가 아니었을 텐데요. 솔직히 말씀드리자면 처음엔 앤서린 후작이 너무 피를 많이 흘려 기억이 잘못된 게 아닌가 의심했어요!”

나이대가 젊은 탓일까 농담에 격의가 없는 편이었다. 이 정도 수위의 농은 익숙한 모양인지 앤서린이 웃는 얼굴로 남자의 팔을 두드렸다.

건너편에 선 사내가 술을 한 모금 들이켜고는 건배하듯 잔을 들었다.

“정말, 근래에 보기 힘든 존경받을 만한 여성이세요.”

그에 아스티나가 입꼬리만 끌어 올리며 응대했다.

“말씀하신 것처럼 대단한 일은 아니었습니다. 다른 이까지 건드릴 생각은 없었는지 제가 앞으로 나서자마자 줄행랑을 치더군요."

"아닙니다. 보통의 레이디라면 도망가기 마련일 텐데요. 왁! 하고 말이죠."

앤서린 바로 옆의 선 자가 얇고 가는 비명을 흉내 냈다. 무리들 사이에서 한차례 웃음이 터졌다. 그에 앤서린이 익살스럽게 대꾸했다.

"대공비 전하는 다른 여자들과는 다르십니다. 제 몸 하나 지킬 줄도 모르면서 분칠에만 집중하는 한심함과는 거리가 먼 분이죠."

아스티나의 미소가 흐려졌다. 그러나 너무도 미세한 변화였던지라 모두들 그 기색을 알아차리지 못했다.

무리 중 하나가 앤서린의 어깨를 두드리며 칭찬했다.

"남다른 여자 하면 트리스탄 후작님만 한 분이 또 있겠습니까. 저는 전술에 이리 해박한 여성분은 또 처음 봤습니다."

"영광입니다, 더 배움에 힘써야겠군요."

앤서린이 우스꽝스럽게 치맛단을 들어 올리는 레이디의 인사를 흉내 냈다. 그 움직임엔 명백한 조롱의 의미가 담겨 있었다. 아스티나의 시선이 천천히 앤서린의 웃는 얼굴에게로 옮겨 갔다.

아스티나는 지금 이 순간, 그다지 오래되지 않은 앤서린과의 만남들을 떠올렸다.

'어떤 무기를 다룰 줄 아십니까?'

'역시, 허영이 아닌 마음의 양식을 채울 줄 아시는 분이군요.'

'아니요, 이런 꽃은 저보다는 대공비 전하께 어울리지요.'

앤서린이 무예를 안다는 이유로 아스티나에게 호감을 가졌을 때, 서점에서 마주치고는 과도한 반가움을 드러냈을 때, 정원에서 꽃을 건네었을 때.

여성 가주로서 주류 사회에 섞여 들기 위해 앤서린은 어떤 선택을 해야 했을까. 설마 그동안 인식이 나아졌으리란 순진한 희망을 품기라도 했었나.

아스티나는 그제야 앤서린에게서 느꼈던 위화감의 정체를 깨달았다. 아스티나가 멍하니 앤서린을 응시하며 말했다.

"귀공께선…… 아주 훌륭한 후작님이 되셨군요."

머리를 짧게 자르고 거침없이 걷는다. 귀공자의 말씨를 쓰며 호쾌히 검을 휘두른다. 내일이 없는 것처럼 술을 들이붓고 동료들과 어울려 지저분한 술판 속에 잠든다. 어떤 거친 행군에도 뒤처지지 않도록 이를 악물며.

바지를 입은 여자여, 당당히 남자들이 말하는 여성성을 버리고 비난하라. 그래야 살아남을 테니.

"예?"

앤서린의 목소리가 언뜻 날 선 기색을 띠었다. 기민하게 눈빛을 달리한 것은 앤서린 하나였다. 표면적인 뜻으로 이해한 무리는 저마다 앤서린을 치켜세우듯 한마디씩 보탰다.

"그럼요. 후작님만큼 멋들어진 젊은 가주가 또 있을까요."

"대단한 분이시죠. 활 쏘는 솜씨는 말할 것도 없이 발군이시고."

그러나 앤서린만은 아스티나의 말에 담긴 함의를 알아챌 수 있었다. 이어진 칭찬 세례에도 앤서린의 표정은 풀어질 줄 몰랐다. 앤서린이 미묘한 불쾌감을 따지고 들기도 전, 아스티나는 우아하게 고개를 까딱이며 인사를 남겼다.

"마차를 오래 탔더니 멀미 기운이 좀 있군요. 잠시 바람이라도 쐬어야 할 것 같아, 아쉽지만 다음에 또 인사드리겠습니다."

"저런, 발코니까지 모셔다드릴까요?"

웃음 짓던 무리가 걱정스러운 얼굴로 염려를 전해 왔다. 아스티나는 되었다며 홀로 걸음을 돌렸다. 앤서린은 우두커니 서서 멀어지는 아스티나를 응시했다.

이야기 소리가 들리지 않을 정도의 거리가 되었을 즈음, 무리가 작은 목소리로 숙덕였다.

"다시 봐도 대단한 미인이군요."

"대공과 함께 참석한 자리에서 보니 선남선녀가 따로 없더이다."

"후작님, 혹 앞으로 아탈렌타와는……."

제게로 돌아온 질문에 앤서린이 손을 들어 저지했다. 앤서린이 여전히 대공비가 멀어진 방향으로 시선을 고정한 채 더듬더듬 말했다.

"잠시…… 저는 모자란 술을 좀 가져오겠습니다."

양해를 구한 앤서린이 성난 기색으로 발걸음을 떼었다. 성큼성큼 홀을 가로질러 곧장 발코니로 향했다. 걸음이 빨랐던 통에 앤서린은 아스티나가 들어선 시점과 별반 차이 없이 같은 자리에 다다랐다.

앤서린이 발코니 안으로 들어서며 사납게 커튼을 쳤다.

"절 비난하신 겁니까?"

앤서린의 숨은 거칠었다. 오직 호의로만 대했던 상대가 돌려준 조롱에 분노하지 않을 수 없었던 탓이다. 아스티나는 그런 앤서린을 물끄러미 쳐다보다가, 그대로 난간에 걸터앉았다.

아스티나가 무감한 얼굴로 되물었다.

"왜 그렇게 생각하십니까."

아스티나의 여유로운 응대에 앤서린은 입술을 깨물었다. 앤서린이 확신하듯 말했다.

"역시 제 생각이 맞았군요."

"착각이십니다."

"아니, 대공비께서는 나를 경멸했습니다."

"오해입니다. 저는 후작께 더 큰 짐을 지울 생각이 없으니까요."

"무슨 말씀입니까, 그게?"

아스티나는 대답하지 않고 왼편으로 시선을 돌렸다. 바깥으로 돌출된 테라스에선 저택의 전경을 모두 내다볼 수 있었다.

과연 화려한 사저였다. 길을 안내하려 촘촘히 매단 등불이 보석처럼 정원을 밝히고 있었고, 언뜻 비치는 꽃잎은 값나가는 종자가 분명해 보였다. 홀에 달린 유리창엔 불순물이 비치는 법이 없었다. 대리석으로 된 바닥 또한 잘 관리되어 반짝였다. 앤서린이 끌어모은 인맥에는 아스티나조차 놀랐을 정도였다. 아스티나는 신음하듯 눈을 감았다.

어리석게도 이 모든 게 어떤 것도 잃지 않고 얻은 영광이라 믿었다.

"그럼 제가 어떻게 해야 했습니까?"

앤서린이 흥분하여 한 발짝 다가서며 물었다. 그 질문은 차라리 발악에 가까웠다. 이보다 나은 방법이 있다면 앤서린도 그리했을 것이다. 그러나 앤서린은 알았다. 자신이 택할 수 있었던 최선의 선택지가 무엇이었는지를.

앤서린이 가주직을 승계하기 위해 택한 방법은 남자보다 더 남자다워지는 것이었다. '이래서 계집은 안 돼' 따위의 말이 듣기 싫어 무던히도 많은 걸 버렸다. 자세를 교정하고 머리를 자르며, 마치

하늘이 그녀를 여자로 잘못 태어나게 한 것처럼 굴었다. 그러자 모두가 앤서린을 칭찬했다. 남자보다 더한 대장부라며.

다름을 증명하기 위해 방탕한 영애들을 비난하는 일은 오히려 쉬웠다. 비싼 장신구를 사들이는 귀부인들을 보며 혀를 차고 영애들에게서 상식의 부족함을 발견할 때마다 내심 멸시했다. 제 안에 있을지 모를 헤픈 행동거지와 낭비스러운 구석을 검열했다.

사치와 티 파티를 멀리하는 듯 굴자 또래의 영식들은 앤서린에게 동질감을 가졌다. 그들에게서 여자가 아니게 된 순간 앤서린은 비로소 그들의 옆에 설 수 있게 되었다. 그건 몹시도 달콤한 보상이라, 그 유대감을 유지하기 위해서라면 무엇이든 할 수 있을 것 같았다. 타고난 성을 부정하는 일이 스스로를 갉아먹는다는 사실을 알면서도.

"글쎄요. 모두에게 미움받는 것과 스스로를 증오하게 되는 것, 어떤 게 더 불행할까요."

그리 중얼거린 아스티나가 설핏 웃으며 말을 이었다.

"불쌍한 사람, 당신의 죄는 당신의 재능입니다."

재능이 있기에 성취를 원했고 알기에 지혜를 탐했다. 차라리 몰랐다면 욕심내지도 않았을 것들이었다. 어차피 무엇도 이룰 수 없는 삶이라면 처음부터 아무것도 할 수 없는 편이 나았다.

"아니요, 저는 압니다. 제게 없는 것은 볼품없는 세 번째 다리뿐입니다."

앤서린이 지지 않고 표독스럽게 쏘아붙였다. 실로 그녀에게 부족한 건 그것 하나뿐이었다. 앤서린은 기억도 나지 않는 어릴 적부터 소망해 왔다. 차라리 에드윈과 자신이 바뀌어 태어났다면 좋았으리라고. 그랬다면 에드윈은 관심 없는 가주직에서 멀어질 수 있었을 테고 앤서린은 당연하게 가문을 아울렀을 것이다.

아비의 편애에 울다 잠든 밤, 하루의 끝에서야 겨우 꾸었던 단꿈이었다. 그리고 아침이 되면 어김없이 동쪽에서 떠오른 해에 절망했다.

앤서린이 절규하듯 물었다.

아버지, 에드윈은 이미 떠나고 없는데 왜 그를 기다리시나요. 당신의 딸은 당신의 것을 물려받을 자격이 없나요.

아버지는 그제야 앤서린을 돌아보며 답했다.

그래, 그러고 보니 네 남편감을 찾으면 되겠구나.

"제가 이 모든 걸 얻기 전 어떤 취급을 받아 왔는지 안다면, 대공비께서도 그런 말씀은 결코 꺼내지 못하셨을 겁니다."

앤서린이 분개한 목소리로 말했다. 아스티나는 알 수 없는 눈으로 그런 앤서린을 응시했다. 앤서린이 그녀의 자리를 지키기 위해 다른 영애들을 비난하는 건 분명 잘못된 일이었다. 하지만 그렇다고 그런 앤서린을 형식적인 말로 타이르고 싶지도 않았다. 앤서린을 다치게 한 이시스를 차마 책하지 못했던 것처럼.

아스티나가 힘없이 대답했다.

"예, 그렇게 자리를 공고히 하십시오. 그리고 절대 후회는 하지 마세요. 스스로를 비난하는 순간 모든 걸 잃을 겁니다."

"불필요한 염려는 사양하도록 하지요, 전 한 번도 후회한 적이 없습니다."

앤서린이 으르렁거리듯 대꾸했다. 아스티나가 투명한 눈으로 앤서린의 적의 어린 시선을 맞받아쳤다.

"그렇다면 왜 저를 따라 나오셨지요?"

"……."

"부끄럽다고 생각하는 일을 행해야 인정받는 것이 어떤 기분인지, 저는 모릅니다. 그러니 후작님께 어떤 말도 할 수가 없어요."

크게 숨을 들이켠 앤서린이 왈칵 언성을 높였다.

"왜 제가 부끄러워해야 합니까? 부끄러워해야 할 자가 있다면 저를 이렇게 만든 세상 쪽이 아닙니까?!"

앤서린의 입술이 파르라니 떨렸다. 그녀가 제 눈가를 쓸어내리며 헛웃음을 터트렸다.

"제가 아버지가 돌아가셨다는 소식을 들었을 때 무슨 생각을 했는지 아십니까? 슬퍼했느냐고요? 아니요, 차라리 기뻤습니다. 아, 이제야 모든 게 끝이 났구나. 그 지긋지긋한 장자 타령에서 드디어 해방이구나! 젠장, 이번엔 가신들이 에드윈의 이름을 지겹게도 부르짖을 것을 모르고!"

앤서린의 가슴이 가쁘게 부풀었다가 내려앉았다. 떨리는 어깨는 불안정했다. 앤서린이 거친 숨을 진정시키며 말을 이었다.

"예, 그래서 머리를 잘랐습니다. 에드윈의 이야기를 꺼내는 자가 있으면 내치고 벌을 주었어요. 사내보다 더 사내같이 굴자 적어도 앞에서는 무시하지 않더군요. 이런 제가 잘못되었습니까?"

어째서 앤서린은 그녀의 형제를 의심해야 했나. 본인이 가주가 될 수 있도록 무던히도 도움 주었던 핏줄을 어찌하여 가장 공을 들여 지워 내야 했을까.

아스티나는 괴로이 눈을 감았다. 그러고는 쏟아 내듯이 말했다.

"후작님, 습격을 사주한 건 그대의 형제가 아닙니다."

앤서린의 움직임이 일순 멈추었다. 을씨년스러운 침묵이 찾아들었다. 이전에도 대공비는 에드윈이 진범이 아닐 것이라 말했었지만, 이번은 더욱 확신 어린 어조였다. 앤서린이 잘못 들었다는 듯 되물었다.

"그게…… 무슨 말씀입니까?"

"후작님은 타인의 싸움에 휘말린 것뿐입니다. 큰일을 벌이고자 했던 누군가가, 후작님의 눈을 가문 내로 돌리게 하기 위해 부러 수를 쓴 것이지요. 그는 후작님께서 가장 먼저 의심할 사람이 형제라는 걸 알았을 겁니다."

"그건 어디까지나 추측이 아닙니까? 그렇다고 해서 에드윈이 가장 큰 용의자라는 사실은 바뀌지 않아요."

앤서린이 조소를 터트리며 애써 반박했다. 그럼에도 당황한 음성은 잘 숨겨 낼 수 없었다. 갑자기 쏟아진 이야기를 좀처럼 받아들일 수 없었던 탓이다.

아스티나가 고요히 물었다.

"후작님, 정말 그가 범인이라고 생각하십니까?"

그에 앤서린은 좀처럼 대답하지 못했다. 앤서린 역시 알고 있었다. 그녀가 아는 에드윈이 그럴 사람이 아니라는 것을. 하지만 앤서린은 존재하지조차 않는 오라비의 자리를 되찾기 위해 무던히 힘쓰던 가신들과 긴 싸움을 거쳐 왔다.

에드윈은 더 이상 저택을 나가고 없었지만, 동시에 모두의 마음속에 분명하게 존재했다. 모두가 에드윈이 철들면 당연히 가문으로 돌아올 것이라 믿었으니까. 앤서린은 내내 에드윈의 빈자리를 견제하며 살아야 했다. 심지어는 가주로서 공고히 자리매김한 지금에 와서도.

그래서 에드윈의 희미해진 웃는 낯에 부러 비열한 표정을 덧대어 추억했다. 배척할 공공의 적을 세우면 흔들리지 않을 수 있었다. 경계는 곧 그녀를 강하게 하는 힘이었다.

타고난 성별조차 버렸는데 오라비를 버리는 일이 무어 어려웠을까. 그렇게 교류하던 친구들을 버리고, 인정을 버리고…….

앤서린은 주먹을 틀어쥐었다. 그녀가 마른 입술로 더듬더듬 되물었다.

"대공비 전하야말로, 어찌 에드윈이 범인이 아니라 단언하십니까? 제 오라비와는 단 한 번밖에 만난 적이 없지 않으십니까?"

"제가 당신의 형제와 안면을 튼 이유를 아시지 않습니까. 그는 대단치 않은 무력을 가지고 있었음에도 사람들을 구하기 위해 달려들었던 사람입니다. 그는 아마도, 후작님이 기억하시는 과거의 모습과 그리 달라지지 않았을 겁니다."

"그러나, 그러나……."

앤서린은 어쩔 줄 모르는 것처럼 말을 잇지 못했다. 그녀조차 지금 자신이 에드윈을 믿고 싶은 건지, 아니면 품고 있는 아집을 필사적으로 지키고 싶은 건지 분간할 수 없었던 탓이다.

아스티나도 고작 이런 몇 마디로 앤서린을 바꿀 수 있다고는 생각하지 않았다. 그러나 아스티나는 적어도 앤서린이 더 이상 무언가를 잃는 일이 없기를 바랐다. 그것이 그녀를 오롯이 지지해 주었던 형제라면 더더욱.

아스티나가 진심을 담아 말했다.

"후작님. 부디 그대를 위해 아직까지 먼 곳에서 방황하는, 그대의 형제를 믿으세요."

✣ ✥ ✣

"……작님, 후작님!"

방 밖에서 들려오는 부름에 번뜩 눈을 떴다.

앤서린은 상체를 빠르게 일으켰다가, 밀려드는 두통에 그만 깊이 신음했다. 지난밤의 과음 때문인지 머리가 깨질 듯이 아팠다. 메슥거리는 속을 부여잡고 있으니 이번엔 귀가 울려왔다. 치솟는 짜증에 앤서린이 걸걸한 목소리로 소리쳤다.

"누가 깨우라고 했지? 푹 자게 내버려 두라고 말했을 텐데!"

오늘은 몸 상태가 영 좋지 않았다. 그녀 자신도 챙기지 못하고 있는 상황인데 어찌 남을 다 살필까. 생각까지 어지러운 와중이라 도통 아랫것들의 실수를 봐줄 상태가 아니었다.

어젯밤 앤서린은 머릿속에서 울리는 목소리를 지우려 끈질기게 술을 들이부었다. 대공비에게 들은 말이 내내 가슴께에 불쾌하게 얹혀 있었던 탓이다. 대답하지 않고 도피하듯 그 자리에서 도망쳤지만, 그렇다고 대공비가 한 말이 잊힌 건 아니었다.

집요히 앤서린을 뒤쫓은 죄책감은 잠에서 깬 지금까지도 여전히 제 자리에 있었다.

"후작님, 그, 그것이……."

하인은 좀처럼 대답을 내놓지 못하고 더듬거렸다. 종내 앤서린이 노한 기색을 드러냈다.

"할 말이 없으면 이만 조용히 돌아가도록. 이 일은 나중에 질책할 테니."

"그게…… 에드윈 도련님께서 찾아오셨습니다!"

우는 목소리를 내던 하인이 그만 빽 하고 소리쳤다. 앤서린은 잠시간 그 말을 제대로 알아듣지 못했다.

에드윈이 찾아왔다고? 하필 지금?

"뭐?"

"방금 저택에 도착하셨습니다. 어디로 모셔야 할지 몰라 우선 응접실로 안내했습니다만……."

직속 하인들은 가주가 형제를 견제하고 있다는 사실을 알고 있었다. 에드윈에게 어떤 방을 내어 줄지 그들 선에서 결정하지 못한 것도 그런 이유 때문이다.

"잠깐, 잠깐……."

앤서린이 생각을 정리하려 제 머리를 감쌌다. 이윽고 그녀가 신음처럼 말했다.

"내가 지금 나가 보지."

에드윈이 갑작스럽게 등장한 지금 태평히 잠이나 이어 잘 수는 없는 노릇이었다. 그다지 남에게 내보일 몸 상태는 아니었지만 앤서린은 손님을 맞이할 준비를 했다. 대충 술 냄새를 지우고 옷을 갈아입자 그럭저럭 봐줄 만한 몰골이 되었다. 목이 졸리면 토할 것 같은 기분이라 타이는 걸치지 않았다.

앤서린은 평소보다 비교적 간편한 차림으로 에드윈이 기다리고 있다는 응접실에 다다랐다. 문이 열리자마자 근처에서 서성이고 있던 에드윈이 앤서린을 돌아보았다.

"앤서린, 다쳤다면…… 왁! 누구야!"

에드윈이 앤서린의 이름을 부르다 말고 깜짝 놀라 소리쳤다. 덕분에 앤서린도 지레 놀라 주변을 경계했다. 그러나 당연히도 응접실 안으로 들어선 건 앤서린 혼자였다.

앤서린이 어이없다는 듯 물었다.

"왜 갑자기 소리를 지르는 거야?"

낯선 사내에게서 들려온 여동생의 목소리에 에드윈이 눈을 휘둥그레 떴다. 그가 긴가민가한 목소리를 내었다.

"앤서린……?"

앤서린은 마침내 에드윈의 반응을 이해했다. 지금 자신은 영락없이 남성 귀족의 외관을 흉내 내고 있었다. 누이를 만나러 왔는데 웬 사내놈이 뛰쳐나왔으니 놀랄 법도 하다.

"어, 그…… 많이 달라졌구나."

에드윈이 뭐라 말해야 할지 감이 잡히질 않는다는 듯 더듬거렸다. 앤서린도 황당한 기색을 숨기지 않았다.

"차림새가 좀 달라졌기로서니, 날 못 알아봤어?"

"워낙 얼굴을 본 게 오래됐잖니. 휴, 난 또 네가 애인이라도 소개해 주려는 줄 알고……."

짧은 머리의 동생을 동생의 정부로 착각했다 이 말이었다. 앤서린은 그만 헛웃음을 흘리고 말았다. 에드윈과 다시 만났을 때 이런 바보 같은 화두로 대화를 시작하게 될 줄은 몰랐다.

앤서린은 에드윈을 지나쳐 소파에 앉았다. 에드윈도 엉거주춤 앤서린의 건너편에 자리 잡았다. 에드윈이 티팟으로 손을 뻗으며 물었다.

“아, 그래. 차라도 한잔할래?”

“어제 과음했어, 차 냄새만 맡아도 토할 것 같아.”

그리 답하며 앤서린이 귀찮다는 듯 손을 내저었다. 그러고는 뒤따라 들어온 하녀가 건넨 찬물을 단숨에 들이켰다.

배 속이 차가워지자 그제야 정신이 들었다. 앤서린이 잠긴 목소리로 물었다.

“수도까지 무슨 일이야?”

다소 쌀쌀맞은 태도였다. 앤서린은 도통 순수하게 에드윈을 반가워할 수 없었다. 습격을 받은 일로 에드윈을 의심하여 뒷조사까지 하지 않았던가. 에드윈과 함께면 어떤 의심도 없이 편안할 수 있었던 어릴 때와는 상황이 사뭇 달라져 있었다.

그러나 사교계를 오래 떠나 있었던 에드윈은 그 기색을 알아차리지 못한 듯했다. 그제야 본 목적을 떠올렸는지 에드윈이 몸을 일으켜 앤서린의 앞으로 성큼 다가왔다.

“네가 습격을 받았다는 소식을 들었어. 중태라던데 몸은 괜찮은 거야?”

에드윈이 앤서린의 어깨를 쥐고 몸을 꼼꼼히 살펴 왔다. 앤서린은 얼떨떨한 기분으로 그런 에드윈을 올려다보았다. 진심으로 걱정하는 눈을 보고 있자니 그의 뒤를 캤던 일이 바보같이 느껴지기까지 했다.

앤서린이 떨떠름히 말했다.

“그건 과장된 소문이야. 실제로는 다리에 화살을 맞았을 뿐인걸, 그마저도 비껴간 참이고.”

"그래? 그것까진 듣지 못해서……. 아무튼 무사해 보여서 다행이다."

동생이 습격을 입었다는 소식을 듣자마자 에드윈은 방향을 틀어 수도로 달려왔다. 그런데 거친 행군이 보람 없게도 앤서린은 무척이나 멀쩡해 보였다.

에드윈이 머쓱하게 웃음 지었다. 7년이나 얼굴을 보지 못해서인지 분위기가 어색했다. 에드윈은 화제를 찾아 머리를 굴리다가, 곧 얼마 전의 기억을 끄집어냈다.

"참, 내 소식을 전해 준 사람이 있었니? 너에게 편지를 전해 달라 부탁했었는데."

그 말에 앤서린은 결국 잊고 싶었던 대공비의 얼굴을 다시 떠올리고 말았다. 앤서린이 전혀 유쾌하지 못한 어조로 되물었다.

"대공비 말이야?"

"뭐? 아탈렌타의 대공비?"

"……그 사람이 누군지도 모르면서 편지를 줬어?"

"나한테 성을 밝히지 않았거든. 아……, 허허……. 그래서 가문 이름을 안 밝혔었구나."

에드윈이 헛웃음을 지으며 제 입가를 쓸었다. 앤서린은 그런 에드윈을 물끄러미 쳐다보았다.

"소식을 전한 것도 분명 그게 처음이었지? 왜 7년씩이나 영지에 들르지 않은 거야? 한 번쯤 찾아올 법도 한데."

에드윈의 귀환을 바란 적이 없으니 이는 빈말이다. 앤서린이 기반을 충실히 다질 수 있었던 건 에드윈이 부재했기 때문이었다. 실제로 에드윈이 영지를 찾아왔다면 앤서린은 그가 머무는 내내 감시를 붙였을 것이다.

에드윈이 어깨를 으쓱이며 입을 열었다.

"그거야 돌아다니는 게 재밌기도 하고……."

"고작 재미 때문에?"

앤서린의 삐딱한 대꾸에 에드윈이 입꼬리를 당겼다. 에드윈은 늘 짓던 사람 좋은 표정을 하고 있었지만, 이번만은 그 눈에 진지함이 담겼다.

에드윈이 다정하게 말했다.

"그래야 네가 안심할 것 아니니."

앤서린의 계산을 몹시 부끄럽게 만드는 대답을.

"뭐?"

앤서린이 잘못 들었다는 듯 되물었다. 곧이어 말도 안 된다는 양 고개를 흔들었다.

"그게 무슨…… 허울 좋은 소리야? 난 네가 책임감 없이, 가문을 버리고 간……."

"그것도 틀린 말은 아니지. 넌 내가 가진 걸 갖고 싶어 했고 난 너만큼 잘할 자신이 없었으니까."

"……."

"앤서린, 이 저택을 봐, 아버지가 있을 때도 이 정도로 잘 관리되진 않았어. 그 외에도 모든 게 대단했지. 비옥해진 트리스탄의 영지와 강화된 경비, 더 반짝이는 가문의 영광 같은 것들 말이야."

에드윈이 진심 어린 미소를 지으며 말을 맺었다.

"넌 이 모든 걸 가질 자격이 충분했어."

앤서린은 멍하니 주먹을 말아 쥐었다. 그녀의 입술이 겨우 벌어졌다.

"……그렇다면, 에드윈 너는?"

"글쎄다. 나는 가문에 빌붙는 한량이 제격인가 보구나."

생각이 정리되지 않았다. 무슨 대답을 해야 할지 역시 알 수 없다.

앤서린의 표정이 굳어 들었다. 가면이 갈라졌다. 더는 에드윈의 앞에서 마주 웃어 보일 수 없었다. 앤서린은 몸을 숙이며 천천히 제 얼굴을 감쌌다. 에드윈이 왜 그러냐는 듯 앤서린을 불렀다.

"앤서린?"

"속이 좋지 않아서……."

토기가 치밀었다. 앤서린은 입을 가리고는 헛구역질을 했다. 에드윈이 당황한 얼굴로 다가와 등을 두드려 주려고 했다. 앤서린은 급히 손을 뻗어 그런 에드윈을 밀어냈다.

"수도까지 오느라 피곤했을 텐데, 오늘은…… 들어가서 좀 쉬어. 지금…… 내가 손님을 맞이할 상태가 아니라."

"그…… 래. 너 생각보다 술꾼이 되었구나."

에드윈이 그 와중 친근한 낯으로 허허, 하고 웃었다. 에드윈은 자리에서 일어서는 앤서린을 향해 어정쩡하게 손을 흔들었다. 앤서린은 그의 눈을 피해 응접실을 나왔다. 저 바보 같은 애정으로부터 황급히 멀어졌다. 방으로 돌아가는 발걸음이 불안정했다.

황급히 침실로 들어서자 하녀 여럿이 뒷정리를 하고 있었다. 앤서린은 아무렇게나 손을 휘적였다.

"나가, 전부 나가."

"예, 후작님."

하녀들이 당황한 얼굴로 대답했다. 짧은 갈색 머리를 한 여자가 마지막으로 문턱을 밟기 전, 앤서린이 갈라진 목소리로 그녀를 불렀다.

"잠깐."

"예?"

"술…… 술을 좀 가져와."

하녀는 어딘지 겁먹은 표정으로 재빠르게 술을 내어 왔다. 모두가 나가고 혼자 남자마자 앤서린은 황급히 술병을 열었다.

지금 손에 든 것은 지난밤에 들이켰던 것과 같은 잔이다. 앤서린은 어제처럼 잊기 위해 술을 삼켰다. 아직 피에 남아 있던 알코올 때문인지 금방 취기가 돌았다. 그리고 곧 세상 역시 빙빙 돌았다. 앤서린의 상체가 이상한 방향으로 허물어졌다.

뭐지?

왜 이렇게 되었지?

결국은 참지 못했다. 앤서린은 그대로 속을 게워 냈다.

"우웨에엑."

트리스탄가의 마부는 늦은 밤 곤욕을 겪었다. 술에 온통 취한 가주가 갑자기 들이닥쳤기 때문이다. 본래 주인이 요구하는 대로 움직이는 것이 마부의 직업 윤리라지만, 후작이 밝힌 목적지에 마부는 겁먹은 음성을 내지 않을 수 없었다.

"후…… 후작님, 다시 한번 생각해 보시는 편이……!"

"네가 감히 주인의 명령을 무시하는 것이냐?"

앤서린이 무서운 눈으로 마부를 노려보았다. 숨을 쉴 때마다 독한 위스키 냄새가 쏟아지는 걸 보아 분명 제정신은 아니었다. 그리고 인사불성인 상태에서는 어떤 결정을 내려도 이상하지 않다. 그게 부지불식간에 아랫사람의 생계를 끊는 일일지라도. 마부는 딸

꾹질을 참으며 마차를 출발시켰다.

말의 걸음이 멎은 곳은 다름 아닌 아탈렌타가의 저택이었다. 앤서린은 휘청이며 마차에서 내려서 고래고래 대공비를 불렀다.

때아닌 불청객에 저택이 소란스러워졌다. 문지기와 하인, 하녀들, 심지어는 집사까지 이 고귀한 취객을 어찌 취급해야 할지 몰랐다. 결국 앤서린은 뜨거운 냄비 손잡이 취급을 받으며 이곳저곳 옮겨진 끝에야 응접실로 안내되었다.

잠옷으로 갈아입고 있던 아스티나는 소식을 듣고는 도로 벗어 둔 옷을 걸쳐야 했다. 아스티나가 응접실에 다다랐을 때, 앤서린은 취기가 어느 정도 가신 상태였다. 온통 붉게 달아오른 얼굴은 여전하고 감정에 휩쓸리는 상태이긴 했지만, 그럼에도 그럭저럭 대화가 통할 정도로는.

"이런 밤중에 찾아뵈어 죄송합니다."

사리 분간이 가능해진 앤서린이 꼬부라진 혀로 웅얼거렸다. 아스티나는 내심 앤서린이 과연 이 일을 기억할 수 있을지 의심했다. 모르긴 몰라도 후에 목숨을 구했을 때와 비슷한 값의 보답이 돌아오지 않을까. 이 부끄러운 일을 잊어 달라는 입막음의 의미로.

마침 테리오드가 저택에 부재한 상태라 다행이었다. 사교 모임에 참석하겠다며 늦은 밤 나설 때만 해도 가자미눈을 떴었는데, 지금은 그것이 천운이었다는 생각이 들었다. 그였다면 아스티나만큼 열린 마음으로 앤서린을 받아 주지 않았을 테니까.

아스티나는 옆에 선 하녀에게 꿀물을 좀 가져다 달라 일렀다. 그러고는 턱을 들며 등받이에 등을 기대었다.

"지난번 모임에선 그리도 못 본 체를 하시더니, 어인 일로 사저까지 찾아오셨는지요."

아스티나는 생각보다 뒤끝이 있는 인물이다.

처음 보는 쌀쌀맞은 태도에 앤서린이 멍하니 눈을 끔뻑였다. 그녀가 불분명한 발음으로 사과의 말을 꺼냈다.

"그땐, 그땐…… 제가 무례했습니다."

"네, 지금도 그러하시고요."

"죄송합니다. 대공비 전하밖에 찾아뵐 분이 생각나지 않아서 그랬습니다."

앤서린은 완전히 꼬리를 내린 기색이었다. 그제야 아스티나의 표정이 풀어졌다. 무슨 일이 있었기에 몸을 못 가눌 정도로 취해서는 정적의 집까지 찾아왔나.

"사과를 받았으니 되었습니다. 무슨 용건이신가요?"

"……윈이……."

"예?"

알아듣기 힘든 발음에 아스티나가 미간을 좁히며 되물었다. 앤서린이 괴로운 기색으로 대답했다.

"에드윈이 찾아왔습니다."

"……그분께서 뭐라고 하시던가요?"

"왜 그간 한 번도 찾아오지 않았느냐 물으니 저 때문이었다고 하더군요. 방문이 잦으면 다른 마음을 가지는 이들이 생겨날 테니까요. 바보같이, 그동안 저는 아는 걸 에드윈은 전혀 모르리라 생각해서……."

앤서린은 에드윈이 중압감에 짓눌려 가문을 떠난 보잘것없는 사내라고 생각했다. 다시 돌아오지 않은 건 아버지의 쓴소리가 듣기 싫어서이며, 그래서 마음 편한 방랑을 택한 거라 여겼다.

앤서린이 빈 양손을 내려다보며 말했다.

"저는 제 형제를 믿지 못했습니다. 왜 그렇게 되었을까요. 저는 왜 이런 사람밖에 되지 못했을까요. 바깥을 나돌며 온갖 고초를 겪었을 에드윈이 더 속세에 찌들었어야 맞는 것 아닙니까. 그런데도 정작 그쪽은 아직도 천진하게 정의나 가족의 사랑 따위를 믿고 있다니."

형제를 비난하는 말에 허물이 없었다. 아스티나는 설핏 웃었다.

앤서린이 어지러운 머리를 문질렀다. 잠깐의 침묵 끝에 그녀가 잠긴 목소리로 물었다.

"이런 제가 추해 보이십니까?"

"저는 그대를 동정합니다."

술기운 때문일까, 앤서린은 동정이라는 말이 그리 기분 나쁘지 않았다. 오히려 솔직한 아스티나의 말에 안심이 되었다.

앤서린이 한숨을 내뱉었다. 숨결과 함께 밀려 나온 알코올 냄새가 지독했다. 그간의 노고를 말하기라도 하는 것처럼.

"생각했던 것보다 힘든 것 같습니다. 이 지긋지긋한 가주직을 위해 제 안의 계집을 버리는 일은요."

"후작님, 그대는 아무것도 버릴 필요가 없습니다. 후작님의 안에 있는 것은 여인이나 사내가 아닌, 그저 앤서린이라는 사람입니다."

"하지만 모두가 제게서 그것을 발견하려 애쓰는걸요."

"……."

"연극을 보고 눈물지으면 역시 여자라 마음이 여리시군요. 조금이라도 치렁치렁한 장식품에 눈길을 주면 역시 후작께서도 여자시군요. 레이디의 물건을 일절 삼가면 그래도 여잔데 좀 꾸미고 다니

시지 그러십니까.”

앤서린이 거친 목소리를 흉내 내며 그동안 들어 왔던 말들을 읊었다. 그런 말을 들을 때마다 앤서린은 마음에 증오를 더했다. 감동에 흐르는 눈물과 치장에 들이는 사치, 그리고 여인들의 기싸움마저도 혐오했다. 그 모든 것들에게서 거리를 두면 그녀만은 안전했으니까.

앤서린이 헛웃음을 지으며 소리쳤다.

“세상에, 다들 내가 왜 이 지긋지긋한 짧은 머리를 버리지 못하는지도 모르고!”

그녀가 손바닥에 눈가를 묻었다. 이윽고 그녀에게서 지친 음성이 새어 나왔다.

“아니, 사실 짧은 머리가 싫은 건 아닙니다.”

고개를 든 앤서린의 눈꼬리가 미세하게 떨렸다. 그녀가 멍한 눈으로 말했다.

“사실은 싫어합니다.”

입술을 깨문 앤서린이 이어 고개를 저었다.

“아니…… 잘 모르겠습니다.”

종래에는 그녀의 목소리가 완전히 잦아들었다. 앤서린은 얼굴을 마른 두 손에 완전히 파묻은 채 고개를 들지 않았다. 어쩔 줄 모르는 아이처럼.

“후작님, 그것에 의미를 두지 마세요.”

아스티나가 앤서린을 응시하며 잔잔한 음성으로 말했다.

“영식들은 영애들의 드레스와 장신구들을 사치라 비난하곤 하지만, 막상 드레스를 기피하는 영애들은 괴이하게 보지 않습니까. 그들이 생각하는 외관과 맞지 않는 모습을 하고 있으면 그는 여자가 아니게 되지요. 짧게 쳐 낸 머리가 그대를 가주로 만든 것처럼요."

"……."

"그대는 태초부터 용감하고 대단했으며 아주 재능이 넘쳤어요. 그 사실은 한 번도 바뀐 적이 없으니, 그들의 말이란 것도 고작 그 정도의 무게입니다."

아스티나는 제시를 본체만체하며 배척하던 기사들을 기억했다. 그들과 제시는 결코 동일한 선상에 있지 않았다. 배울 기회조차 주어지지 않은 그녀들의 무지함을 누가 감히 비웃을 수 있나. 그리고 비난받을 여성상이라는 것엔 또 얼마나 근거가 없는가.

인간이라면 누구나 싸운다. 값진 것을 탐내고 슬프면 운다. 때론 남의 뒷이야기에 희열을 느끼며 질투에 매몰되기도 한다. 몸을 쓰는 일에 재능이 있는 자도 있을 것이며, 성취엔 전혀 관심이 없는 이들도 있을 것이다. 모두가 다르면서도 같다.

사람이라면 누구나.

"후작님, 형체 없는 말들이 그대를 휘두르게 두지 마세요. 옳지 않다고 생각하는 일을 오직 타인 때문에 행하지도 마시고요."

탁자에 시선을 고정하고 있던 앤서린이 그 말에 헛웃음을 터트렸다. 그 실없는 반응은 한 번으로 멈추지 않았다. 결국 앤서린은 턱까지 뒤로 젖히고 커다랗게 파안했다.

숨을 진정시킨 앤서린이 아스티나를 마주 보며 정색했다.

"대공비 전하는 정말 이상한 사람입니다."

"다들 그렇게 말하긴 하더군요."

"정말 이상한 말씀을 당연하게 하시니, 제가 더 이상한 사람이 되는 것 같습니다."

그에 아스티나가 미미한 미소를 지었다. 레타 집시들 사이에서 자라 온 그녀는 앤서린이 고민하는 모든 것들이 만들어진 관습에 지나지 않음을 알았다.

아스티나가 정중하게 고개를 까딱였다.

"칭찬으로 듣도록 하지요."

앤서린은 후련한 기색으로 자리에서 일어섰다. 발을 헛디뎌 넘어질 뻔하기도 했지만, 휘청이는 순간마저도 그녀의 표정엔 위엄이 넘쳤다. 취기로 흐리멍덩했던 눈빛은 어느덧 분명해져 있었다.

앤서린이 옷깃을 여미며 당부했다.

"다음엔 온전한 정신으로 찾아뵙지요."

그리고 다음 날 저택엔 트리스탄의 인장이 찍힌 서신이 도착했다. 앤서린이 정식으로 성명을 보내온 것이다.

오찬 중 정적의 전언을 받아 든 테리오드가 실없는 농담을 했다.

"아침부터 무슨 일인지 모르겠군요. 역사에 근거하면 보통 이건 결투 신청장일 텐데."

"글쎄요, 대공께서 결투하셔야 할 상대라면 제가 아주 잘 알고 있습니다."

아스티나의 의미심장한 말에 테리오드가 의아한 기색을 드러냈다.

"그게 누굽니까?"

"어젯밤 대공께서 귀가하시기 전 한 불청객이 찾아왔었답니다. 분명 아주 잘생긴 분이셨지요. 부군께서 귀가가 늦으시니 저도 외로운 마음에 그만 안에 들여—"

"……부인, 제가 늦은 건 잘못했으나……. 아니, 한데 정말입니까? 그게 대체 누굽니까?"

아스티나는 턱짓으로 테리오드가 든 서신을 가리켰다.

"누구긴 누구겠습니까. 방금 결투장을 보내오신 그분입니다."

확실히 앤서린 후작은 아주 잘생긴 분이 맞다.

허를 찔린 기분에 테리오드는 피식 웃으며 접힌 종이를 펴 들었다. 그다지 중대한 내용을 예상하는 태도는 아니었다. 그러나 문단을 읽어 내릴수록 그의 이마 사이는 서서히 좁혀 들었다.

테리오드가 번뜩 고개를 들며 아스티나를 응시했다.

"이게……?"

단순히 지난밤 일에 대한 사과라고 생각했는데 테리오드의 반응을 보니 그뿐만은 아닌 듯 보였다. 궁금증이 동한 아스티나는 테리오드에게서 편지를 받아 들었다. 첫 문단을 읊는 그녀의 입가에 곧 웃음이 담겼다.

"지난밤의 갑작스러운 방문으로 고초를 겪으셨을 대공비 전하에게 사죄의 마음을 담아."

안부를 묻는 가벼운 인사말로 시작한 편지엔 이렇게 쓰여 있었다.

[저희에겐 참으로 많은 일들이 있었습니다.

저는 정적이 구한 목숨으로 밤에 과도한 음주를 할 수 있게 되었고, 지난밤 취한 상태로 귀하의 사저에 들이닥치는 대단한 무례를 저지르기도 했지요.

사죄의 선물을 고르기 위해 창고로 들어섰을 때 저는 아주 많은 옛것들을 보았습니다. 우리의 선조들이 내기를 통해 얻었던 땅문서나 경매에서 승부욕이 동해 낙찰받은 명화, 그리고 결투에 승리했을 당시 사용한 검이라며 삼엄히 보관해 둔 쇳덩이 같은 것들을 말입니다.

그간 트리스탄과 아탈렌타 사이에서 생겨난 유물은 귀하의 곳간에도 많이 쌓여 있으리라 생각됩니다. 그리고 대체로, 제가 본 물건들처럼 무척이나 별것 아닌 것들일 테지요.

유서 깊은 증오는 많은 부산물을 낳았습니다. 말하지 않으면 보이지 않는 성으로 상대를 재단하고 판단하며 좋은 기회, 만남, 혹은 사람을 놓쳐 왔지요. 출처를 알 수 없는 악의로 눈을 가린 채 우리는 싸움을 배웠습니다.

상대를 짓밟는 법, 비방하는 법, 찌르고 공격하며 눌러 밟는 일.

이 모든 것은 대대로 트리스탄과 아텔렌타를 강하게 만드는 원동력이었습니다. 분노란 사람을 태우는 법이므로 우리의 선조는 분명 현명했던 건지도 모릅니다.

그리하여 우리는 헐뜯고, 서로의 피를 보며 언뜻 즐거운 듯도 하였으나, 그럼에도 마음 한구석으로는 이 끝나지 않는 경쟁에 지겨움을 품어 왔을 것입니다.

예, 실로 긴 시간이었습니다. 그리고 이제는 모두가 충분히 배불렀지요. 후대의 자손을 증오로 기르는 오랜 과업은 이미 낡은 지 오래입니다. 본 목적조차 기억나지 않는 싸움엔 근거가 없으며, 지속할 이유는 더욱이 희미하기만 합니다.

저 앤서린 트리스탄은 트리스탄가의 가주로서, 아탈렌타와의 오랜 악연에 종지부를 찍고 진정한 친교를 청하는 바입니다.]

하룻밤 사이에 가문 사이의 모든 알력에 깔끔한 중단 선언이 돌아왔다. 테리오드가 이해가 안 간다는 표정으로 눈을 끔뻑였다. 제 뺨을 몇 번 쓸다가, 뒷머리를 헤집다가, 아스티나에게서 다시 편지를 받아 들고는 줄글 가까이로 눈을 가져갔다.

이윽고 그가 황당한 얼굴로 고개를 들었다.

"대체 지난밤 무슨 일이 있었던 겁니까?"

아스티나가 조용히 검지를 입가에 가져다 붙이며 대꾸했다.

"여자들 사이의 비밀이랍니다."

15. 촌뜨기 사냥(I)

15. 촌뜨기 사냥(I)

"어머, 전하. 간지럽습니다."

"앙큼한 것, 네가 아주 나를 놀리는구나."

"거기, 거기는 아아……!"

여자가 부끄럽다는 듯 몸을 뒤틀었다. 프리모는 낮게 헐떡이며 그녀를 품 안에 단단히 가두었다. 그녀의 목덜미에 얼굴을 묻은 채 아랫도리를 놀리는 데 집중했다.

여자는 제 얼굴이 황자에게 보일 위치인지를 흘긋 살피고는, 곧 표정을 완전히 지워 냈다. 그러고는 열심히 성대를 놀려 야릇한 신음을 터트리기 시작했다. 그에 더욱 흥분한 프리모가 헉헉대며 움직임을 빨리했다.

끝이 머지않았다. 프리모는 여자에게 하체를 밀착한 채 긴 한숨을 쏟아 냈다. 쏟아진 땀줄기가 등 뒤를 적셨다. 잠깐의 휴식 후 프리모가 몸을 벌떡 일으켰다.

그가 자신만만한 웃음을 지으며 여자의 볼을 꼬집었다.

"아주 좋아 죽는구나. 그리도 마음에 드느냐?"

어느새 여자는 몽롱한 눈을 하고 있었다. 그녀가 벅찬 기색으로 제 가슴에 손을 올리며 말했다.

"하아, 정말 전하와 있으면 천국을 보는 것만 같……."

"그 천국, 저와 이야기가 끝난 후 다시 가시면 안 될는지요."

머리 위에서 들려온 싸늘한 음성에 프리모와 여자가 동시에 몸을 벌떡 일으켰다.

젖혀진 휘장 너머엔 익숙한 얼굴이 있었다. 이시스가 무표정한 낯으로 엉켜 있는 남녀를 내려다보고 있었던 것이다. 여자가 재빨리 시트를 당겨 끌어안은 것과 반대로, 프리모는 덜렁이는 물건을 내놓고도 부끄러운 기색이 없었다.

그가 짜증스러운 목소리로 물었다.

"이젠 노크하는 방법도 잊었느냐?"

"노크는 수차례 했고, 시종을 시켜 말을 전하기도 했습니다. 도통 끝이 없더군요."

프리모는 그제야 시종이 애타게 '황자님'을 부르짖었던 일을 기억했다. 그때로부터 꽤 오랜 시간이 지난 상태이긴 했다. 이시스가 눈썹을 까딱이며 말했다.

"중히 나눌 이야기가 있으니 이 아이는 그만 내보내시지요."

"넌 계집이란 게 조금도 부끄러워하는 법이 없구나."

그가 귀찮다는 듯 투덜거리며 벗어 두었던 가운을 둘렀다. 눈치를 보던 여인이 주섬주섬 옷을 주워 입고는 황급히 자리를 떴다.

이시스는 근처에서 의자를 끌어와 침대맡에 두었다. 프리모가 이마를 긁적거리면서도 침대에서 일어날 기미를 보이지 않았기 때문이다.

이시스가 자리를 잡고 앉자 그제야 프리모의 입이 열렸다.

"그래, 무슨 일이냐?"

"손을 써야 할 사람이 생겼습니다."

"손을 쓰다니?"

"대공비를 끌어내려야겠습니다."

더없이 충격적인 말을 이시스는 몹시도 담담하게 뱉었다. 가만히 제 목덜미를 쓸고 있던 프리모가 그만 헛기침을 터트렸다. 사레라도 들린 듯했다. 잠시 후에야 원래의 호흡을 되찾은 프리모가 황당하다는 표정으로 말했다.

"뭐? 그녀는 잔을 찾아 준 고마운 사람이 아닌가?"

그가 꺼내기엔 다소 민망한 말이었다. 황자는 대공비를 치하하는 일조차 누이에게 떠넘기고 관심 두지 않았었으니까. 황제가 이미 대공비를 치하하는 공적인 자리를 마련해 둔 상태이니 그때 참석하여 칭찬 몇 마디만 읊으면 되리라 여긴 것이다.

프리모는 유부녀에겐 딱히 관심이 없었다. 탐스러운 매력의 귀부인과 보내는 하룻밤 장난이야 물론 짜릿했지만, 대공의 부인은 함부로 건드려서는 안 될 상대다. 색에 지대한 관심이 있는 프리모도 아랫도리를 놀려야 할 상대와 아닌 상대쯤은 구분할 줄 알았다. 프리모는 도통 이시스의 의도를 짐작할 수 없었다. 당최 아탈렌타의 대공비를 끌어내려야 할 이유가 무엇이란 말인가.

어이없다는 반응에도 이시스는 무표정한 낯을 잃지 않았다. 그녀는 담담히 대공비의 수상한 점을 짚어 냈다.

"그녀가 어찌 없어졌던 잔을 찾아낸 것인지 이상하지 않으십니까? 그것이 오라버니의 정통성을 훼손하기 위한 계략이었을 가능성은요?"

"대공비가 나를 욕보이려 했단 말인가? 당최 무슨 원한으로?"

프리모가 이해가 안 간다는 듯 되물었다. 이시스는 묘하게 미간을 찡그린 채 그런 프리모를 응시했다. 프리모는 곧 헛기침을 하며 그녀의 시선을 피했다. 저보다 머리 좋은 누이가 자신을 무시하고 있다는 생각이 들었기 때문이다.

그는 이미 예상한 바라는 양 재빨리 심각하게 표정을 바꿨다.

"그러고 보니 좀 기묘하긴 하군."

그제야 이시스의 얼굴이 조금 풀어졌다. 그녀가 누그러진 음성으로 설명했다.

"사람의 발길이 닿는 곳이라면 어디든, 대공비가 대공의 저주를 풀었다는 소문이 파다하지요. 하지만 한편으로는 이런 이야기도 돌았었답니다."

이시스가 이어 음산한 어조로 속삭였다.

"'대공비는 마녀가 아닌가?'"

"마녀라니?"

"오라버니, 대공을 보세요. 사람이 짐승이 되는 일만도 신묘할진대 그 짐승을 다시 사람으로 만들다니요? 그게 어디 단순한 우연으로 가능할 일이랍니까?"

"확실히 일리가 있군. 그러고 보니 어울리는 영식들이 농담 삼아 이야기하긴 했었어. 애초에 그 저주란 것도 대공비의 짓이 아니냐며 말이야. 대공비의 몸뚱이가 마녀마냥 매혹적이었던 건 사실이지."

프리모가 그리 말하며 킬킬거렸다. 이 상황에조차 외관을 논하는 모습에 이시스가 미미하게 미간을 찌푸렸다. 그러나 이시스는 곧 익숙하게 한심함을 혀 밑으로 숨겨 냈다.

"예, 하지만 지금은 어떻습니까? 도성에서 보인 활약들로 그녀는 귀족 사회에 공공연히 자리매김했지요."

"……그래서 나를 이용한 것이란 말인가?"

"예, 안타깝게도 오라버니의 명예는 몹시 실추되고 말았지만요."

이시스가 안타깝다는 듯 말했다.

실제로 프리모에 대한 뒷이야기는 도통 가실 줄을 몰랐다. 후에 되찾기야 했지만, 하필 그에게 잔을 전달하는 날 벌어진 분실 사건은 여전히 불길하게 받아들여졌다. 떠도는 낭설들을 상기한 프리모가 반사적으로 이를 악물었다.

이시스가 그의 얼굴을 살피며 말을 이었다.

"대공비가 건드린 건 오라버니뿐만이 아닙니다. 트리스탄 후작이 그간의 악연을 벗고 아탈렌타에 진정한 친교를 청했다는 소식은 혹 들으셨는지요?"

"뭐? 트리스탄과 아탈렌타가? 내가 오래 살다 보니 별꼴을 다 보는군."

"그야말로 말도 안 되는 일이지요. 정말 사람을 홀리는 마녀가 아닌 이상에야 이 모든 게 가능은 하겠습니까?"

확실히 그럴듯한 추측이었다. 프리모의 얼굴이 서서히 진지해졌다. 이시스가 쐐기를 박듯 말했다.

"제가 그간 대공비를 궁으로 불러들였던 이유는 그녀를 면밀히 살펴보기 위함이었습니다. 오라버니, 대공비는 위험한 인물이에요.”

그 말에 프리모는 멍하니 입을 벌렸다. 그러고 보니 요 근래 이시스가 대공비와 자주 왕래하며 지냈다는 소식을 들은 바 있었다. 단순히 오라비를 위해 세력을 확장하려 힘을 쓰는 줄 알았는데 뒤를 캐고 있었다니.

자존심이 상하긴 했으나 프리모는 여러 수를 내다보는 이시스에게 언제나 감탄해 왔다. 저 대신 머리 아픈 일을 떠맡는 동생에 대한 신뢰는 이미 깊은 상태였다.

이시스가 언뜻 고혹적인 음성으로 물었다.

“오라버니의 자존심에 흠집을 낸 그 계집을 가만히 두시렵니까?”

“……아탈렌타를 함부로 건드릴 수는 없다.”

프리모가 드물게 진지한 투로 대답했다. 아탈렌타가 쉽게 처리할 수 있는 가문이었다면 그도 그리 끈질기게 테리오드를 회유하려 들지 않았을 것이다. 프리모의 조심성 어린 태도에 이시스가 산뜻하게 대답했다.

“물론, 그들이 스스로 치부를 도려내도록 하셔야 합니다.”

“내가 어떻게 해야 하지?”

“우선 대공비가 마녀라는 증거를 모아야지요. 다수 양민의 여론을 모으는 데 마녀사냥만 한 것도 없답니다. 그것이 그리 그럴듯할 필요도 없고요.”

“그러다가 대공과 사이가 벌어지면 어떻게 하나? 그는 대단한 애처가라고 들었는데.”

“아무리 대공이라 해도 모두가 지탄하는 여인을 감쌀 수는 없을 겁니다. 대공비를 폐위하라 음해하고 저를 대공의 처로 보내세요.

황녀를 아내로 내리는 것은 충분한 보상일뿐더러, 제가 아탈렌타령의 모든 것을 오라버니께 가져다 바칠 겁니다."

프리모는 뱀이 속삭이는 모략이 썩 마음에 들었다. 그의 입가에 만족스러운 미소가 떠올랐다. 프리모는 그제야 이시스의 속셈을 이해했다. 대공의 아내라니, 그의 누이는 스스로를 가장 비싸게 팔 기회를 놓치지 않은 것이다.

프리모가 선선히 고개를 끄덕였다.

"데니스 신관을 불러 쓸 만한 패를 내 보지."

그에 이시스의 미소가 미끄러졌다. 이시스가 내키지 않는다는 듯 대꾸했다.

"오라버니, 그자는 믿음직하지 못합니다. 뒤에 숨긴 꿍꿍이가 있어 보여요."

데니스는 국교 카라벨라 내에서 꽤나 인정받고 있는 젊은 신관이었다. 그러나 신성력이 뛰어나다며 인재 취급을 받고 있는 것과 반대로 사생활은 지저분했다. 프리모가 그를 가까이 두는 이유도 같은 연장선상에 있었다. 술과 향락을 좋아하는 인물이라 프리모와도 썩 합이 잘 맞았던 탓이다.

그리고 이시스에게 있어서는 눈엣가시 같은 인물이기도 했다. 데니스는 프리모의 발이라도 핥을 듯이 굴며 종종 이런저런 조언을 건네곤 했다. 이시스는 그가 프리모에게 쓸데없는 훈수를 두는 것이 영 마음에 들지 않았다. 한 배에 두 개의 뱃머리는 필요 없는 법이니까.

그러나 대화가 마무리되는 시점까지 가만히 이시스의 말을 듣고 있어야만 했던 프리모는 자연히 반발감을 느꼈다. 가뜩이나 여동생이 모든 걸 주관하는 상황이 마음에 걸리는데, 인간관계에 있어서까지 지적을 받고 싶진 않았던 탓이다.

프리모가 으름장을 놓듯 말했다.

"쓸모없는 참견이다. 너는 사람을 볼 줄도 모르면서 어찌 대의를 논하는 게냐?"

이시스라고 해서 프리모의 모든 것을 제한할 수는 없었다. 그게 가능했다면 베스가 죽는 일도 없었을 터다. 이시스는 쓴웃음을 짓고는 자리에서 일어섰다. 데니스 신관을 따로 조사하면 되는 문제였다.

"알겠습니다. 그와 접촉하신 후 후에 계획을 일러 주세요."

프리모가 알겠다는 듯 손을 흔들며 침대 위에 드러누웠다. 이시스는 그에게 고개를 숙여 보인 뒤 밖으로 나왔다. 이시스의 얼굴에 떠올랐던 공손한 표정이 점점 배부른 웃음으로 변해 갔다.

"황녀님!"

복도를 지나 방으로 돌아가는데 누군가 불쑥 이시스를 불러 세웠다. 고개를 돌리자 프리모의 품 안에서 교태를 부리던 여인의 얼굴이 눈에 들어왔다.

이시스가 의아한 목소리로 물었다.

"아직 안 가고 있었나?"

"감사 인사를 드리려고요. 세상에, 황녀님이 안 오셨으면 한참 고생했을 거예요. 또 꾸물꾸물 올라오는 게……."

"쉿. 아가타. 황자 전하를 모시는 기쁜 일에 토를 달아선 안 되지."

이시스가 입가 위로 검지를 세우며 아가타를 타일렀다. 아가타가 키득거리며 고개를 끄덕였다.

아가타 엘로이즈는 엘로이즈 자작의 차녀로 제법 부유하게 자란 인물이었다. 다만 그녀의 야망은 아버지의 재산보다 더욱 부피가 컸다. 아가타의 눈빛을 알아보고 황궁으로 들인 게 바로 이시스였다. 그리고 아가타는 지금껏 제 몫을 충실히 해내어 왔다. 아가타는 제 주제를 잘 알고 있었다. 아니, 그보다는 프리모라는 인물의 속성을 깊이 이해하고 있었다.

프리모처럼 방탕한 인물이 한 여자에게 정착할 리는 없다. 아가타는 2년이라는 제법 오랜 시간 동안 그의 옆자리를 차지하고 있었지만, 그게 그의 비 자리로 이어지리라는 증명은 아니었다. 아가타의 목적은 불확실한 황자의 애정이 아닌 분명한 물질이었다. 모르긴 몰라도 황녀와 황자 두 쪽에서 쏟아 내는 패물에 이미 대단한 재산을 불렸을 것이다.

"명심할게요, 혹 시간이 남으시면 저와 식사라도 함께하시겠어요?"

"아쉽게도 지금은 좀 바빠서."

아가타의 살가운 물음에 이시스가 고개를 저었다. 그에 아가타가 눈을 동그랗게 떴다.

"네? 저녁이 다 되어 가는데요?"

"그래, 애석하게도 슬슬 사과할 준비를 해야 하거든."

"예?"

이시스가 고개를 절레절레 흔들며 복도를 지나갔다. 황자라는 인물은 대낮부터 여인을 끌어들여 재미를 보고 있는데 황녀의 매일은 바쁘기 그지없다.

아가타는 멀어지는 이시스의 등에 시선을 고정한 채 한숨 쉬었다.

"어쩜 뒷모습까지도 멋있으셔라……."

✣ ✣ ✣

"이렇게 또 뵙는군요. 서신에 빠른 답변을 주셔서 감사합니다."

"참으로 놀라운 제안이긴 했지요."

앤서린의 정중한 인사에 테리오드가 솔직한 심경을 밝혔다. 실제로 화해를 청하는 서신이 도착했을 때 테리오드는 제 눈을 다 의심했었다. 아스티나가 발 빠르게 상황을 정리하지 않았다면 이번 만남 역시 지연됐을 것이다. 테리오드 혼자였다면 그 위에 적힌 것이 정말 앤서린의 글씨가 맞는지 먼저 감정부터 보냈을 테니까.

오늘은 공식적으로 아탈렌타와 트리스탄이 화합하는 첫 번째 자리였다. 그러나 만남의 목적과는 별개로 테리오드와 앤서린 사이엔 기묘한 신경전이 감돌았다. 테리오드는 그에 쓸데없이 매력적으로 찡긋이는 앤서린의 눈웃음이 큰 지분을 차지하고 있다고 생각했다.

"사실 선뜻 허락이 돌아올 줄은 몰랐어요. 분명 우리 대공비 전하께서 대공 전하를 잘 설득하신 덕분이겠지요?"

"합리적인 판단일 따름이지요."

테리오드가 눈 위로만 웃으며 앤서린의 손을 맞잡았다. 앤서린은 테리오드와 악수하면서도 고개를 돌려 아스티나에게 윙크하는 걸 잊지 않았다. 자연히 테리오드의 얼굴이 쓴 약풀이라도 씹은 것처럼 변했다. 합리적인 판단이었을 뿐이라 답하긴 했지만, 앤서린의 말대로 테리오드가 이 자리에 응한 것은 전적으로 아스티나 때문이었다.

물론 가문 간의 설전이 소모적이라는 사실은 영지를 운영해 왔던 테리오드가 누구보다 잘 알고 있었다. 그간 부러 트리스탄 영지를 에둘러 가느라 들인 시간이 얼마이며, 놓친 손해는 또 얼마인가?

두 가문의 가주들은 대대로 이 문제에 지긋한 편두통을 앓으면서도 선뜻 화해를 청하지 못했다. 귀족들은 스스로의 자존심을 실존하는 금보다 무게 있게 여기곤 하니까. 테리오드는 상대 쪽에서 먼저 굽히고 들어온 기회를 놓쳐선 안 된다는 사실을 충분히 인지하고 있었다.

하지만 감정은 언제나 실리와 다르게 움직이는 법이었으니. 테리오드는 앤서린과 아스티나가 주고받는 친근감 어린 시선이 영 마음에 들지 않았다. 그 불쾌감을 가라앉히는 데 앤서린이 여자라는 사실은 전혀 도움이 되지 않았다.

앤서린은 이미 뭇 영애들의 마음을 숱하게 훔친 죄로 영식들의 원성을 받고 있는 인물이었다. 테리오드가 무심코 악수하는 손에 힘을 주는 저열한 보복을 행하기도 전, 앤서린이 재빠르게 팔을 빼내었다.

테리오드는 내키지 않는 표정으로 자리에 착석했다. 아스티나가 미소를 유지한 채 복화술을 하듯 경고했다.

“대공, 웃으세요.”

“……예.”

테리오드가 어정쩡하게 입꼬리를 끌어 올렸다. 앤서린의 얼굴에 흐뭇함이 감돌았다. 앤서린이 깍지 낀 두 손에 턱을 올리며 말했다.

“이렇게 친근하게 한자리에 모여 있으니 참 좋군요. 이제는 대공비 전하께 만남을 청할 때 눈치를 볼 일도 없고요."

"말이 나온 김에 드리는 말씀입니다만, 저희가 아무래도 신혼인지라 잦은 만남은 자제해 주시는 편이……."

"대공 전하."

아스티나가 사근하게 웃으며 재차 테리오드를 제지했다. 테리오드는 느리게 숨을 들이켜고는 제 말을 정정했다.

"……예. 두 분의 우정, 아주 보기 좋습니다."

물론 테리오드는 속으로 '역시 트리스탄은 이래서 안 돼.' 따위의 생각이나 하고 있었다. 앤서린 또한 시선을 아스티나 쪽으로만 보내는 것을 보아 그리 다른 입장은 아닌 듯했다. 오랜 시간 학습하여 세뇌당한 적개심이 하루아침에 흐려질 수는 없었다.

앤서린은 이전에 대공비에게 선물했던 '남편 교체'를 회상했다. 안타깝게도 그 소설이 대공비의 마음에 깊은 감명을 남기진 못한 모양이었다. 아쉬움을 삼킨 앤서린이 대공가를 방문한 목적을 꺼내 들었다.

"오랜 정적이 갑작스럽게 화해했음에 다들 의문이 많습니다. 아탈렌타 역시 다르지 않겠지요?"

"날아드는 서신에 정신이 없을 지경입니다."

"당사자인 저희에게도 갑작스러운 결정이었으니, 다른 사람들 입장에서는 거의 천지가 개벽한 것과 마찬가지인 일이지요. 저희 가문에서도 반발이 심하니……."

앤서린은 죽어도 아탈렌타와는 겸상할 수 없다며 바지 자락을 잡고 늘어지던 처비를 떠올렸다. 앤서린이 미간을 좁히며 말을 이었다.

"일단은 정치적인 목적으로 해 두지요. 아무래도 저희 가문에 지원을 좀 해 주셔야겠습니다."

"예?"

테리오드의 되물음에 앤서린이 산뜻하게 요구했다.

"쉽게 말해서 투자금을 좀 달라는 말씀입니다."

바로 금전을.

테리오드는 잠시 자신이 잘못 들은 것은 아닌가 진지하게 고민했다. 화해 신청을 받아 준 것은 아탈렌타 쪽인데 합의금을 강탈당할 위기에 처했다. 테리오드가 앤서린에게는 들리지 않을 크기로 작게 속삭였다.

"부인, 저희가 트리스탄의 가주로 위장한 치에게 사기를 당하고 있는 건 아니겠지요?"

그에 아스티나가 그만 웃음을 터트렸다. 대공 부부 사이에서 농담이 오간 것을 안 앤서린이 궁금증 어린 표정을 했다. 아스티나는 헛기침을 하여 주의를 돌렸다.

"병기 사업에 대한 투자는 힘듭니다."

"물론입니다. 저희는 무기를 주로 다루고 있지만, 만들어진 제반 시설로 다른 여러 물품들도 제작하고 있습니다. 피의 시대는 점점 저물어 가니 저희도 새로운 대안을 찾아야지요."

거대한 철광이 영지에 포함되어 있으니 그로 벌일 수 있는 사업도 무궁무진했다. 대륙 전쟁이 있던 시기엔 군대에 무기를 공급하며 대단한 재산을 불렸으나, 평화의 시대가 찾아오며 사업의 규모는 당연히도 점차 작아지고 있었다.

앤서린도 아탈렌타와의 화합을 감정적으로만 결정한 것은 아니었다. 트리스탄 역시 다른 활개로를 찾아야 하는 상황에, 아탈렌타와의 협력은 새 시작에 날개를 달아 줄 터였다. 이는 아탈렌타에게도 나쁜 제안이 아니었다. 거액의 투자금을 인도받은 만큼 앤서린은 합당한 배당 조건을 제시했다.

세부 사항을 조율하던 도중 아스티나가 의외의 제안을 꺼냈다.

"가주들만의 화합이 아니라 아랫사람들에게도 가시적인 증표가 있으면 좋겠습니다. 아탈렌타 기사단과 트리스탄 기사단에서 적당한 인원을 차출하여 상대 가문에 견학을 보내면 어떨까 싶군요. 합동 훈련은 양가의 발전에 두루 도움이 되리라 생각합니다."

앤서린은 곧바로 아스티나의 요구가 어떤 목적인지 이해했다. 앤서린의 눈에 이채가 감돌았다.

"그 아이는……."

"예, 이곳에 남겠다고 말하더군요. 그렇다면 그렇게 해 주어야지요."

앤서린의 눈이 가늘어졌다. 훌륭한 인재를 놓친 건 안타까운 일이었지만, 후원해 준 가문을 도망치듯 떠나지 않게 되었으니 제시로서는 다행인 일이었다.

필히 트리스탄에서 차출되는 건 잘 훈련받은 여기사들이 되리라. 기사단 단위로 교류하다 보면 아무래도 어쩔 수 없이 서로의 분위기에 동화되는 법이다. 화합을 목적으로 방문한 인물들에게 가주의 뜻을 거스르고 시비를 걸 수는 없으니, 아탈렌타의 고지식한 기사들도 여기사라는 존재에 자연스럽게 익숙해질 것이었다.

아스티나의 사심이 담긴 제안이긴 했으나 공적인 목적으로도 손색이 없었다. 앤서린은 어렵지 않게 동의했다.

세세한 조율 끝에 꽤 그럴듯한 협의서가 만들어졌다. 도장을 찍은 앤서린이 당당하게 고개를 들었다. 그녀가 자신감 있는 투로 말했다.

“대공 전하께서 혼인과 함께 맞이하신 행운이 얼마나 가치 있는 것인지, 저희 트리스탄이 몸소 증명해 드릴 것입니다.”

트리스탄과 아탈렌타는 온 카라벨라 사람들이 전부 알고 있는 오랜 앙숙 사이다. 두 가문의 이름이 정적이라는 단어로 대유되기도 했으므로, 아마 카라벨라인들은 오늘부로 언어 생활에 있어 필시 혼란을 겪어야 할 것이다. 모두의 가치관을 뒤흔드는 결정을 내렸으니 그로 인한 결과도 대단해야 했다.

재차 악수를 나누는 것으로 공적인 절차는 전부 마무리되었다. 앤서린이 모자를 쓰며 산뜻하게 말했다.

“그럼 저흰 이만 일어나 보겠습니다.”

‘저희’라니.

귀에 걸리는 단어에 테리오드가 어리둥절한 표정으로 아스티나를 돌아보았다.

“같이…… 나가십니까?”

“예, 이시스 황녀님께 후작님을 소개해 드리기로 약조해서요.”

아스티나는 대공가로 찾아오겠다는 앤서린에게 이야기가 끝나면 같이 황궁을 방문하자 청했었다. 앤서린은 영문을 몰라 하면서도 선선한 허락을 돌려주었다. 근래 이시스 황녀와 대공비가 친분을 쌓아 가고 있다는 건 유명한 이야기였다. 앤서린은 이를 일종의 ‘친구 소개의 자리’ 정도로 이해했다. 정작 아스티나는 앤서린이 습격을 사주했다는 친구의 친구를 받아들일 수 있을지 의문이었지만.

아스티나는 가문의 인장이 적힌 서류를 물끄러미 내려다보았다. 앤서린은 자신이 이미 돌이킬 수 없는 강을 건넌 상태라는 걸 알까.

“참, 그 노래 들으셨습니까?”

앤서린이 아스티나와 함께 문을 나서기 전, 문득 발걸음을 멈춰 세웠다. 테리오드와 아스티나의 얼굴을 두루 살핀 앤서린이 곤란한 목소리를 내었다.

“아무래도 분위기가 좋지 않습니다. 황궁과 그럴듯한 연줄을 얻으신 데다 저희 가문과 나눈 화해까지. 아무래도 대공비 전하의 위세가 대단하니 누군가 수를 쓴 모양이더군요.”

“그게 무슨 말씀이십니까?”

“가끔은 저잣거리에 귀를 기울이십시오. 제가 할 일이 없어 괜히 길거리를 돌아다니는 건 아니랍니다.”

그리 대답한 앤서린이 짧은 노래를 시작했다.

[낮과 밤을 달려 도착한 신비한 곳

밭일을 하면서도 하하호호

빨래하는 냇가에도 하하호호

울 줄 모르는 사람들 그것참 기묘해

지팡이를 휘둘러라 빨간 마녀야

모두가 속아 웃어 버리게

마녀는 사람을 홀릴 줄 알지

남자도 원수도 마을 사람들도!]

✣ ✣ ✣

“투명한 수작이지요. 남자는 대공, 원수는 저희 가문, 그리고—”

마차의 덜컹임에 앤서린의 목소리가 멎었다. 실수로 혀를 깨문 앤서린이 미간을 찡그리며 턱을 문질렀다. 그에 아스티나가 덤덤히 말을 받았다.

"마을 사람들은 백성들을 말하는 것이겠지요."

"……그리 놀라진 않으시는군요? 이미 다른 이에게 들으셨습니까?"

앤서린이 의외라는 눈으로 아스티나를 돌아보았다. 아스티나는 무표정한 얼굴로 창밖을 내다보았다. 마차가 황궁의 입구로 들어서고 있었다. 앤서린이 부른 충격적인 노래에도 불구하고 그들은 늦지 않게 약속 장소에 도착했다. 불쾌한 표정이 된 테리오드가 무어라 입을 열기도 전, 아스티나가 시간이 다 되었다는 말로 앤서린을 끌어낸 덕분이었다.

아스티나가 속을 알 수 없는 표정으로 대꾸했다.

"글쎄요. 유명세라는 게 늘 좋은 방향으로만 기능하지는 않으니까요."

애매한 대답에 앤서린이 걱정스럽게 미간을 찡그렸다.

"악의가 분명하니 드리는 말씀이지요. 아마 이것만으로 끝나진 않을 겁니다."

"사실, 어떤 창의적인 방법이 나올지 벌써부터 기대 중이랍니다."

사람을 마녀로 모는 방법은 하고많다. 욕심 많은 이들에게 부유한 여성은 오래전부터 좋은 먹잇감이었다. 불순종자라 몰아붙이고는 소유한 재산을 갈취하기에 그보다 손쉬운 상대가 없었다. 아스티나의 재력은 분명 대단했지만, 하나 차이점이 있다면 바로 기혼 여부였다. 남편이 뻔히 살아 있는데도 그런 소문이 도는 것이 다소 의외인 점이긴 했다.

"도착했군요."

앤서린의 걱정을 재차 입에 담기도 전, 아스티나가 일축하듯 말했다. 앤서린은 아스티나를 따라 잠자코 밖으로 내려섰다.

목적지에 가까워질수록 앤서린의 얼굴엔 옅은 긴장이 배어났다. 앤서린이 이시스와 사석에서 이야기를 나누는 건 이번이 처음이었다. 파티 홀에서 인사 몇 마디와 담소 정도는 오간 적이 있으나, 어디까지나 공적인 자리에 한정됐다.

앤서린은 능력 있는 여성들을 향한 무조건적인 호감을 품고 사는 이였다. 아스티나의 조언대로 그렇지 못한 이들을 비난하는 일은 조심하고 있었지만, 존경할 만한 사람에게 호감을 품는 게 나쁜 일은 아니지 않은가. 프리모 황자의 머리가 이시스 황녀라는 소문은 이미 알음알음 퍼져 있는 바였다. 그런 황녀에게 직접 초대받았다고 생각하니 잘 보이고 싶은 욕심이 앞섰다.

앤서린은 굳은 얼굴로 아스티나를 따라 후원으로 들어섰다. 오늘은 야외에서의 티타임이 예정되어 있었다. 계절 꽃 한가운데 꼿꼿이 앉은 황녀는 과연 고아했다. 이시스가 인자하게 방문객들을 반겼다.

"이게 다 누군가. 정말이지 믿을 수 없는 조합이로군. 트리스탄과 아탈렌타가 동석할 줄 그 누가 예상이나 했을까?"

"덕분에 황녀 전하를 알현할 기회가 생겨 기쁩니다. 초대해 주셔서 대단히 영광이에요."

그리 답한 앤서린이 정중하게 예를 취했다. 이시스는 맞은편 자리를 향해 손을 펼치고는 시녀에게 다과를 내오라 일렀다.

앤서린은 침을 한번 삼키고는 착석했다. 물론 떨리는 마음과는 별개로 앤서린의 입은 착실하게 인사치레를 뱉어 냈다. 그리고 곧 정적이 찾아들었다. 분명 자리의 주최자가 예정된 화제를 꺼내 들어야 할 텐데, 정작 이시스는 도통 입을 열지 않고 있었기 때문이다.

황녀는 만면에 미소를 띤 채 느리게 눈을 깜빡이기만 했다. 그런 이시스에게로 아스티나의 은근한 시선이 쏟아졌다. 흘긋 아스티나의 낯을 확인한 이시스가 여전한 종용의 눈빛을 확인하고는 옅은 한숨을 지었다. 이시스는 이마를 손으로 몇 번 문지르더니, 불쑥 입을 열었다.

"미안하네, 앤서린 후작. 내가 그대를 시험했어."

허심탄회한 목소리였다. 반사적으로 아스티나의 고개가 들렸다. 더욱 혼란스러운 건 앤서린 쪽이었다. 시험이라니, 그게 무슨 말인가. 예상치 못한 발언에 앤서린이 의문에 찬 표정을 했다. 이시스는 아스티나의 시선을 피한 채 말을 이었다.

"대공비는 몰랐던 일이야, 모든 게 내 독단이었네."

"그게…… 대체 무슨 말씀이십니까?"

"사냥 대회에서 그대를 습격하라 명한 것이 나일세."

호감이 담긴 웃음은 온데간데없이 지워졌다. 이시스가 말을 끝맺기도 전에 앤서린은 자리에서 벌떡 일어났다. 황녀가 자신을 습격하라 명했다는 사실이 머리로는 잘 이해되지 않았으나, 몸은 반사적으로 경계 태세를 취했다. 이시스의 말대로 황녀 본인이 범인이라면 지금 이 자리에서 다시 기회를 노릴 수도 있는 것 아닌가. 게다가 앤서린은 완전히 무장을 해제한 상태였다.

경계 어린 시선을 이시스가 우아하게 맞받아쳤다.

"후작, 자리에 앉아."

"오늘 무슨 목적으로 절 초대하신 겁니까? 아니, 제게 그 사실을 밝히신 이유는 또 뭐지요?"

"앤서린 트리스탄, 우선 앉아서 내 말을 듣게."

자신의 이름이 불리고 나서야 앤서린은 뒤늦게 이성을 되찾았다. 황녀가 초대한 자리임이 대외적으로 확실한 지금, 앤서린이 사망하면 가장 의심받을 것이 바로 이시스였다. 그리고 공격할 생각이 있었다면 애초에 앤서린에게 경계할 시간조차 주지 않았을 터다.

앤서린은 거친 숨을 들이켜며 천천히 자리에 앉았다. 그러나 날카로운 눈빛은 여전했다. 앤서린이 짧게 응수했다.

"말씀하십시오."

"말했듯 대공비는 몰랐던 사실이야. 그 점은 확실히 하고 싶군. 하지만 나에겐 그대가 대공비의 뒤를 칠 사람인지, 아닌지 증명이 필요했네."

"그게 무슨……. 고작 그런 이유로 사람에게 살수를 보낸단 말입니까?"

"나로서는 절박했지. 대공비는 그대를 안고 가겠다고 고집을 부렸고, 나로서는 아탈렌타와 앙숙 관계인 그대를 신뢰할 수 없었거든."

"그게 대체 무슨 말씀이십니까? 제가 대공비 전하와 반목하든 말든, 황궁과는 아무 관련이 없는 문제 아닙니까? 그간 트리스탄과 아탈렌타의 분쟁에 언제나 눈을 감아 왔던 황궁이 왜……!"

"황궁이 아니야."

이시스의 말에 정적이 찾아들었다.

앤서린은 그저 혼란스러웠다. 이시스가 사사로운 목적을 위해 일을 벌였다면 보통 그 수혜자는 프리모가 될 것이다. 그러나 프리모는 앤서린 같은 대귀족을 시험할 필요조차 없었다. 그가 황위를 물려받을 것은 기정사실이었고, 굳이 후작과 반목하여 분란을 일으킬 이유가 없으니까.

"앤서린 후작, 난 원대한 꿈을 꾸고 있네."

이시스가 위엄 있는 목소리로 말했다. 앤서린은 홀린 듯이 황녀를 응시했다.

"고작 여성이라는 이유로 우리에게 어떤 핍박이 돌아오는지 그대도 알지 않나? 누구보다도 재능 넘쳤지만 오라비의 뒷그림자만 밟아야 했던 그대라면 익히 잘 알고 있겠지."

"그게 무슨—"

"후작, 난 황제가 될 생각일세."

앤서린의 낯에 이루 말할 수 없는 충격이 떠올랐다. 당연히 예상한 반응이라는 양 이시스의 태도는 덤덤했다. 이시스가 은근한 자신감이 비치는 목소리로 말했다.

"난 그대 같은 이들이 더는 숨죽여 살지 않아도 되는 세상을 만들어 보고 싶어. 나의 뒤를 따르지 않겠나?"

"믿을 수…… 없습니다. 저를 죽이려다 실패하여…… 그래서 이런 변명이나 생각해 내신 겁니까? 그것참—"

앤서린이 채 다 이해하지도 못한 표정으로 횡설수설했다. 이시스가 픽 웃음 지으며 대꾸했다.

"분명 살수들이 그대들을 상대하다 말고 중간에 물러서지 않았나? 나도 대귀족을 황궁에서 죽여 보낼 정도로 간이 크진 않아."

"그런—"

"앤서린 후작, 이건 질 나쁜 장난이나 황궁에 대한 충의를 시험하려는 말 같은 게 아니야. 난 그만큼 절박했어. 나의 가장 큰 응원

군의 바람이라고는 하나…….”

이시스는 그리 말하며 아스티나 쪽을 흘긋 응시했다. 이어 이시스가 가당치도 않다는 듯 미간을 찌푸렸다.

“내가 어찌 트리스탄과 아탈렌타의 조합을 믿을 수 있었겠나? 부디 내 조심성을 이해해 주게. 난 조금도 실패해서는 안 되는 사람이었어.”

앤서린은 아직 혼란을 채 다 벗어던지지 못한 얼굴이었다. 그럼에도 ‘조금도 실패해서는 안 되는 사람’이란 말은 앤서린의 가슴에 큰 파동을 불러일으켰다. 흠잡히지 않으려 무던히도 노력했던 자신의 지난날, 혹은 지금이 떠오른 탓이었다.

“하지만 그대는 내 오판과 달리 대단한 의리를 가진 여인이었지. 이번 일로 난 크게 감복했다네. 그리고 그대라는 인재가 가지고 싶어졌지.”

고귀한 황녀에게서 돌아온 인정이 앤서린의 귀를 달콤하게 휘감았다. 그간 앤서린이 들은 최고의 칭찬은 ‘여자답지 않게 대단하다.’였다. 누구도 앤서린이라는 사람 자체를 오롯이 받아들인 적이 없었다.

그러나 황녀는 다르다. 모자란 오라비 대신에 대의를 꿈꾸는 누이. 그것은 바로 앤서린의 인생사이기도 했다. 그리고 그 길에 얼마나 모진 고통이 따르는지도 충분히 잘 알고 있다. 앤서린은 이시스에게서 스스로의 모습을 보았다. 앤서린은 이시스를 이해할 수 있었고, 그러므로 이시스 역시 자신을 이해할 것임을 강하게 예감했다.

앤서린의 주먹에 힘이 들어갔다. 오라비를 황제로 만들어 주는 꾀를 내며 황녀는 얼마나 인내해 왔을까. 얼마나 많은 것들을 알고 있으며 또 얼마나 큰 그림을 그려 왔는가. 그 일부를 본 것만으로도 앤서린은 가슴이 벅차 왔다.

이시스가 진중한 음성으로 물었다.

"앤서린 후작, 나를 두 번째 마티나로 만들어 주지 않겠나?"

초대 황제를 평생토록 존경해 온 앤서린에게 그만큼 황홀한 제안도 없었다. 남모르게 대공가의 협력까지 얻어 낸 수완을 가진 여인이다. 충분히 인생을 걸어 볼 만하지 않은가.

마침내 앤서린의 얼굴에 결연한 표정이 떠올랐다. 앤서린은 자리에서 몸을 일으켜 무릎을 꿇었다. 기사의 예를 취하며 앤서린이 힘주어 말했다.

"그 명, 기꺼이 받들겠습니다."

앤서린의 눈엔 어느새 열렬한 추종심이 깃들어 있었다. 궁정의 한복판도, 이시스의 머리에 관이 씌워져 있는 것도 아니었으나 그런 사실들은 전혀 중요하지 않았다. 이시스는 손을 뻗어 신종 선서를 마쳤다.

"그대에게 검을 내리고 싶지만 이곳은 마땅한 자리가 아니군. 내가 제위에 앉는 날, 그대에게 첫째 기사의 칭호를 내리겠네."

"대단한 영광입니다."

자신을 인정해 준 황녀의 말에 울컥한 듯, 앤서린은 황급히 눈가를 훔쳤다. 이시스가 손수건을 내어 주며 자애롭게 말했다.

"감정이 북받친 듯한데, 잠시 추스르고 돌아오겠나?"

이시스의 배려에 앤서린이 감동받은 기색으로 고개를 끄덕였다. 앤서린은 얼굴을 가리며 황급히 자리를 벗어났다. 이시스는 온화한 낯으로 멀어지는 앤서린을 향해 손을 흔들었다. 앤서린이 시야에서 사라지자마자 이시스가 홱 고개를 돌렸다.

"따로 할 말이라도?"

아스티나는 드물게도 황당하다는 표정으로 입을 빼끔였다. '두 번째 마티나'라는 말을 꺼낼 때부터 내내 그런 얼굴이었던지라, 이시스는 앤서린의 시선이 아스티나에게 향하지 않도록 무던히도 애를 써야 했다. 앤서린을 장외로 내보낸 것도 다름 아닌 아스티나를 단속하기 위해서였다.

이시스가 뻔뻔하게 말했다.

"사과했지 않나?"

"예, 거짓말을 섞으셔서요."

아스티나가 눈썹을 들며 날카롭게 지적했다. 실제로 이시스가 한 말 중 사실은 황제가 되겠다는 야망뿐이었다. 애초에 습격자를 보냈을 당시에 이시스는 아스티나와 앤서린 사이의 친분조차 모르고 있었지 않은가.

아니, 거짓말은 차치하고서라도 아스티나를 당황스럽게 한 일은 따로 있었다. 아스티나가 믿을 수 없다는 표정으로 말했다.

"게다가 두 번째 마티나라니, 그 말씀은 제게도……?"

"아."

이시스가 이해했다는 듯 턱을 들었다.

"나는 남자와 여자에게 각기 다른 말을 하곤 하지."

이시스는 여유롭게 손가락을 하나 꼽으며 말했다.

"여자들에겐 나를 두 번째 마티나로 만들지 않겠나?"

그러고는 연이어 두 번째 손가락을 들어 올렸다.

"남자들에겐 그대가 나의 엘시어가 되어 주지 않겠나?"

옛 위인들의 이야기는 귀족들의 가슴속에 숨은 낭만을 자극하는 구석이 있었다. 때로 이런 방식 대신 약점을 언급할 때도 있었으나 어쨌든 이시스는 언제나 적합한 상대에게 적합한 때, 적합한 말을 꺼내 왔다.

"참고로 모두 백발백중이었지."

이시스가 짧게 덧붙였다. 뒤따라온 아스티나의 배신감 어린 눈빛에 이시스는 어깨를 으쓱였다.

"내가 말했지 않나? 정의로운 여자는 아무것도 얻지 못한다고."

새로 합세한 세력이니만큼 이시스는 앤서린에게 들려줄 이야기가 많았다. 앤서린은 새로 얻은 주군의 계획을 진지한 얼굴로 새겨들었다. 이시스 황녀는 과연 달변가였다. 적절한 억양과 손짓, 그리고 표정 하나하나까지 상대의 혼을 빼어 놓는 구석이 있었다.

이시스가 모든 설명을 끝마쳤을 때 앤서린의 표정은 완전히 감탄으로 물들어 있었다. 반짝이는 눈빛과 상기된 뺨은 새로운 꿈에 가슴 설레 하는 소년과 같았다.

아스티나는 이시스에게 존경의 눈빛을 보내는 앤서린에게 차마 진실을 밝힐 수도 없었다. 벨루아에서 자해 공갈을 펼친 자신을 보던 대공이 이런 기분이었을까. 사기극에 동참했다는 생각에 뒷골이 다 아파 왔다. 아스티나는 급격히 테리오드가 보고 싶어졌다.

그의 말간 웃음을 본다면 기분도 나아지리라.

저녁을 지나 밤에 가까운 시간이었으므로, 자택에 귀가한 아스티나는 곧장 침실로 향했다. 문을 여는 손엔 짙은 피로감이 묻어났다. 그러나 아스티나는 곧 자신이 방을 잘못 찾아온 건 아닌가 의심해야했다. 침실엔 매우 낯선 광경이 펼쳐져 있었기 때문이다. 아스티나는 술잔을 기울이고 있는 테리오드를 발견하고는 그만 걸음을 멈춰 세웠다.

그녀가 당황한 목소리를 숨기지도 못한 채 물었다.

"갑자기…… 웬 술이십니까?"

테리오드의 시선이 흘긋 아스티나에게로 돌아왔다. 테리오드는 대꾸하지 않고 다시 술병을 들었다. 어쩐지 반항아 같은 분위기가 물씬 풍겼다. 그 순간 아스티나의 머릿속에 이전의 기억이 기민하게 스쳐 갔다. 관심을 달라며 소란을 피우던 반항기 소년을 상기해 낸 것이다.

아스티나는 재빠르게 자신의 행동을 점검했다.

'뭐가 문제지?'

육체 접촉은 충분했다. 어딜 갈 때마다 행선지도 꼬박꼬박 밝혔다. 외박을 한 적이 없었고 쓸데없이 옹고집을 부려 몸을 다쳐 오는 일도 없었다. 영문을 알 수 없었으므로 아스티나는 우선 한 수 물러섰다. 조용히 잔을 꺼내 와 테리오드의 맞은편에 앉은 것이다.

"저도 같이 한잔할까요?"

테리오드는 여전히 입을 다문 채였다. 아스티나는 병을 기울여 제 잔에 술을 따랐다. 앤서린 후작을 속인 일로 오는 내내 음주가 당기긴 했다. 그런 아스티나를 빤히 응시하던 테리오드가 불쑥 물었다.

"외출은 즐거우셨습니까?"

와인 병을 든 아스티나의 손이 멈칫했다. 꼬인 발음에서 취기가 여실히 묻어났지만, 질문의 의도는 마냥 분명했다.

문제는 그것이었나.

그러고 보니 요 근래 테리오드를 두고 홀로 외출하는 일이 잦긴 했다. 혹시 몰라 잠자리는 거르지 않았으나, 어쩐지 정말 매번 잠자리만 해 왔던 듯도 하다. 특히 지난 2주 정도는 앤서린 후작과 이시스 황녀 사이의 일을 처리하느라 무척이나 정신이 없었다. 아스티나는 자연스럽게 테리오드의 시선을 피하며 대답했다.

"즐겁긴요. 머리 아픈 이야기들뿐이었지요. 늦은 시간인데, 술은 이만하고 그만 잠자리에 들까요?"

"그러게요, 시간이 참 많이 늦었는데……."

말을 돌리려 부린 수작은 아스티나를 궁지로 밀어넣었다. '시간이 이렇게 늦었는데 이때까지 안 들어오고 뭐 했느냐'는 듯한 시선에 아스티나는 침착하게 침을 삼켰다.

"그러고 보니 갈수록 해가 짧아지는 것 같군요. 겨울이 가까워지나 봅니다."

"예, 덕분에 가슴이 좀 시린 듯도 하고요."

아스티나는 결국 잔을 내려놓았다. 그녀에게도 항변할 말은 남아 있었다.

"대공, 대공께서도 지난번 늦게 귀가하셨지 않습니까."

"그게 근 한 달 내 몇 번이었지요?"

"……한 번이요."

"부인께서는?"

“…….”

적어도 다섯 손가락은 넘었다. 아스티나는 등허리에 식은땀이 배어 나오는 것을 느꼈다. 황제를 상대할 때도 당황하는 법이 없었는데, 눈앞의 미남자와 나누는 신경전은 아스티나를 긴장하게 만드는 구석이 있었다. 술에 취했으면 적당히 넘어갈 법도 하거늘 왜 이리 논리적으로 잘 따지고 드는 건가.

아스티나가 눈썹을 들어 올리며 대답했다.

“그건 어디까지나 업무의 일환이었습니다.”

“앤서린 후작이 술에 취해 찾아왔던 것도요?”

“그건 제가 어찌할 수 있는 일이—”

“예, 물론 그렇겠지요.”

테리오드가 시큰둥하게 대답했다. 어느 모로 보나 비아냥이었다.

아스티나는 고개를 들고는 느리게 숨을 들이켰다. 요즘 그를 좀 방치했던 건 사실이지만, 그렇다고 제가 놀았던 것도 아니지 않은가. 이시스를 돕는 건 아탈렌타의 영광을 위한 일이기도 했다. 가문에 내려온 유전병 문제로 항상 변방에 머물렀던 대공가의 입지를 수도까지 끌어올 기회 말이었다.

안 그래도 피곤한 와중인데 집에 와서는 늦었다는 핀잔이나 듣다니, 아스티나도 사람이다보니 약간의 짜증이 일었다. 아스티나는 다소 싸늘한 태도로 자리에서 일어섰다.

“됐습니다. 그만하지요. 불만이 많이 쌓이신 듯한데, 술이 깨시면 다시 얘기하세요.”

테리오드가 번뜩 고개를 들었다. 그가 제 앞을 지나쳐 가는 아스티나를 향해 팔을 뻗었다. 그대로 붙잡힌 아스티나가 흘긋 테리오드를 돌아보았다. 테리오드는 억울한 표정으로 입을 벙긋이고 있었다.

아스티나가 눈을 가늘게 뜨며 말했다.

"하실 말씀이라도 있으십니까?"

"……계속…… 기다렸는데."

"예?"

"자꾸 저를 두시고 다른……."

테리오드가 문득 말을 멈추었다. 자존심이 상한다는 듯 입술을 깨물고는, 시선을 피해 고개를 돌렸다. 그가 아스티나를 잡은 손을 놓으며 말했다.

"됐습니다, 제멋대로 기분이 상한 것뿐인걸요."

말끝이 미세하게 젖어 있었다. 완전히 반대편으로 얼굴을 돌린 상태라 우는 것인지 단순히 목소리가 갈라진 것인지 긴가민가하다. 아스티나가 당황한 음성으로 되물었다.

"……우십니까?"

"울긴 누가……."

테리오드가 말하다 말고 숨을 크게 들이켰다. 그러고는 거친 움직임으로 제 눈가를 한 번 쓸었다. 그가 강한 부정을 입에 담았다.

"울긴 누가 웁니까. 술버릇이 원래 그렇습니다."

술버릇이라, 확실히 대공은 몹시 취해 보이긴 했다. 온통 붉어진 몸이나 불분명한 발음은 영락없이 만취한 자의 것이었다.

아스티나의 어깨에서 힘이 빠졌다. 지금 취한 사람을 상대로 무슨 신경전을 벌이고 있었던 건가. 지난번엔 자신이 추태를 부렸으니, 이번엔 제 쪽에서 대공의 주정을 받아 줘야 할 모양이다. 아스티나가 도로 자리에 앉으며 달래듯이 말했다.

"후작님과 저는 친구 사이입니다."

"누가 친구와 남편보다 더 오랜 시간을 보낸답니까?"

"……한 가지 짚고 넘어가자면, 후작님은 분명 여성이신데요."

"그건 아무런 문제가 안 됩니다!"

그간 쌓인 불만은 깊고도 컸던 모양이다. 아스티나는 졌다는 듯 양손을 들어 올렸다.

"좋습니다. 허심탄회하게 원하는 걸 말씀해 보세요. 아예 약조라도 할까요?"

"……말하면, 들어주실 겁니까?"

눈치를 보던 테리오드가 슬그머니 펜과 종이를 꺼내 들었다. 분명 수납장 위에 올려 두던 물건인데 왜 테이블에 와 있는지 모를 일이었다. 본격적인 준비에 아스티나는 내심 당황했다. 테리오드가 변명하듯 말했다.

"보통 부부끼리는 혼전 계약서 같은 걸 쓰곤 하지 않습니까."

다른 두 사람이 함께 살아가며 불만이 아예 없을 수는 없는 법이다. 연인이 된 이상 서로가 싫어하는 행동은 되도록 피하는 것이 맞았으니, 아스티나는 의견 조정의 시간을 겸허히 받아들이기로 했다.

"흠, 실제로 겪어 보고 조율하는 혼후 계약서라. 좋습니다."

"서로 원하는 걸 세 가지씩 적어 보면 좋을 것 같습니다. 여기 명시된 항목을 가장 우선해서 지키는 걸로요."

아무래도 미리 생각해 둔 것이 분명했다. 어딘지 걸려들었다는 느낌을 피할 수 없었지만, 아스티나는 선선히 그 깜찍한 계략에 넘어가 주었다. 아스티나가 테리오드 쪽을 턱짓하며 말했다.

"먼저 말씀하세요."

그러나 테리오드는 선뜻 대답하지 못하고 망설였다. 아스티나가 의아한 눈빛을 보낼 즈음, 테리오드가 시선을 피하며 1번 항목을 적어 내렸다.

"하루에 한 번 키스해 주기. 아니, 애정 표현이면 뭐가 되었든 좋습니다."

"흠. 그리고요?"

"배우자를 가장 우선으로 생각하기."

"……당연한 사항이지만, 그간 썩 잘 지켜 오지 못했긴 하군요. 좋습니다. 그리고요?"

테리오드가 고심하듯 제 턱을 문질렀다. 잠깐의 고민 끝에 그가 마지막 요구 사항을 말했다.

"앤서린 후작과…… 지금보다 덜 만나기."

아스티나는 웃음을 참기 위해 눈을 감고 입술을 깨물었다.

테리오드가 꼬부라지는 글씨를 열심히 적다 말고 고개를 들었다. 아스티나는 올라가는 입꼬리를 필사적으로 자제하려 했지만, 기묘하게 일그러진 얼굴은 수습 가능한 범위가 아니었다. 테리오드의 눈이 세모꼴로 변했다. 그가 도발적으로 물었다.

"부인께서는 하실 말씀 없으십니까?"

"음……."

솔직히 말하면 없었다. 테리오드는 조금 귀찮은 것 빼고는 성실한 애인이었다. 그는 언제나 아스티나에게 충분히 사랑을 주었으니까.

아스티나가 턱을 괴고 잠시 고민하다가는 입꼬리를 끌어 올렸다. 그녀 안의 가학심이 슬며시 고개를 든 탓이다.

“일하고 돌아왔는데 징징거리지 않기?”

테리오드가 충격받은 얼굴로 떡하니 입을 벌렸다.

아스티나가 말려 올라간 입꼬리를 손등으로 가린 채 테리오드를 재촉했다.

“안 받아 적고 뭐 하십니까.”

“……안 쓰겠습니다.”

“갑자기 왜 그러시는지요.”

“됐어요.”

급기야 테리오드는 펜을 탁상 위로 내던지듯 내려놓았다. 아스티나가 그를 구슬리듯 말했다.

“왜 그러십니까? 다 들어 드릴 작정이었는데.”

“그만 놀리세요.”

“제가 다음에 뭘 쓸 생각이었는지 안 궁금하십니까?”

테리오드가 아스티나를 빤히 응시했다. 상당히 본격적인 적의였다. 그가 아스티나에게 시선을 고정한 채 볼멘소리를 중얼거렸다.

“정말 못됐다.”

아스티나가 탁상 위를 손가락으로 두들겼다. 그녀가 나른한 눈으로 테리오드를 넘겨보며 말했다.

“아무래도 취한 김에 평소에 하고 싶었던 말을 다 하고 계신 것 같은데…….”

“예, 아주 못돼 먹으셨습니다.”

테리오드가 쐐기를 박듯 말했다.

더 놀렸다간 아무래도 수습이 불가능할 듯하다. 아스티나는 천천히 자리에서 일어나 테리오드의 앞에 가 섰다.

테리오드는 제 뺨을 감싸는 아스티나의 손을 피하려 했다. 하지만 아스티나가 그보다 빨랐다. 포도의 향긋한 내음이 테리오드의 입술 위로 내려앉았다. 테리오드는 반사적으로 눈을 감았다가, 천천히 되떴다. 그의 입술을 훔친 여인이 웃는 눈으로 그를 내려다보고 있었다.

테리오드는 뒤늦게 아스티나를 피해 고개를 돌렸다.

"이런다고 그냥 넘어갈 줄 아시면—"

아스티나는 집요하게 다시 그의 입술을 삼켰다. 얕은 빨아들임이 결국은 깊게 얽혀 들었다. 한참이 지난 후에야 아스티나가 고개를 들었다. 그녀가 테리오드의 입술을 엄지 마디로 쓸며 말했다.

"이걸로 하루에 한 번 키스하기는 됐고……."

"……."

"음, 애정 표현이면 된다고는 하셨지만, 제가 그런 일에 영 재능이 없어서요. 그래도 앞으로 노력해 보겠습니다."

테리오드는 완전히 얼이 빠진 표정이었다. 아스티나가 검지로 테리오드의 코끝을 장난스럽게 누르며 말했다.

"그리고 다시 말씀드리지만, 앤서린 후작님은 그냥 친구예요."

"……."

"대충 정리됐나요?"

"아니요."

테리오드가 가라앉은 음성으로 대답했다. 아스티나가 의아한 기색을 내보이기도 전, 자리에서 일어선 테리오드가 다시 입술을 부딪쳐 왔다. 술기운 때문인지 뺨에 닿은 테리오드의 손은 무척 뜨거웠다. 아스티나는 조용히 눈을 감았다.

입 안을 헤집고 치열을 훑는 일련의 행동에 점점 열기가 담겼다. 아스티나의 허리에 감겼던 테리오드의 손이 목덜미 부근까지 타고 올랐다. 등 뒤에 달린 단추가 하나씩 끌러졌다. 아스티나는 테리오드에게 밀려 천천히 뒷걸음질 쳤다. 걸음의 종착지는 침대였다.

미끄러지듯 앉은 아스티나의 위로 테리오드가 올라탔다. 그제야 끈질기게 달라붙던 입술이 떨어져 나갔다. 아스티나는 눈을 떠 천장과 함께 테리오드를 올려다보았다. 자신을 침대로 끌어들이기까지의 과정의 몹시 자연스러웠다.

아스티나가 삐딱하게 눈썹을 들어 올렸다.

"자연스러우시네요."

"점수는?"

"흠, 9점 드릴게요."

"당연히 10점이 만점이겠지요?"

"100점 만점이에요, 너무 능숙한 게 마음에 안 들어서."

테리오드가 작은 웃음을 흘렸다. 그러고는 아스티나의 뺨을 감싼 채 다시 입술을 내렸다. 느릿한 움직임엔 온통 애정이 묻어났다. 아스티나 역시 피식 웃으며 테리오드의 입술을 마주 삼켰다.

문득 그녀의 미간이 찌푸려졌다.

"술 냄새가……."

아스티나가 말을 끝맺기도 전 테리오드가 벌떡 몸을 일으켰다. 조금 전까지의 분위기가 허상이라도 됐다는 양 급격한 변화였다. 그가 허둥지둥 바닥을 짚고 내려서며 말했다.

"씻고 오겠습니다."

"아니, 잠깐—"

아스티나가 그의 팔을 붙잡기도 전 테리오드는 쏜살같이 방과 이어진 욕실로 향했다. 아스티나는 허공을 향해 든 팔을 추스르지도 못하고 황당한 표정을 지었다. 포도주 향이 확 끼쳐 잠깐 신경에 거슬렸을 뿐 그 정도는 아니었는데. 술 마신 사람과 키스하는데 술 냄새가 좀 나는 게 무어 대수라고.

한참 몸이 달아오르던 중 산통이 다 깨지고 말았다. 욕실 문이 닫힘과 동시에 아스티나는 한숨과 함께 침대 위로 무너졌다. 아무래도 테리오드가 나오기를 가만히 기다리고 있어야 할 모양이었다. 어이없는 상황이었지만 제 눈치를 살피는 데 혈안이었을 속내를 생각하면 귀엽게 봐 줄 법도 한 일이다.

아스티나는 문득 손을 들어 제 입술 위를 매만졌다. 포도주의 단맛이 입 안에 감돌았다.

'이래서 연애를 하는 건가.'

실없는 생각이다. 아스티나는 피식 웃으며 반쯤 돌아누웠다.

남편 없이 혼인 서약서를 작성할 때만 해도 이런 관계를 상상하기나 했었나. 그와 이렇게 '진짜 부부'처럼 생활하게 된 것은 아스티나도 미처 예상하지 못한 바였다. 그리고 그건 생각보다 나쁘지 않은 기분이었다. 집이란 곳에 돌아왔을 때 그녀를 사랑하는 사람이 기다리고 있다는 것은.

아스티나는 느리게 눈을 깜빡였다. 속눈썹이 점점 무거워졌다. 이내 천천히 눈이 감겼다.

"—부인?"

그렇게 몇 분여가 지난 건지 잘 알 수 없었다. 자신을 부르는 소리에 뒤늦게 정신이 들었다. 대꾸를 하고 싶은 기분이 아니었으므로 아스티나는 가만히 눈을 감고 있었다.

조심스럽게 어깨를 흔들던 손이 곧 떨어져 나갔다. 근처에서 어이없다는 듯 한숨짓는 소리가 들려왔다. 아스티나는 잠결에도 대공이 그런 태도를 보일 입장은 아니라고 생각했다. 한참 열이 오르던 와중 판을 깨고 간 건 테리오드 쪽이었으니까.

테리오드는 아스티나를 깨우는 대신 조심스럽게 옆에 누웠다. 가만히 아스티나의 팔을 두드려 주다가는, 몸을 반쯤 일으켜 그녀의 얼굴을 내려다보았다. 그의 입가에 미소가 감돌았다. 테리오드는 아스티나의 잠든 뺨에 짧게 입 맞췄다.

"사랑해요, 내 사랑."

이 무슨 말도 안 되는 애정의 말이 다 있나.

잠이 달아난 아스티나는 슬며시 고개를 들었다. 몸을 돌려 뒤쪽을 돌아보자 테리오드는 어느새 제자리에 누워 눈을 감고 있었다. 아스티나는 인기척이 나지 않게 조심하며 원래 자세로 돌아왔다.

어쩐지 살갗이 간지럽다.

아스티나는 손을 들어 그가 입 맞췄던 뺨을 가만히 두드렸다. 그녀가 헛웃음을 흘리며 테리오드에겐 들리지 않을 크기로 중얼거렸다.

"귀엽긴."

그러고는 진짜 잠에 들었다.

✣ ✣ ✣

트리스탄과 아탈렌타 기사단의 상호 견학 계획은 순조로이 진행되어 결국 당일을 맞았다. 아탈렌타에서는 기사단장과 정예 단원들을 여럿 선발했다. 실력순이었다고 변명해도 크게 어페는 없겠으나 사실은 ―아스티나가 보기에― 가장 편견에 찌든 이들이 차출된 것이었다. 아마 그들은 트리스탄에 널린 여성 기사, 혹은 훈련생들과 마주치며 깊은 혼란을 겪어야 할 것이다.

남겨지는 이의 고충도 가볍지만은 않았다. 단원들은 심심찮게 시비가 붙곤 했던 트리스탄의 기사들과 친목을 다져야 한다는 지령에 대단한 곤혹스러움을 느꼈다. 얕보여선 안 된다는 생각에 그들의 눈은 온통 전투욕으로 충만했다. 과연 분란 없이 이 견학이 잘 마무리될지는 아스티나조차도 확신할 수 없는 바였다. 아직 갈 길이 멀었다.

어떠한 미래를 예견하듯, 대공저는 아침부터 기사단장 헨리의 마음속 아우성마냥 소란스러웠다. 헨리가 떠나기 전 군기를 잡기 위해 아침부터 지옥 훈련을 벌인 탓도 있었으나 그뿐만은 아니었다. 담벼락 바깥의 소란이 대부분의 소음을 덮었던 것이다.

아스티나는 시끄러운 창밖을 내다보며 따듯한 차를 홀짝였다. 외출 준비를 하고 있던 테리오드가 아스티나에게로 다가왔다.

"뭘 그렇게 보고 계십니까?"

아스티나는 말없이 바깥을 향해 턱짓했다. 테리오드는 아스티나가 가리킨 쪽으로 시선을 돌렸다. 수도의 사저는 비교적 지대가 높은 곳에 위치했으므로 침실에 난 창으로 시가지를 내려다볼 수 있었다.

저택 바로 앞의 도로에서 수사복을 입은 자들이 행렬을 이뤄 성가를 부르고 있었다. 사제들의 표정까진 볼 수 없었으나 은은하게 울리는 노래는 제법 신실하게 들렸다.

"대축일 전에 정화 의식을 거치는 모양입니다."

수확제가 온 국민들의 행사라면 두 달여 뒤에 이어지는 대축일은 신도들의 잔치였다. 축일이 다가오면 신전에선 어두운 기운이 출몰한다는 —정확히 말하면 그렇다고 주장되는— 장소에 방문해 정화 의식을 벌였다.

문제는 그게 보통 수도 전체를 도는 대행렬은 아니었다는 점이다. 테리오드 역시 그 점을 지적했다.

"이렇게까지 대대적으로 한 적은 없었던 것 같은데요."

"신전 측에서도 뭔가를 보여 줄 때가 되긴 했지요. 갈수록 신도가 줄어드는 실정이니."

국교인 데다 국가명까지 대변하는 신치고 카라벨라는 그다지 인기가 없었다. 활발한 전도 활동과 신앙생활은 어디까지나 금전이 뒷받쳐져야 할 수 있는 일이다.

개국 당시 마티나가 카라벨라의 교리에 짜 넣은 몇 가지 항목들은 성직자들을 강제하다시피 청렴한 생활로 밀어넣었다. 그들은 신자들에게도 자제와 인내를 주요한 덕목으로 가르쳤고, 자연한 결과로 사치를 사랑하는 귀족들에게선 외면받았다. 성금으로 돌아가는 교회에 부유한 지배층이 몰리지 않으니 예산은 언제나 빠듯했다. 권위를 발휘할 만한 여유도 없는 게 카라벨라 신전의 현 실정이었다.

테리오드가 회의적인 태도로 말했다.

"신자를 모으겠다는 포부치고 썩 좋은 방법은 아니군요. 이른 오전부터 잠을 깨우니 오히려 원성이 자자할 듯한데."

때마침 노래가 멎고 기도가 시작됐다. 사람마다 각기 다르게 읊는 기도는 신에게 바치는 말이라기보다는 악마를 소환하는 주문처럼도 들렸다.

테리오드가 어이없다는 듯 혀를 찼다.

"게다가 기도를 저렇게 소란스럽게 할 이유는 또 무어랍니까."

아스티나가 창밖에 시선을 고정한 채 무심히 대답했다.

"신께 바치기 위한 기도가 아닐 테니까요."

그때 방 밖에서 선명한 노크 소리가 들려왔다. 조심스럽게 문을 열고 들어온 하녀가 트리스탄가에서 온 방문객들이 도착했음을 알렸다. 아스티나는 고개를 돌려 테리오드의 모습을 살폈다. 타이의 매듭이 헐겁게 매어진 것을 빼면 완벽해 보였다. 아스티나가 천 끝을 당겨 옷 태를 정돈해 주며 말했다.

"그럼 이만 나갈까요?"

아스티나가 정리해 준 목깃을 내려다본 테리오드의 입가에 미소가 떠올랐다. 테리오드와 아스티나는 자연스럽게 손을 맞잡고 방을 나섰다. 테리오드가 사람으로 돌아오고 얼마 지나지 않았을 적, 남들에게 보여 주기 위해 흉내 냈던 친밀함과는 달랐다. 대공 부부의 관계 발전을 제하더라도 대공가엔 큰 변화가 많았다. 아탈렌타 저택을 어색한 눈으로 살피고 있는 트리스탄가의 기사들이 특히 그러하다.

대공 부부는 트리스탄가에서 차출된 기사들을 직접 마중하며 격려의 말을 남겼다. 낯선 잠자리라 당분간은 불편하겠지만 제집처럼 편히 머물라는 것이 주 요지였다. 생각보다 친근한 대공 부부의 태도에 트리스탄 기사단의 단장인 닉스 경은 꽤나 안심한 기색을 보였다. 닉스 경과 적당한 담소를 나눈 후 아스티나는 발걸음을 돌렸다.

본격적인 합동 훈련은 내일부터였으므로 우선 가져온 짐을 숙소로 들여야 했다. 짐 정리하는 모습을 지켜보고 있어 봤자 불필요한 참견이 될 것이다. 그러나 밖으로 나서기 전, 아스티나는 걸음을 멈춰 세우지 않을 수 없었다. 무리 속에서 익숙한 얼굴을 발견한 탓이었다.

아스티나가 놀란 기색을 숨기지 않고 한 남자를 불러 세웠다.

"아돌프?"

참으로 예상치 못한 인물이었다.

아스티나의 알은체에 아돌프가 반갑다는 표정을 지었다. 아탈렌타 기사단으로 오갈 기사를 모집할 때 아돌프는 가장 먼저 손을 든 지원자였다. 그는 대공과 결혼했다는 친구 겸 스승을 하나 알고 있었기 때문이다.

"놀랐지?"

아돌프가 신난 기색으로 되물었다. 그러나 아카데미 친구를 만났다는 반가움은 채 일 분도 지나지 않아 사라졌다. 그를 보며 아스티나가 기이하다는 듯 턱을 쓰다듬었기 때문이다.

"용케 졸업을 했군."

분명 올해 초 학점이 모자라다며 자연의 순리를 거스른 시간표를 받아 온 기억이 났다. 당연히 제때 졸업을 하지 못하고 가을 학기에서 메우리라고 생각했는데, 트리스탄가에 들어온 걸 보면 어떻게 졸업장은 딴 모양이었다.

아돌프가 상상만 해도 토가 나온다는 듯 짧게 구역질하는 시늉을 했다.

"어떻게 됐어. 시험 기간엔 거의 죽고 싶은 기분이었지만. 어쨌든 오랜만이다."

"몇 년 만에 만나는 것도 아닌데 오랜만까지야."

"워낙 상황이 많이 바뀌어서 말이야. 네가 결혼을 하다니 이것 참 기분이 묘하네, 존댓말을 써야 하나?"

"아돌프 반델라가 차려 주는 격식이라니, 체하지나 않으면 다행이지. 공석에서만 주의해."

멀리서 기사들에게 격려의 말을 한마디씩 보태던 테리오드가 아스티나 곁으로 성큼 다가왔다. 단장도 아닌 인물과 오래 이야기를 나누는 것이 의아했던 탓이다.

테리오드를 발견한 아스티나가 그에게 자리를 내주듯 옆으로 물러났다. 그러고는 아돌프를 소개해 주었다.

"대공 전하, 제가 아카데미에 있을 적 알았던 친우입니다. 인사하세요."

"아돌프 반델라입니다."

테리오드는 아돌프가 내민 손을 맞잡으며 경계하듯 그를 살폈다. 친우라는 소개는 그를 안심시키지 못했다. 테리오드가 싫어하는 아스티나의 주변 인물들은 다 그놈의 친우라는 이름을 하고 있었으니까.

그러나 아돌프가 벤자민과 같은 과는 아닌가 의심한 것도 잠시, 테리오드는 곧 의심의 눈을 사그라트렸다. 아돌프는 연적에게 내보이기엔 지나치게 경탄 어린 표정을 하고 있었다.

"소문대로 대단한 미남이십니다."

홀린 듯이 찬사를 늘어놓던 아돌프가 뒤늦게 정신을 차리고는 제 말을 정정했다.

"앗, 실례였다면 죄송합니다."

"아닙니다. 사과까지야."

테리오드가 얼떨떨하게 사과를 받아들였다. 아돌프는 '미남은 역시 마음도 넓지'라고 말하는 듯한 얼굴로 고개를 끄덕였다. 그러고는 아스티나를 향해 엄지를 추켜세웠다.

"네가 이런 대단한 분과 결혼할 줄이야. 사실 평생 혼자 살 줄 알았는데."

"기회는 붙잡아야 하는 법이거든."

아스티나가 맞받아치듯 가볍게 눈을 찡긋였다. 아돌프는 테리오드의 어색한 웃음을 돌아보며 재차 고개를 끄덕였다. 아탈렌타는 분명 대단한 집안이었으므로 이런 대화가 나오는 게 이상하지 않았으나, 어쩐지 가문만을 지칭하는 건 아닌 모양새였다.

"어쨌든 결혼 축하한다. 이렇게라도 얼굴 보니 좋네."

아돌프는 대공의 병환에 관해선 굳이 입에 담지 않았다. 대공의 앞에서 그런 주제를 꺼내는 것은 무례였을뿐더러 오랜만에 본 친우 앞에서 부정적인 말을 하고 싶지도 않았다. 그 사실을 알아챈 아스티나의 입가에 옅은 미소가 떠올랐다. 배려 섞인 화제 선택에서 격세지감을 느낀 탓이었다.

아돌프의 어릴 적을 생각하면 그가 트리스탄가로 들어간 것도 놀라운 일이다. 트리스탄은 분명 훌륭한 무가였으나 여기사를 받아들인 결정 때문에 고지식한 이들 사이에선 그다지 인기가 없었다. 아스티나는 검을 든 소녀를 연무장 밖으로 내쫓으려 혈안이 되었던 소년을 기억했다.

아스티나가 아돌프를 놀리듯 눈썹을 들어 올렸다.

"그런데 트리스탄이라니? 아주 의외의 선택인데."

"후작님께서 날 영입하고 싶어 하셨거든. 조건도 다른 곳보다 좋았고."

졸업 시기가 가까워지면 벨라체 아카데미는 방문객으로 북적였다. 고등 교육을 거친 인재들을 두루 살피기에 아카데미만큼 좋은 장소도 또 없었다. 특히 검술반의 연무장은 신입 기사를 영입하려는 가주들이 벌이는 알력 싸움의 장이었다. 가장 뛰어난 졸업생을 차지하는 건 일종의 트로피와 같았다. 앤서린도 그러한 방문객 중 하나였다.

앤서린은 조금 남다른 기준으로 기사들을 영입했는데, 바로 점찍어 둔 상대와 검을 맞부딪쳐 보는 것이었다. 무가의 인물이기에 내릴 수 있는 결정이었다.

그러나 그것이 검 실력을 측정하기 위한 대련은 아니었다. 앤서린이 가장 눈여겨보는 점은 상대가 전력으로 상대해 오는지였다. 여자라며 적당히 검을 휘두르는 생도는 가차 없이 제외했다. 동료를 동등한 무인이 아닌 여인으로 보는 자는 트리스탄에 필요 없었으니까. 그리고 앤서린의 기준에서 아돌프는 이번 졸업생 중 가장 남다른 이였다.

"알잖아. 내가 재학 기간 동안 내리 깨졌던 대련 상대의 성별이 뭔지."

이야기를 늘어놓던 아돌프가 어깨를 으쓱이며 변명했다.

아돌프가 앤서린에게 매 순간 최선을 다해 휘두른 검격은 다른 이가 보기엔 '좀 심한 것 아닌가' 싶을 정도였다. 어쨌든 그러한 이유로 앤서린은 몹시 흡족해하며 아돌프에게 높은 봉급을 제시했다. 아돌프는 당연히 희희낙락하며 입단 제의를 받아들였다. 어떻게 보면 아스티나 덕분에 좋은 취업 자리에 간 셈이었다.

아돌프가 마침 생각났다는 듯이 손가락을 부딪쳤다.

"참, 어제 월급 받았는데 술이라도 한번 살까?"

"됐어."

아스티나가 피식 웃으며 고개를 저었다. 그러고는 아돌프의 머리 위를 흘겨보았다. 아까부터 대충 쓸어 넘긴 젖은 머리가 신경에 거슬렸다. 비가 온 것도 아닌데 왜 홀로 물에 빠진 생쥐 꼴을 하고 있는 건가.

"근데 왜 이리 젖은 거야? 물벼락이라도 맞은 건가?"

"아, 이거?"

아돌프가 제 머리 위에 손을 올리며 되물었다. 앞으로 튀어나온 머리카락 가닥이 더듬이처럼 흔들렸다. 아돌프가 그것을 다시 뒤로 쓸어 넘기며 불쾌한 음성을 내었다.

"드디어 카라벨라의 신관들이 미쳤나 봐. 사람이 지나가는데 그 비싼 성수를 퍼붓더라니까. 어두운 기운이니 뭐니 하면서."

"앗, 그거 저도 당했습니다!"

옆을 지나가던 기사가 대화에 불쑥 끼어들었다. 피해자는 그뿐만이 아니었다. 순식간에 '너도? 나도.' 하는 식으로 사방에서 증언이 쏟아지기 시작했다.

대체로 사연의 골조는 비슷했다. 길목을 지나는데 신관들이 벌컥 화를 내며 성수를 쏟아부었다는 것이다. 세례를 받으면 보통 경건한 기분이 들어야 할 텐데, 길을 가다 대뜸 찬물을 얻어맞는 건 분노만 불러일으킬 뿐이었다. 참지 못하고 성을 내면 신관들은 어깨에 씌인 악귀를 치워 냈다는 둥의 이상한 소리를 하고는 가 버리니 환장할 노릇이었다. '악귀'라는 단어가 주는 찝찝한 어감에 대개는 피해 사실을 밝히지도 못했다.

아돌프가 기가 차다는 듯 불평했다.

"대체 신을 믿으란 건지 말란 건지. 아무래도 신전이 신도들을 잃고 싶어서 안달이 난 것 같다니까."

아돌프의 코웃음에 아스티나가 대수롭지 않은 목소리로 대답했다.

"글쎄, 아무래도 그 반대일걸."

–4권에서 계속

그녀와 야수 3

초판 인쇄 2019년 9월 6일
초판 발행 2019년 9월 20일

지은이 마지노선
펴낸이 신현호
편집부장 예숙영
책임편집 최은지
편집디자인 한방울
영업 · 관리 김민원 조은걸 조인희
물류 이순우 최준혁 박찬수

펴낸곳 ㈜디앤씨미디어
출판등록 2002년 5월 1일 제117-90-51792호
주소 서울시 구로구 디지털로 26길 111 JnK디지털타워 503호
대표전화 (02)333-2513 팩스 (02)333-2514
전자우편 dncbooks@dncmedia.co.kr
디앤씨북스 블로그 http://blog.naver.com/dncbooks

ISBN 979-11-264-4883-8 04810
ISBN 979-11-264-4880-7 (SET)